García Lorca en Cataluña

García Lorca et Catalunya

Con la colección TEXTOS, Editorial Planeta se ha propuesto ofrecer al público una serie de documentos que, por la personalidad de sus autores, por la importancia de su contenido, o por el impacto que su aparición causa en la opinión pública, son de lectura imprescindible para la cabal comprensión de los problemas socio-políticos de nuestro tiempo.

La colección TEXTOS se postula como complemento de las colecciones ESPEJO DE ESPAÑA y ESPEJO DEL MUNDO, y como ellas responde a una voluntad de testimonio abierto y objetivo.

ANTONINA RODRIGO

García Lorca en Cataluña

Prólogo de
JOSEP TRUETA

EDITORIAL PLANETA   BARCELONA

COLECCIÓN TEXTOS
Dirección: Rafael Borràs Betriu
Consejo de Redacción: María Teresa Arbó, Marcel Plans y Carlos Pujol

© Antonina Rodrigo, 1975
Editorial Planeta, S. A., Calvet, 51-53, Barcelona (España)
Edición al cuidado de María Teresa Arbó
Cubierta: Hans Romberg

Procedencia de las ilustraciones: Archivo particular de Ana María Dalí, Colección particular de Josefina Cusi, Gustavo Gili, Instituto Municipal de
 Historia (Barcelona), Romero y Autora

Primera edición: mayo de 1975 (6.600 ejemplares)
Depósito legal: B. 20928 - 1975
ISBN 84-320-0264-X
Printed in Spain - Impreso en España
Talleres Gráficos «Duplex, S. A.», Ciudad de la Asunción, 26-D, Barcelona-16

(c

Índice

Prólogo

Más a mi profesión que a mi naturaleza atribuyo la invitación que Antonina Rodrigo me hace para que le ponga un pórtico a su obra. Su deseo sería que el lector se adentrase en la historia tierna y a la vez verídica que nos cuenta, sabiendo algo del fenómeno aún no bien esclarecido de la mutua comprensión y estima entre dos sociedades aparentemente tan alejadas entre sí como son las de Andalucía y Cataluña. Tanto por su constitución genética como por su historia y geografía, que sitúa a los dos pueblos en contacto con razas y civilizaciones distintas, podría parecer lógico que de todos los pueblos peninsulares estos dos se hallasen tan distantes espiritualmente como aparecen en los mapas. Sin embargo, este supuesto no es solamente erróneo sino que, por el contrario, existe una doble corriente de orden sensitivo que los conduce a la mutua comprensión. ¿Quién, sin menoscabo de la realidad, puede ignorar que la sorprendente eclosión de la música andaluza contemporánea se debe al maestrazgo del tortosino Felipe Pedrell, durante sus treinta años de profesor en el Conservatorio de Madrid? Sin él es dudoso que el folklore andaluz hubiera podido alcanzar el actual grado de aceptación internacional, de la que fueron directamente responsables sus discípulos catalanes Isaac Albéniz y Enrique Granados, y el gaditano Manuel de Falla. A ellos debe añadirse el sevillano Joaquín Turina, más joven que los otros, pero que también estudió en el Conservatorio de Madrid. Sin embargo, ésta no puede considerarse la primera simbiosis posi-

13

tiva de la actividad catalana en Andalucía. Ya en el siglo XVIII, en pleno reinado de Fernando VI, cuando más acuciantes eran los requerimientos de la Armada, el cirujano tarraconense Pedro Virgili fundó el Real Colegio de Cirugía de Cádiz, que pronto se convirtió en la gran escuela de cirugía donde se formó, entre otros muchos, otro tarraconense ilustre, Antonio de Gimbernat, al que Virgili encargó la dirección del Real Colegio de Cirugía de Barcelona, y quien por orden de Carlos III fundó el Colegio de San Carlos, germen, junto con el Estudio de Medicina, de la Facultad de Medicina de Madrid. A pesar del tiempo transcurrido, aún hoy preserva Cádiz un entrañable recuerdo de Pedro Virgili y de la escuela que incorporó la cirugía española a la de los pueblos que forman la vanguardia de nuestra civilización.

Estas corrientes afectivas que van de norte a sur se hallan bien correspondidas por las que, como gentil compensación, se producen de sur a norte y de ellas dan evidencia dos de los genios de valor universal que Andalucía ha legado al mundo en los últimos cien años. Nos referimos a Pablo Ruiz Picasso, quien, sin renunciar nunca a su naturaleza andaluza, se catalanizó voluntariamente a los veinte años al dejar de usar el Ruiz de su padre para emplear hasta el final de sus días el mallorquín Picasso (¿Picassó?) de su madre. El otro ejemplo de compenetración espiritual con lo catalán nos lo ofrece Federico García Lorca. Leyendo las páginas a que estas líneas preceden, el lector conocerá la sorpresa tornada pronto en ilusión con que Lorca descubrió la espiritualidad que encierra el material con que se ha forjado el pueblo catalán, tan desconocido como incomprendido por los que basan su información en la adulterada imagen del corredor de tejidos, esparcida por muchos pueblos del interior de España. De la mano del figuerense Salvador Dalí hace Lorca su entrada en Cataluña, en 1925, zambulléndose de cabeza en el Ampurdán, la tierra donde se halla la raíz del país, base de la «Catalunya Vella». Como le había sucedido a Picasso con los asiduos de los Quatre Gats, encontró Lorca apoyo en el grupo de los iniciadores del surrealismo en Cataluña, entre los que se encontraba el Dalí de hace medio siglo, junto con Sebastià Gasch y Lluís Muntanyà. El ambiente de libertad y de crítica abierta de lo nuevo contrastaba con el que por entonces *predominaba en Madrid. García Lorca encuentra en el grupo Els Amics de les Arts un soporte entusiasta, y publica en su revista* Reyerta de Gitanos. *Margarita Xirgu, y con ella la plana mayor de la intelectualidad catalana, «descubre» a un García Lorca todavía insospechado, como a él se le revela lo que es la intelectualidad local con su lengua y cultura. Las sesiones dominicales de Lorca en el Ateneíllo de Hospitalet, hay que recordarlo, tuvieron lugar bastante antes de que esa ciudad-distrito de Barcelona se hubiese convertido, por el volumen de su población, en la que posiblemente es la segunda ciudad andaluza. El estreno de* Yerma *en Barcelona, en 1935, donde recibió la aclamación tanto culta como popular, le compensó de las contrariedades de su presentación en Madrid. La Xirgu le estrena* Mariana Pineda, La zapatera prodigiosa, Yerma, Doña Rosita la soltera o el lenguaje de las flores *y* La casa de Bernarda Alba.*

En las páginas que siguen, Antonina Rodrigo nos lo detalla todo con la objetiva meticulosidad que realmente cuenta, esto es, la que si bien se basa en datos exactos y por ello tendentes a la fría elaboración de estructuras analíticamente puras, se expresa sin impedir la percepción de los tenues latidos del corazón.

¿Cómo explicarse esta, a primera vista sorprendente, mutua comprensión y respeto entre gentes que hablan y aparentemente piensan de manera tan distinta como lo hacen andaluces y catalanes? Quizá el hecho de que ninguno de los representantes de la intelligentsia *catalana tuviese que descender de su estrado ni esconder su pensamiento y sus reacciones para manifestarse, contribuyera a la recepción que García Lorca tuvo en Barcelona. El poeta granadino no hablaba a los catalanes desde un plano superior, porque sabía que el espíritu no admite jerarquías, sino en el suyo propio, expresado en el admirable idioma del gran poeta que fue. Sus nuevos amigos le ofrecían también lo mejor que tenían, su propia naturaleza, y de ahí que se estableciese una íntima comunión que sólo su trágica muerte truncó.*

¿No hay, sin embargo, más motivo para la comprensión mutua que éste? Para esclarecerlo me precisa recurrir a lo que conozco de biología, ya que también está por determinar qué justificación encuentra la rápida integración del inmigrante andaluz en la so-

15

ciedad catalana, fenómeno cuya realidad se evidencia diariamente y que no precisa del ejemplo de los millares de «otros catalanes», según la calificación afortunada de Candel, entre los fans del Barça.

Investigaciones sobre genética han evidenciado que la perpetuación de las características heredadas de los progenitores inmediatos se halla sujeta a influencias externas desde el momento de la concepción, a más de las que se producen por cambios en los mismos genes por medio de la llamada mutación. Desde la concepción, el nuevo organismo se halla sujeto a la influencia de los elementos que le rodean y le penetran, lo que aprovechará para satisfacer el instinto básico del hambre. Después del nacimiento, a más del hambre celular, que el biólogo Ramón Turró consideró como base del conocimiento, se verá ayudado por una creciente acumulación de otros estímulos y factores ambientales. El proceso de adaptación al medio externo produce lo que se conoce por «fenotipo» para distinguirlo del puramente genético o «genotipo».

Estos y otros estudios han desacreditado el romántico y a la vez falso concepto de la «raza» como entidad social con homogeneidad genética. Hace un siglo que el zoólogo inglés y gran amigo de Charles Darwin, Thomas Huxley, evidenció que la «pureza de sangre» de una «raza» lo que realmente produce es el empobrecimiento vital de la misma. Todo lo que tiende al establecimiento de cierta homogeneidad en un grupo humano —llámese sociedad, pueblo, región o nación— es la generalización del impacto ambiental, que es el que crea la identidad del ente social y también de la historia. Desde luego que los cruzamientos genéticos inevitables en la convivencia aceleran la estabilización de características; por razones aún no esclarecidas en este conglomerado se producen los llamados «genes predominantes», que al cabo del tiempo incrementan la identidad del grupo humano.

Aplicando estos conceptos al caso que nos ocupa, ¿qué es lo que de identidad genética puede existir en común entre andaluces y catalanes? Seguramente el substrato íbero sobre el que se depositaron las colonias marítimas mercantiles del oriente mediterráneo, con más fenicios por la costa sur y más helenos en la del norte. Después, la común colonización romana, y a partir de ahí los elementos disgregadores predominan. Ochenta años de dominación

16

arábiga en la Cataluña Vieja por cerca de cuatrocientos en la Andalucía que cristianizó San Fernando y cerca de ocho siglos en la de los Reyes Católicos. Densa penetración de nórdicos en Cataluña y de árabes en Andalucía durante todo aquel tiempo. Este hecho, si las ideas románticas de las razas se basasen en la realidad, debería alejar al máximo a andaluces y catalanes. Sin embargo, ello no sucede por las causas a que me he referido más arriba, o sea el inmenso poder modelante del environnment.

Andalucía, habiendo iniciado su proceso de recristianización y de estructuración de la tierra mucho más recientemente que Cataluña, no ha tenido la oportunidad que ésta tuvo de adaptar la distribución de su tierra para la sociedad posfeudal. Ello ha hecho difícil el aumento del bienestar entre su densa población, dando lugar por un lado a la desviación del ansia de libertad, que puede acabar en el anarquismo, y por otro al emigrante. En Cataluña se suele llegar a la misma desviación a que llega el andaluz, por caminos distintos. Por eso el anarquismo típicamente catalán es de naturaleza individual mientras que el andaluz es más bien colectivo, lo que me atrevería a sospechar motivado por el ansia de poseer la tierra. Transportado a un núcleo industrial como el catalán, se transforma en el ansia de «propiedad» de la fábrica. Sin embargo, una vez incorporado a la nueva sociedad, su afición a crear ateneos, centros corales, sociedades recreativas o pertenecer al club de fútbol local, le convierte en un entusiasta participante de la vida del país.

Es mi convicción que esta íntima compenetración constituye un síntoma muy favorable sobre el futuro de la estructuración de España, más aún ahora que nuestros primos portugueses se hallan de regreso en la Península.

Josep Trueta

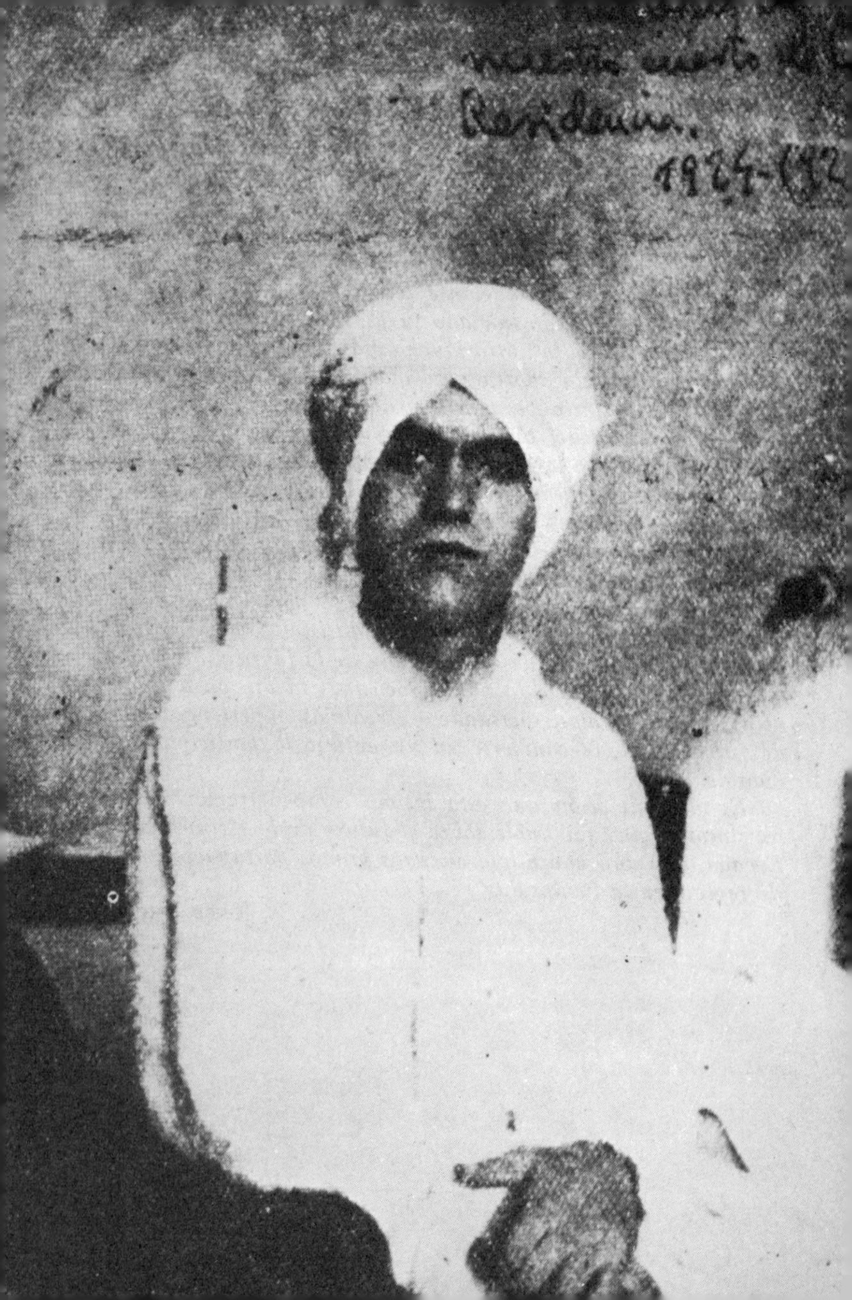
Presidencia.
1924-192

La Residencia de Estudiantes

Y amigo de Cataluña entera, ¡eso siempre!
Visca!

F. García Lorca

Federico García Lorca descubrió la «Cataluña eterna» de la mano de Salvador Dalí, allá por la primavera de 1925, y en la sensibilidad del poeta granadino se fueron enredando esas profundas raíces catalanas que marcan imperiosamente a toda persona sensibilizada por la cultura y el arte.

Al iniciarse el curso académico de 1922-1923, Salvador Dalí llegó a la madrileña Residencia de Estudiantes a «estudiar en Madrid la carrera de pintor», decía él.[1] Así se lo presentó García Lorca a Rafael Alberti.[2] De inmediato hizo los exámenes de in-

---

1. Guillermo Díaz-Plaja nos ha hablado de que en la época existía un amplio grupo de ampurdaneses, catalanes federales, no catalanistas, que estaban más vinculados con Madrid que con Barcelona. Casiano Castasia, profesor gerundense, fue discípulo de Giner de los Ríos, y por él sabía el interés con que seguían los movimientos modernistas de Madrid, adonde las familias acomodadas enviaban sus hijos a estudiar.

2. Rafael Alberti ha dejado un retrato insuperable de Salvador Dalí de aquella época, que nos complace transcribir por su calidad y gracia: «Salvador Dalí entonces me pareció muy tímido y de pocas palabras. Me dijeron que trabajaba todo el día, olvidándose a veces de comer o llegando, ya pasada la hora, al comedor de la Residencia. Cuando visité su cuarto, una celda sencilla, parecida a la de Federico, casi no pude entrar, pues

19

greso en la Academia de Bellas Artes de San Fernando. Al pintor lo acompañaban su padre y su hermana. Los tres de riguroso luto, por la reciente muerte de la madre, formaban un «grupo estrafalario». La nota más discorde la ofrecía Salvador Dalí. A pesar de sus 18 años, el muchacho ampurdanés empezaba a ser el personaje de indumentaria extravagante a que tan acostumbrados nos tiene todavía, pero aún no se exteriorizaba con pasmosas manifestaciones. Los graciosos gitanos que le servían de modelo en su estudio de la calle Monturiol, en Figueras, le llamaban el «señor Patillas». Rasgo que por entonces lo caracterizaba y que, unido a la melena que le cubría enteramente el cuello, una chalina de dimensiones anormales, una boina negra y peluda y una capa muy extraña, según nos lo describe su hermana,[3] el pintor de Figueras debía de tener una facha de auténtico esperpento. Tanto llegó a ser el alboroto que produjeron en Madrid, cuando algunas noches salían al cine, que un día el padre se plantó y dijo que «... con el chico disfrazado de aquel modo no se podía ir a ninguna parte, pues acabarían por apedrearlos».[4]

---

no sabía dónde poner el pie, ya que todo el suelo se hallaba cubierto de dibujos. Tenía Dalí una formidable vocación, y por aquella época, a pesar de sus escasos veintiún años, era un dibujante asombroso. Dibujaba como quería, real o imaginado: una línea clásica, pura, una caligrafía perfecta que, aun recordando al Picasso de la etapa helenística, no era menos admirable; o enmarañados trazos como lunares peludos, tachones y salpicaduras de tinta, ligeramente acuarelados, que presagiaban con fuerza al gran Dalí surrealista de sus primeros años parisienses.

»Con cierta seriedad muy catalana, pero en la que se escondía un raro humor no delatado por ningún rasgo de la cara, Dalí explicaba siempre lo que sucedía en cada uno de sus dibujos, apareciendo allí su indudable talento literario.

»—Aquí está la *bestia, gomitando.* (Se trataba de un perro, que parecía más bien un rebujo de estopa.) Éstos son dos guardias civiles haciendo el amor, con sus bigotes y todo... (Efectivamente dos manojos de pelos con tricornios se veían abrazados sobre algo que sugería una cama.) Éste es un putrefacto sentado en un café...» *La arboleda perdida,* pp. 175-76. Buenos Aires, 1959.

3. Ana María Dalí, *Dalí visto por su hermana,* Juventud, Barcelona, 1949.

4. Op. cit., p. 82.

Federico García Lorca
descubrió la «Cataluña eterna»
de la mano de Salvador Dalí.

En el comedor de la Residencia el grupo también despertó una expectación desusada. Pero se trataba de una curiosidad inspirada por el interés y la simpatía. Entre los estudiantes que más se fijaban en ellos destacaba uno —observa Ana María Dalí— de mirada «inteligente y penetrante», comparable tan sólo a la de Salvador: Federico García Lorca, que muy pronto sería su mejor amigo. Los otros se llamaban Eugenio Montes, Ernesto Halffter, Daniel Vázquez Díaz, Manuel Abril, Claudio Díaz, José Moreno Villa, Luis Buñuel, Dámaso Alonso, José Antonio Rubio, Ernesto Lasso de la Vega...

Alberto Jiménez Fraud, discípulo de Francisco Giner de los Ríos y colaborador de la Institución Libre de Enseñanza, fue elegido en 1910, por el propio Giner, para dirigir la Residencia, colegio universitario proyectado por la Junta para Ampliación de Estudios, que presidía don Santiago Ramón y Cajal. El ambiente de la Residencia fue, desde sus orígenes, fiel reflejo del espíritu que reinaba en la Institución, cuyo fundador, Giner de los Ríos, anhelaba orientar al país hacia «lo más depurado, liberal y tolerante de la vida y de la cultura europeas». El estudiante encontraba allí un clima familiar y una educación humanista. Los jóvenes convivían con profesores, investigadores, poetas y artistas cuya personalidad humana, intelectual o artística les sirviera de ejemplo y de estímulo. Unas veces los contactos eran propiciados, entre compañeros de estudio, por la afinidad de vivencias en lo cotidiano como era el caso de los residentes de excepción: Juan Ramón Jiménez, José Moreno Villa, Jorge Guillén... Mientras que otros frecuentaban habitualmente la «Colina de los chopos», nombre que le dio Juan Ramón Jiménez a la Residencia, en calidad de amigos de la casa: Santiago Ramón y Cajal, Ramón Menéndez Pidal, José Ortega y Gasset, Eugenio d'Ors, Ramón del Valle-Inclán, Manuel de Falla, el joven Rafael Alberti... Luego estaban los visitantes y residentes de paso, que aprovechaban sus intermitentes estancias en Madrid: Antonio Machado, que venía desde Baeza o Segovia; Miguel de Unamuno, que llegaba de Salamanca... Todos ellos desarrollaron actividades culturales a través de conferencias, conciertos, lecturas literarias, teatrales, o a través de enjundiosas conversaciones.

La Residencia de Estudiantes, donde se conocieron Federico García Lorca y Salvador Dalí.

Un grupo de residentes entre los cuales se encuentran Salvador Dalí y García Lorca respectivamente, segundo y cuarto de la primera fila, empezando por la derecha).

La Residencia fue una ventana abierta a la cultura universal, en el campo literario, artístico y científico. En sus laboratorios se formaron científicos eminentes: Guerra, Grande, Severo Ochoa, Catalán... Y nombres relevantes: Madame Curie, Eddington, Einstein, Broglie... dieron en la Residencia lecciones magistrales. También en el campo de la literatura y el arte, la Residencia atrajo a las personalidades extranjeras más importantes del momento. Todos los acontecimientos mundiales relacionados con la cultura o la técnica, desde las experiencias de G. Elliot y Smith, especialistas de las momias egipcias, hasta las de René Gouzy, técnico de aviación, que, en compañía del aviador suizo Mittelhorfer y del geólogo Heim, exploraron la enorme selva ecuatorial africana, volando desde Zurich a El Cabo. Howard Carter, descubridor de la tumba de Tutankamón; el arquitecto Le Corbusier, François Mauriac, Ravel, Stravinski, Louis Aragon, Paul Claudel, Valéry, Éluard...

La primera visita de García Lorca a la Residencia fue en la primavera de 1919. Se alojaba entonces en una casa de huéspedes de la calle del Espejo, que le había recomendado su paisano el guitarrista Ángel Barrios; allí paraba también el músico. Federico llevaba una carta de recomendación de Fernando de los Ríos, dirigida a Alberto Jiménez Fraud, para ser admitido como residente. Pero en realidad la mejor recomendación sería el recital que el aspirante dio de sus poesías, una noche de tormenta, en la sala de conferencias, ante un grupo de estudiantes y algunos intelectuales amigos de la casa. El poeta, con su sonrisa franca, su alegría contagiosa y su genio poético, sedujo al auditorio desde el primer momento.

En el otoño de aquel mismo año, cuando la vega granadina se convierte en una «bahía sumergida», Federico deja estos paisajes por los de la «Colina de los chopos». Se lleva en los ojos aquella visión ideal del otoño alhambreño: «¿En el cubo de la Alhambra no has sentido ganas de embarcarte? —le dice a Melchor Fernández Almagro—. ¿No has visto las barcas ideales que cabecean dormidas al pie de las torres? Hoy me doy cuenta, en medio de este crepúsculo gris y nácar, de que vivo en una Atlántida maravillosa.»

La estancia de García Lorca en la Residencia se prolongaría hasta 1928; pero, de hecho, quedaría vinculado siempre a ella, y su habitación vino a ser el centro de «desafíos poéticos», ha dicho Rafael Alberti. En ella escribió el poeta del Puerto de Santa María «... resonaron los poemas de los *Presagios,* el libro original de Pedro Salinas, y los del *Cántico,* de Jorge Guillén; por allí dije yo, con la timidez del más joven, canciones de mi *Marinero en tierra.* Juan Ramón Jiménez, ex residente ya en aquellos años, pasaba algunos atardeceres con nosotros, dándonos el gran ejemplo continuo de su perfecta vocación, elevada a religiosidad y ascetismo, mientras el bueno de Antonio Machado, perdido siempre en la provincia, nos mandaba su eco desde la paramera de Castilla o las llanuras de Baeza, eco que repetíamos de recio por aquella casa de la cultura, albergue de poetas...».[5]

Éste fue el ambiente que acogió a Federico García Lorca y a Salvador Dalí en la Residencia, que ejerció sobre ellos un beneficioso influjo, y en el que pronto se sintieron integrados y felices. El edificio estaba rodeado de chopos y arbustos y sus muros cubiertos de yedra. Cuando el hispanista John B. Trend llegó a la Residencia, exclamó: «¡Oxford y Cambridge en Madrid!»

5. Rafael Alberti, *La arboleda perdida,* Buenos Aires, 1959.

Descubrimiento de Cataluña

¿Cómo olvidarlo después de haberlo visto
o escuchado una vez?

R. ALBERTI

Decía Federico: «... Entre persona y persona hay hilitos de araña
que llegan a convertirse en alambres y más aún en barras de acero.
Cuando nos separa la muerte nos queda una herida con sangre
en el sitio de cada hilo.»[1] Eso fue lo que ocurrió entre García
Lorca y Salvador Dalí. Al filo de los días, con los hilos de su mutua
admiración se empezó a tejer una firme amistad. Amistad que no
sobreviviría a los anatemas surrealistas. En la primavera de 1925,
el pintor invitó al poeta a pasar la Semana Santa en su casa. Su
familia residía en Figueras, donde su padre, don Salvador Dalí y
Cusí, ejercía de notario. Luego se irían a Cadaqués. Los Dalí tenían allí una casa cerca del mar, en la playa de Es Llanés, donde
solían pasar las fiestas y los veranos. Cadaqués está separado de
la pradera ampurdanesa por una rueda de montes de mediana altura que acunan su pintoresca bahía. Al viajero, una vez franquea-
do el collado de Pedrafita, de repente, como una ofrenda, se le
aparece la graciosa y blanca silueta de sus perfiles, que encimera

1. O. C., p. 1677. Siempre que nos refiramos a las Obras Completas, se
trata de la decimoséptima edición, Aguilar, Madrid, 1972.

Salvador Dalí y su hermana Ana María en Cadaqués.

la iglesia. Descendiendo casi vertiginosamente, entre campos de olivos, por una carretera retorcida, llegó un día Federico.

El poeta granadino, fascinado por el panorama, dirá de él: «Es un paisaje eterno y actual, pero perfecto», que en los paseos al anochecer por los campos plateados de olivos, le recordaba Tierra Santa. Hondamente emocionado, escribió:

> *Olivares de Cadaqués. ¡Qué maravilla!*
> *Cuerpo barroco y alma gris.*

Fueron días alegres, de sensaciones y juegos infantiles, deliciosos, mecidos por la nueva y entusiasta amistad de don Salvador Dalí y la bonita Ana María, que aún conservaba los tirabuzones de adolescente y a la que Federico comparaba con el Arcángel San Gabriel. Las tardes encendidas y crecidas de abril las llenaron con largos paseos a orillas del mar y por las onduladas colinas.

—La voz de Federico, un poco ronca, muy matizada, sin el énfasis de la declamación, como si nos fuera contando algo mágico —nos ha referido Ana María Dalí—,[2] amenizaba aquellos paseos recitándonos poemas: *Canción Otoñal, El lagarto está llorando, El canto a la miel, Balada de un día de julio, Canción para la luna, Balada de la placeta,* que cuando se fue nos sabíamos de memoria. Parece que lo oigo, cierro los ojos y está ahí, porque Federico no ha muerto, a los amigos que lo escuchamos cantar o recitar no se nos ha quedado frío su recuerdo. Sí, yo lo oigo cuando quiero, con un fondo de olas o rumores olivareros. ¡Qué cosas inolvidables decía el mágico Federico! A veces era como un niño, un niño desvalido, frágil, que necesitaba todos los cuidados del mundo. Algunas veces se enfadaba con nosotros y nos decía: «¡No me queréis, pues ahora me voy!» Y se iba y se escondía. Salvador y yo lo buscábamos por el pueblo. Sabía que correríamos tras él. Y, cuando menos lo pensábamos, aparecía muerto de risa, con-

2. Agradezco públicamente a Ana María Dalí su extraordinaria colaboración con cartas, fotos y documentos pertenecientes a su archivo particular. Me los ha cedido para su publicación en este libro y nadie deberá reproducir ninguno sin expreso permiso de ella.

tento de que lo hubiésemos buscado, porque entonces se sentía querido.

Las excursiones en barca al Cap de Creus y a Tudela fueron uno de los grandes alicientes de aquellos días. A Federico le gustaban, pero su miedo al mar era inmenso y le hacía temer que, con el menor oleaje, se produjera un «verdadero conato de naufragio». Una mañana, mientras Ana María preparaba el desayuno y la barca los esperaba, Federico entró en la casa con una ramita de coral, que colocó en las manos de una virgencilla barroca que, como un personaje más, presidía en el comedor la vida familiar. «... Y él vino a darme los buenos días —ha escrito Ana María—, con aquella sonrisa que suavizaba tanto sus facciones duras. Los dos quedamos contemplando la rama de coral, que ahora, en la mano de la Virgen, unía los tonos magenta de la hora matutina, y la hallamos perfecta...» [3]

García Lorca era un hombre que echaba raíces en todas partes. En Cadaqués surgieron pronto amistades y afectos. De Puerto de la Selva, invitados por los Dalí, fueron a conocerlo un grupo de residentes barceloneses, lo que significó la entrada en relación y amistad con personas y cenáculos intelectuales y artísticos: Josep Maria de Sagarra, Lluís Llimona, Alexandre Plana, Joaquim Borralleras... Pasaron el día juntos, en animosa conversación, hablando de poesía, de libros, de pintura. Federico a su paso por Barcelona les iba a dar a conocer su obra lírica en el Ateneo. El poeta le había escrito a su familia: «El Ateneo de Barcelona me invita a dar una conferencia y lectura de versos pagándome viajes y gastos y algún dinero que todavía no saben. El Ateneo de Murcia, también. A Barcelona han llamado a Machado, Pérez de Ayala y a mí.»

Días antes del encuentro en Cadaqués Sagarra recibía una carta de Salvador hablándole del autor granadino:

Estimado amigo: estoy en Cadaqués con el poeta Federico García Lorca, que naturalmente está encantado con todo esto de por aquí.

3. Op. cit., p. 123.

29

El amigo Barradas invitó a Lorca de parte del Ateneo para dar una lectura de versos en Barcelona.

Le escribo porque ahora que lo tenemos por aquí sería una gran ocasión para que diera esta lectura.

Lorca es indiscutiblemente el poeta más importante y de más personalidad de por allí, no solamente de la generación actual sino también de la pasada, y estoy seguro de que podría ser una cosa muy interesante y además sería una gran sorpresa.

Perdone que le moleste; pero como usted es el que conoce a todos, me parece el más indicado.

Reciba un abrazo.

DALÍ.

Os agradecería que me contestaseis pronto.[4]

La comida de los intelectuales resultó muy divertida y a los postres comieron los tradicionales *crespell,* con garnacha, que es el vino con que se toman estos dulces, en el Ampurdán. Más tarde, Federico se lo recordaría a Ana María en una carta desde Granada: «Mi recuerdo come *crespell* y vino rojo.»

El Sábado de Gloria, por la noche, de cara a la Pascua de Resurrección recorrían las calles de Cadaqués *les caramelles,* grupos de hombres que cantaban a coro para celebrar la alegría por el Dios resucitado. Al oírlos, las gentes salían a la calle y se unían a la ronda. El repertorio era heterogéneo: aleluyas, habaneras, valses, sardanas y canciones populares picarescas. En grandes cestas recogían quesos, huevos, panes, gallinas con que los obsequiaba el vecindario y que al día siguiente servían para organizar una gran comilona en la playa. A Federico, tan amante de las tradiciones, le gustó mucho esta costumbre y, en unión de los hermanos Dalí, aquel año siguió a *les caramelles* por las calles cadaquenses.

Al día siguiente, al amanecer, los vecinos del pueblo acudían a la plazuela del General Escofet, donde el ángel de Regina anunciaba la nueva del Dios resucitado. Bajo palio llevaban una Do-

4. Archivo particular de don Alberto Oller, Barcelona.

lorosa, y tres niños vestidos de ángeles eran los pequeños actores encargados de renovar cada año el misterio. El ángel de Regina, vestido de blanco, recitaba el aleluya Regina Coeli. Después le quitaban el manto a la Virgen en demostración de que el luto había terminado con la resurrección del Hijo. Era un espectáculo ingenuo, con la gracia de lo popular. Al mediodía, los tres ángeles, con sus túnicas de seda, de plata y de encaje, y sus alas de plumas, recorrían las casas recitando poesías alusivas a la Resurrección. Los acompañaba una mujer que llamaban *la Pinoia,* campanera de la iglesia. Su misión consistía en apuntar el comienzo de la poesía, corregir al ángel cuando se equivocaba, colocarle derechas las alas y vigilar las vestimentas y el cubo de plata, que pertenecía a la iglesia, y recipiente donde, tras las poesías, echaban monedas los oyentes.

Cuando al filo del mediodía los ángeles entraron en la casa de los Dalí, la familia y sus invitados estaban sentados a la mesa. A la señal de *la Pinoia,* el ángel de Regina alzó su mano hacia el cielo y exclamó Resurrexit!:

> *Festa Santa*
> *renova en ma memòria*
> *un dia de tanta glòria*
> *de joia i desig brillanta.*
> *Comprengueu senyor amb cuanta*
> *ventura i felicitat*
> *aquesta festivitat*
> *desitjo que celebreu*
> *puig que os estimo sabeu*
> *amb tota ma voluntat.*[5]

Federico, agradablemente sorprendido, muy interesado, escuchó al ángel de Regina, divertido por la ingenua solemnidad con que los niños interpretaban esta tradición religiosa, que el pueblo

5. Esta décima la hemos recogido por transmisión oral de Salvador Ribera, quien durante muchos años actuó de ángel de Regina, en Cadaqués.

«Los Dalí tenían allí (en Cadaqués) una casa cerca del mar, en la playa de Es Llanés, donde solían pasar las fiestas y los veranos.»

«Días antes del encuentro en Cadaqués, Sagarra recibía una carta de Salvador hablándole del autor granadino.»

El padre y la hermana de Salvador Dalí.

a través del tiempo volvía semiprofana. Jaume Miravitlles fue durante muchos años el ángel de Regina de Figueras, pues se elegía preferentemente a los niños que tenían buena voz y sabían cantar y recitar.

El periódico que se editaba entonces en Cadaqués era *Sol Ixent,* una modesta publicación que recogía los latidos de sus gentes y de su mar. De sus páginas se desprende una entrañable intimidad; es como una agenda que refleja la vida sencilla y apacible de los 1 310 habitantes del pueblecito ampurdanés. Se subtitulaba «Periòdic de casa» y su misión consistía, casi exclusivamente, en vigilar el estado de la mar, donde sus hijos tendían cada día las redes, su único medio de vida; en anunciar los nacimientos, los casorios; en reseñar todos los acontecimientos cotidianos, como dar la bienvenida a los visitantes que llegan, pasan y se van, acogidos por la acrisolada hospitalidad de sus admirables gentes.

En sus páginas quedaría reflejada la visita de Federico:

El lunes de la Semana Santa llegaron, para pasar con nosotros los días de fiesta, los buenos amigos Víctor Rahola y Eladio Escofet, los cuales prepararon sus barcas para empezar la temporada de excursiones marítimas. También hemos tenido el gusto de albergar en nuestra villa, durante algunos días, al eximio poeta granadino Federico García Lorca, que vino acompañado por el selecto pintor Salvador Dalí.

Una tarde Salvador presentó su invitado a Iu Sala, que formaba parte de la redacción de *Sol Ixent.* El periodista pidió a García Lorca que estampara su nombre en un álbum en cuyas páginas coleccionaba firmas célebres. Federico, con su habitual generosidad, dejó la impronta de su deslumbramiento ante aquel «mar latino» y su «magnífico desierto de vides y olivos», en un poema inédito hasta hace muy poco tiempo:[6]

6. Publicado por Albert Manent, en la revista *Camp de l'Arpa,* Barcelona, 4-11-1972.

34

¡Mar latino!
Entre las torres blancas
y el capitel corintio
te cruzó patinando
la voz de Jesucristo.

Guardas gestos inmortales
y eres humilde.
Yo he visto
salir marineros ciegos
y volver a su destino.

¡Oh Pedro de los mares,
oh magnífico
desierto coronado
de vides y olivos!

A García Lorca le entusiasmaba el barroquismo plástico de las ceremonias litúrgicas, su solemnidad, su espectacularidad y aromas incensarios. «Jugué siempre a eso que juegan los niños que van a ser tontos puros, es decir, a poetas, a decir misas, hacer altarcitos, construir teatros...», confesaría un día Federico. Se revestía de pontifical, copiaba ornamentos, que él improvisaba con las cosas más inverosímiles, pero a los que su prodigiosa fantasía daba cierta autenticidad. Un día, en Buenos Aires, durante una entrevista, le preguntaría a un periodista: «¿Dónde se dice aquí bien misa?... Veremos si el sacerdote nos da la impresión de aquella suntuosa elegancia de los que en El Escorial la ofrecen todos los días por el alma del emperador Carlos V.» Los oficios de la catedral de Gerona eran célebres por su magnificencia, y allá se fueron Salvador y Federico a presenciarlos. Al regresar a Cadaqués le escribe a don Manuel de Falla: «Desde este admirable pueblo le envío un abrazo a usted y a María del Carmen. He pasado una magnífica Semana Santa, con Oficios en la catedral de Gerona y ruidos de olas latinas.»[7]

7. Antonio Gallego Morell, *García Lorca, cartas, postales, poemas y dibujos,* Madrid, 1968.

Con el paso del tiempo, Federico no perdería el gusto por estas ceremonias. Dos años más tarde, cuando vuelve a Barcelona a preparar el estreno de *Mariana Pineda,* al poeta no le importa dejar plantados a los amigos, porque debe acostarse temprano si quiere madrugar al día siguiente para asistir a los oficios de la catedral. La anécdota la ha contado Sebastià Gasch: «Una noche, después de cenar, nos metimos en un *dancing* de la plaza del Teatro que, si mal no recuerdo, se llamaba Mónaco. A medianoche, Lorca se levantó de la mesa y se despidió de nosotros con estas palabras:

—Quiero acostarme pronto. Mañana quiero ir al oficio solemne de la Catedral. ¡Qué aroma de pompa antigua! —agregó poniendo los ojos en blanco y con una suave sonrisa aflorada a sus finos labios.»[8]

Un grato recuerdo de esta primera estancia de García Lorca en Cadaqués sería Lydia, una pescadera que acogió en su hospedería a Picasso —cuando todavía era Pablo Ruiz Picasso—, y también a Andrè Derain, José Puig y Cadafalch, Agustín Durán y Reynals, Eugenio d'Ors... A Lydia le deslumbró la personalidad y el aspecto físico de este último, que provenía de un mundo tan distinto al suyo. Hasta la muerte de Nando, su marido, no se manifiestan los primeros síntomas de enajenación. A partir de ese momento es cuando empieza a creer que ella es Teresa, la que inspiró al escritor la protagonista de la novela *La bien plantada.* Lydia compró los libros de Ors y «convirtió en epistolario amoroso cifrado el *Glosario*», que el filósofo catalán firmaba con el seudónimo de *Xenius.* Explicaba a las gentes su interpretación, plenamente identificada con el personaje o el tema. La inteligencia natural y fantasía de Lydia asombraba a sus vecinos, que la escuchaban en respetuoso silencio, admirados de su elocuencia. El interés que suscitó este personaje inspiró al músico Xavier Montsalvatge la *Serenata de Lydia de Cadaqués.*

Federico la conoció en casa de los Dalí, donde solía ir a contarle a Ana María los preparativos que Lydia hacía para la próxima visita de su amor. Con el anhelo de acoger dignamente a

8. Revista *San Jorge,* Barcelona, abril, 1955, núm. 18.

«Ana María, que aún conservaba los tirabuzones de adolescente
y a la que Federico comparaba con el Arcángel San Gabriel.»

D'Ors, nunca reparaba en gastos. Los dispendios en la preparación de estas quiméricas visitas acabaron con todos los ahorros, sumiendo a Lydia en la más absoluta pobreza. Al poeta granadino le impresionó tanto la «locura» de aquella mujer sencilla, con un poder de fabulación prodigioso, que se llevó su retrato:

Lo de Lydia es encantador —escribe a Ana María—. Tengo su retrato sobre mi piano. Xenius. (¿conde de qué?) dice que *ella* tiene la locura de don Quijote (aquí hay para apretar los labios y entornar los ojos), ¡se equivoca! Cervantes dice de su héroe «que se le secó el celebro», ¡y es verdad! La locura de don Quijote es una locura seca, visionaria, de altiplanicie, una locura abstracta, *sin imágenes*... La locura de Lydia es una locura húmeda, suave, llena de gaviotas y langostas, una locura *plástica*. Don Quijote anda por los aires y la Lydia a la orilla del Mediterráneo. Ésta es la diferencia. Y quiero que conste para que no eche raíces esa ligereza de Xenius. ¡Qué admirable Cadaqués!, ¡y qué cosa divertida para poder hacer un paralelo entre la Lydia y el último caballero andante! Y tú... ¿me perdonas este breve análisis de temperamentos? Creo que sí, porque muchas veces hemos hablado de estas cosas. Y sobre todo... hemos podido salvar nuestras raras, *las redes, las rocas, las ricas* y *las rucas*.

Lo más trascendente de esta primera estancia de García Lorca en Cadaqués es la lectura de su drama *Mariana Pineda*. Salvador Dalí anunció que Federico había escrito una obra de teatro, que guardaba en su maleta. El poeta granadino, siempre dispuesto, dijo que le gustaría leerla, «pues jamás había soñado hacerlo en un ambiente tan íntimo y tan acogedor». Por la tarde, en el amplio comedor de la casa, presidido por una sonriente virgencilla barroca, Federico daba a conocer su «Marianita». La voz cálida, musical, de tonos graves, del poeta, empieza imitando el coro de voces infantiles que cantan el romance popular:

> *¡Oh, qué día tan triste en Granada*
> *que a las piedras hacía llorar*
> *al ver que Marianita se muere*
> *en cadalso por no declarar!*

Luego, ante la atención expectante de los Dalí, García Lorca hizo desfilar a todos los personajes del drama: Mariana Pineda, sus hijos, Isabel la Clavela, doña Angustias, Fernando, don Pedro de Sotomayor, Pedrosa, los conspiradores, las novicias... encarnándose en cada uno de ellos. El actor nato que llevaba dentro el autor ofrecía a sus amigos una visión exhaustiva de la realidad dramática y la dimensión humana de cada personaje. El reducido auditorio pronto quedó sugestionado por el lirismo y la fuerza expresiva con que el poeta creaba la atmósfera de soledad e intriga que rodeaba a la protagonista, subrayando el patetismo de los últimos momentos. García Lorca tejía con hilos transparentes el cerco puesto a la mujer valiente, herida por los hombres, que acaban con su vida, pero no con su amor ni su ideal de libertad, que llevará intactos al patíbulo:

> *¡Yo soy la Libertad porque el amor lo quiso!*
> *¡Pedro! la Libertad, por la cual me dejaste.*
> *¡Yo soy la Libertad, herida por los hombres!*
> *¡Amor, amor, amor, y eternas soledades!*

El torrente de entusiasmo que el poeta provoca en la familia Dalí es incontenible. «Al terminar —escribió Ana María—, todos estábamos conmovidos. Mi padre gritaba exaltado, diciendo que Lorca era el poeta más grande del siglo. Yo tenía los ojos llenos de lágrimas y Salvador nos miraba, curioso y enorgullecido, como diciendo: "¡Eh!, ¿qué os creíais?", al tiempo que, complacido ante nuestra reacción, miraba a García Lorca, quien no se cansaba de repetir lo agradecido que estaba a nuestro entusiasmo.» [9]

Transcurrida la Semana Santa, del 5 al 11 de abril, regresan a Figueras. Don Salvador Dalí se sentía muy halagado de que

9. Op. cit., p. 102.

Federico los hubiera obsequiado con la lectura de su *Mariana Pineda*, pero le parecía un imperdonable egoísmo reservar aquella primicia a un auditorio tan reducido. Y como si se tratara de una obligación moral para quien quería ya como a «un hijo más», organizó una nueva lectura, orgulloso de la sorpresa que iba a proporcionar al grupo de amigos e intelectuales ampurdaneses.

Federico accede encantado. «A mí me gusta recitar mis versos, leer mis cosas.» Éste será siempre su talante. «... una lectura de versos por el propio poeta —decía— es un acto íntimo, sin relieve, donde el poeta se desnuda y deja libre su popia voz.» Y un acto así requería «... cuatro paredes blancas, unos pocos amigos ligados por una armonía de amistad y un dulce silencio donde gima y cante la voz del poeta». Solamente eso necesitaba Federico para recitar sus versos, o para decirlo con sus propias palabras: «para defenderlos».

Para oír a Federico se reúnen en el espacioso salón de la planta baja de la notaría del señor Dalí, Carlos Costa, director del diario barcelonés *El Matí*; el farmacéutico Joaquín Cusí Funtunat; los Pichot, familia de músicos y pintores; Eudaldo Soler, uno de los pioneros de la radiodifusión en Figueras, y un grupo de gente joven, compañeros de Ana María y de Salvador: Juan Xirau Palau, tío del periodista Ramón Xirau, residente en Méjico; Ramón Reig, ilustre acuarelista, fallecido hace pocos años; Juan Sutrá, director de la Escuela de Artes y Oficios de la Fundación Clerch y Nicolà, de Figueras; el popular sastre figuerense Josep Puig Pujades, y Jaume Miravitlles.

De nuevo la voz del poeta granadino vibra en la capital del Ampurdán. Sus versos, su duende, causan tan profunda impresión, que aquellas gentes que estrenaban su amistad, conmovidos, deciden ofrecerle un homenaje. Federico, ante aquel desbordado entusiasmo, está radiante de alegría, a la vez que levemente cohibido, y sonríe como para hacerse perdonar las oleadas de admiración que levantan sus versos. ¿Sería de esa ausencia de divismo de la que brotaba su hechizo?

A los pocos días se celebra un banquete en el antiguo hotel Comercio, uno de los establecimientos con más solera de la ciudad, que presidía la Rambla. A él asiste gran cantidad de público

«Al día siguiente, al amanecer, los vecinos del pueblo acudían a la plazuela del General Escofet, donde el ángel de Regina anunciaba la nueva del Dios resucitado.»

Los ángeles de Regina en casa de los Dalí.

dado el interés que han suscitado los comentarios del drama. Después de la comida, García Lorca ofrece la lectura prometida y luego recita poemas, habla, cuenta anécdotas. Sus frases son brillantes, precisas, divertidas; cada palabra, cada adjetivo es un destello de luz y de gracia. El lector magnífico, el actor exquisito resucitó allí el arte antiguo del juglar y el trovador, convirtiendo la velada en un deleite para los asistentes, de imposible olvido en el registro del tiempo.

García Lorca es por antonomasia el juglar del siglo xx. Su mayor diversión consistía en la espontaneidad de la transmisión oral de su mundo lírico y dramático. Así, de una manera íntima y directa, el poeta se va descubriendo ante sus amigos. Mucho antes de haber editado su poesía y de alcanzar la fama, sus versos estaban ya en boca de todos, como los romances anónimos que cantaba el pueblo sin conocer siquiera el nombre de su autor. Esta actitud de no apresurar su publicación se ajustaba al presagio del poeta: «... a mí no me interesa ver *muertos* definitivamente mis poemas..., quiero decir publicados.»[10]

«El nombre de García Lorca comenzó a conocerse en los lugares más apartados de España. Traspasó las fronteras. Cruzó los mares. Se fue conociendo en veinte pueblos de nuestra América. Llegó a países de lenguas extrañas. Un noruego ensayaba traducirle; el inglés Trend le consagraba un largo capítulo de uno de los mejores libros que debemos al hispanismo actual. Sin embargo, en todo ese tiempo no había publicado nada. Era un poeta que vivía de la tradición oral. Se le conocía de esta suerte como si su poesía fuese la de un juglar. Federico García Lorca revivía con el más claro ejemplo de la juglaría española. Era un juglar de las más alta y fuerte Edad Media.»[11] Así, cuando en junio de 1927 Margarita Xirgu le estrenó su obra *Mariana Pineda,* el drama no era totalmente desconocido, porque su autor había dado numerosas lecturas en pequeños e íntimos cenáculos de gente amiga. Mientras, el romance taurino de la plaza de Ronda,

10. O. C., p. 1615.
11. José María Chacón y Calvo, *García Lorca, poeta tradicional,* en la revista *Avance,* La Habana, 15 de abril de 1930. Cit., por Guillermo Díaz-Plaja, en *Federico García Lorca,* Buenos Aires, 1948.

estampa colorista y brillante de «tarde grande», pintado por Federico y descrito por Amparo, uno de los personajes de la obra, ya se había popularizado, y corría, como si no tuviera dueño, por los repertorios de rapsodas folkloristas de *tablao*:

> En la corrida más grande
> que se vio en Ronda la vieja.
> Cinco toros de azabache,
> con divisa verde y negra
>
> . . . .
>
> ¡Qué gran equilibrio el suyo
> con la capa y la muleta!
> Ni Pepe Hillo ni nadie
> toreó como él torea.
> Cinco toros mató; cinco,
> con divisa verde y negra.
> En la punta de su estoque
> cinco flores dejó abiertas,
> y en cada instante rozaba
> los hocicos de las fieras
> como una gran mariposa
> de oro con alas bermejas.
> La plaza, al par que la tarde,
> vibraba fuerte, violenta,
> y entre el olor de la sangre
> iba el olor de la sierra...

El periódico de Figueras, *La veu de L'Ampordà,* informó cumplidamente, el 18 de abril de 1925, de la lectura de García Lorca, en los salones del hotel Comercio, en tono de verdadero acontecimiento. En su editorial, *Un poeta granadí, a Figueras,* se leía:

Por obra y gracia de la amistad, Figueras ha tenido como huésped por unos días al escritor granadino Federico García Lorca, poeta verdadero, no de aquellos que saben decir una palabra más, sino de los que saben lanzar al viento una palabra nueva. García Lorca, joven en años, ha llegado ya a una intensa madurez; después de haber pasado por todos los vanguardismos de las escuelas literarias, su poesía tiende hacia el clasicismo, empleando, no obstante, las más nobles y humanas fórmulas del léxico y logrando aquella perfección emotiva a la que sólo llegan los maestros de la pluma.

No termina aquí el homenaje del pueblo de Figueras al poeta, sino que anuda mejor su amistad con lazos musicales tan irresistibles para Federico. La víspera de su regreso, el señor Dalí organiza una audición de sardanas de Pep Ventura en la Rambla. García Lorca conocía el folklore catalán, pero no había tenido ocasión de oír a una cobla, con los característicos instrumentos que la componen: caramillo, tamboril, dos tiples, dos tenoras, dos cornetines, dos fiscornos y un contrabajo,[12] y queda admirado por su originalidad y riqueza de matices.

A su paso por Barcelona, Federico, incansable, ofrece una lectura de *Mariana Pineda* y de poemas del *Romancero gitano*. En torno a él se reúnen una tarde, en una dependencia privada y reducida del segundo piso del Ateneo, el grupo de amigos que conoció en Cadaqués, ampliado por otros a los que Salvador había invitado personalmente. Uno de ellos fue el poeta Tomás Garcés, entonces estudiante de Filosofía y de Derecho, y redactor de *La Publicitat*. Dalí fue a buscarlo para que asistiera a una lectura privada que un poeta amigo suyo iba a dar. Garcés nos ha calificado de «mágico» el efecto que produjo aquel recital sobre los seis u ocho amigos convocados. Por su parte, el poeta escribiría después que aquel día hizo con ellos «muy buenas migas» y que acogieron su poesía como «realmente no merece».

12. José Ventura, músico andaluz, de Alcalá la Real (Jaén), establecido en Figueras a mediados del siglo pasado, fue el creador de la «sardana larga», que es la que se baila en la actualidad y la que vio danzar Federico, en la Rambla de Figueras. Al músico andaluz también se debe la ampliación de la orquesta, a la que llamó Cobla; antes, sus instrumentos eran sólo cuatro: tiple, cornamusa, flabiol y tamboril. Los Dalí conservaron durante mucho tiempo la tenora que perteneció a José Ventura, hasta que un día la donaron al Museo de Música de Barcelona, donde se conserva.

¡Mar latino!

Entre las torres blancas
y el capitel corintio
te cruzó patinando
la voz de Jesucristo.

Guardas gestos inmortales
Oy eres Humilde.
Yo he visto ~~salir marineros~~
salir marineros ciegos
y volver a su destino.

¡Oh Pedro de los mares
¡oh magnífico ~~desierto~~
desierto coronado
de vides y olivos!

Federico García Lorca

Cadaques. Abril 1925

Al terminar el recital decidieron ir a cenar a El Canario de la Garriga, reputado restaurante de la calle de Lauria, frente al hotel Ritz, donde antes estuvo el teatro Gran Vía. El Canario fue inaugurado en 1895. Entonces era una taberna típica; pero las buenas artes culinarias de Lola, la mujer de Andreu Mestres, padres del actual dueño, la convirtieron pronto en el *rendez-vous* de los *gourmets* de Barcelona y en particular de los amantes de la cocina catalana. La familia Mestres fue también propietaria del teatro Gran Vía. Los actores, vestidos con sus trajes de escena, durante los entreactos cruzaban la calle y se metían en El Canario. Por allí pasaron los hombres más célebres de la bohemia de principios de siglo: Picasso, Nonell, Rusiñol, Casas, Llimona, Sorolla, Utrillo, Canals, Anglada Camarasa, los cuales dejaron en la acogedora taberna de Lola de la Garriga, como cariñosamente llamaban a la dueña, artístico testimonio de sus reiteradas visitas. Así se fue creando la admirable pinacoteca de El Canario de la Garriga. En medio del comedor había una larga mesa, como en las antiguas posadas, rodeada de tinajas de vino. Los comensales se sentaban allí y, en aquellos añorados tiempos de febril comunicación, se debatían todos los problemas vitales del arte y de la política. Era una época en que los asuntos graves del país no solían sepultarse con discursos. El señor Mestres nos ha contado que, durante la guerra del 14, en la mesa había dibujado el mapa de los frentes, y que los clientes punteaban en él, día tras día, la marcha de las operaciones. Allí se sentó aquella noche García Lorca, rodeado de un grupo de amigos. A última hora se había unido a ellos Jaume Miravitlles, estudiante de primer curso en la Escuela de Ingenieros Industriales. Aunque tenía dos años menos que Dalí, fue condiscípulo suyo en los Hermanos Maristas. De este recuerdo surgió la idea, años más tarde, de que Jaume hiciera el papel de uno de los Hermanos Maristas —el otro era Dalí— que son arrastrados por el suelo junto a un asno podrido y un piano de cola, que constituye una de las escenas cumbres del filme surrealista —cortometraje de dos rollos— *Le chien andalou,* realizado por Luis Buñuel, en París, en junio de 1929, con argumento de Salvador Dalí. Durante el Bachillerato habían coincidido también en el Instituto de

Las firmas de García Lorca y un grupo de intelectuales catalanes
en el álbum del restaurante El Canario de la Garriga.

Segunda Enseñanza de Figueras, ya que Salvador —ha escrito Miravitlles— estaba considerado en el terreno pedagógico como un «retrasado mental». A Federico le parecía el apellido Miravitlles de onomatopeya musical: «¡Ooooooh, Jaume Miravitlles!», exclamó el poeta la primera vez que en Figueras oyó este nombre. García Lorca lo pronunciaba arrastrando la segunda i y suavizando la elle, y desde entonces lo llamó siempre así. Rafael Alberti, en recuerdo de este ¡Oooooh, Jaume Miravitlles!, de su primo, como se llamaban entre sí los dos poetas andaluces, escribió en 1938 un poema a modo de prólogo para el libro de Jaume Miravitlles *Catalanes a Madrid*, y cada estrofa la terminaba con el ¡Oooooh, Jaume Miravitlles! de Federico:

> *Hermanos catalanes y germans castellanos:*
> *que nunca más se diga sin que de un tirón caigan*
> *las retorcidas lenguas de quienes lo dijeron.*
> *Cataluña en la gloria de Madrid dio su sangre.*
> *¡Oh, Jaume Miravitlles!*

El estudiante de ingenieros, apenas cumplido los 18 años, acababa de salir de la cárcel, y estaba en libertad provisional. Había sido condenado a dos años de prisión por un Consejo de Guerra. Jaume Miravitlles era uno de los estudiantes detenidos en el cineteatro Eldorado, en la plaza de Cataluña, por aplaudir a Mercedes Serós, cuando cantaba en catalán. El uso de la lengua catalana, durante la dictadura primorriverista, pasaba por una de tantas represiones a que ha sido sometida a lo largo de su historia. Los universitarios desde su localidad, llamada «entrada de paseo», es decir de pie, iban a aplaudir estrepitosamente a la cantante cuando interpretaba canciones en su lengua vernácula. Quizá el incidente se hubiera resuelto con un simple arresto, pero la policía le encontró a Jaume, en el bolsillo, el primer Manifiesto Patriótico de Francesc Macià. Las inquietudes políticas de aquel joven le parecieron admirables a García Lorca y su simpatía hacia él brotó instantánea. A partir de aquella noche, Miravitlles formó parte del grupo que lo seguía a todas partes.

Esta primera visita de García Lorca al Canario de la Garriga quedó registrada en el álbum de firmas del establecimiento. Era costumbre muy acreditada en los grandes restaurantes barceloneses, tener un álbum en el que se recogían las firmas de los clientes famosos que pasaban por ellos. Aquella noche firmaron con Federico, Jaume Miravitlles, que bajo su nombre puso «ex i futur presidiari». Dalí hizo un dibujo que recuerda la época cubista picassiana y, a modo de orla, en grandes caracteres, expresó su admiración al gran pintor con un «Visca en Picasso» y bajo su nombre: «1925 ex presidiari» y, no se trataba de seguir la broma, pues el joven pintor de Figueras había estado preso. Tomás Garcés también estampó su firma. Federico dibujó un marinero e, influido sin duda por los dos «ex presidiarios», puso al lado de su nombre: «presidiario en potencia. Visca Catalunya lliure!»

La cena transcurrió alegremente, en amistoso desafío poético entre Josep Maria de Sagarra y García Lorca. ¡Qué derroche de frases ingeniosas, qué fuegos artificiales de inteligencia de aquellos dos grandes poetas, de tan prodigiosa agilidad versificadora!

A todo y a todos se dirigieron en verso, incluido el camarero, que al acercarse a ellos para tenderles la carta, se quedó perplejo, con la cartulina en el aire, por creer que era objeto de una broma. ¿Había oído bien? ¿Aquello no era acaso verso? Después, cuando entró en el juego, aun a riesgo de transgredir la regla que prohíbe a los camareros escuchar las conversaciones de la clientela, desplegó especial solicitud en torno a la mesa, para seguir, admirado, aquel inusitado diálogo. La prosa llegó al final. La interesante velada perdió de pronto su brillantez y adquirió un tinte sombrío a la hora de pagar. Ninguno de los comensales llevaba dinero encima. Cada cual creía ser el invitado de los demás. La atmósfera cordial se fue enfriando hasta convertirse en una enojosa situación, que afortunadamente duró tan sólo breves minutos. De pronto, la cara de Federico se iluminó de nuevo y dijo: «¡Estamos salvados!» En el restaurante acababa de entrar la actriz Catalina Bárcena, que se alojaba en el Ritz. El poeta andaluz se fue hacia ella, le expuso el caso y la actriz se hizo cargo en seguida de la nota de la cena de los intelectuales.

Catalina Bárcena actuaba entonces en el Teatro Barcelona, y era la figura principal de la compañía que dirigía Gregorio

Martínez Sierra. Habían debutado el Sábado de Gloria, con la comedia *La octava mujer de Barba Azul,* de Alfred de Savoir. La bella actriz y el poeta se sentían unidos, entre otras cosas, por uno de los pateos más escandalosos que recibieron ambos en su vida escénica, con motivo del estreno de *El maleficio de la mariposa.*[13] Margarita Xirgu, que estaba llamada a ser la dilecta actriz de García Lorca, también actuaba entonces en Barcelona, en el Tívoli, y sus caminos no tardarían en cruzarse.

Llegado el momento de separarse Ana María Dalí y Federico García Lorca, se inició entre ellos una correspondencia íntima: «Dichosa tú, Ana María, sirena y pastora al mismo tiempo, morena de aceituna y blanca de espuma fría. ¡Hijita de los olivos y reina del mar!» Son cartas de singular belleza literaria, de originales imágenes, donde campa el fino lirismo del poeta y su delicadísimo humor. Por ellas se cuelan también su estado de ánimo, sus alegrías, sus proyectos, y los paisajes y las gentes son evocados con emoción en su epistolario, imprescindible retrato de cuerpo entero del poeta. En sus cartas a Ana María reitera siempre la honda huella que el Ampurdán ha dejado en él, la añoranza de Cadaqués, y el recuerdo fascinante de su mar: «¡Aquel mar es mi mar!», exclama Federico.

13. *El maleficio de la mariposa,* comedia en dos actos en verso y un prólogo, con ilustraciones musicales de Grieg, instrumentadas por José Luis Lloret, se estrenó la noche del lunes 22 de marzo de 1920, en el teatro Eslava, de Madrid. Primera figura de la compañía era Catalina Bárcena y el director artístico Gregorio Martínez Sierra. Decorado de Mignoni y vestuario de Rafael Barradas. Los papeles principales: *Curianito, el Nene,* la *Curiana, Nigromántica,* la *Curianita Silvia,* doña *Curiana, Curiana Campesina,* los encarnaban respectivamente: Catalina Bárcena, Josefina Morer, Amalia Guillot, Rafaela Satorres y Carmen Sanz. Tres curianas más, llamadas: 1.ª, 2.ª y 3.ª, estaban a cargo de Margarita Gelabert, Dolores Suárez y Soledad Domínguez. *La mariposa blanca* la interpretaba la Argentinita, que ejecutaba una danza «fascinante, maléfica, sugestión de la Mariposa, en vuelo sobre las bajas realidades de la vida». El prólogo lo decía Luis Peña, vestido de frac: «Señores: la comedia que vais a escuchar es humilde e inquietante, comedia rota del que quiere arañar a la luna y se araña el corazón. El amor, lo mismo que pasa con sus burlas y sus fracasos por la vida del hombre, pasa en esta ocasión por una escondida pradera poblada de insectos, donde hacía mucho tiempo era la vida apacible y serena...»

sagrada que temen las moscas, en la ventana y en la 9.
puerta. Entonces mi recuerdo se sienta en una butaca.
Mi recuerdo come _crespell_ y vino rojo. Tú estés
riyendo y tu hermano apena (como un abejorro de oro.
Dejo los porticos blancos suena un acordeón.
En la puerta de la [ilegible] Lydia está llamando la
Bien Plantada pero no nadie le contesta. Los dos "bravos
pescadores de 'Carbin'" están llorando en sus voces
sentadas en sus rodillas. Ya Lydia se ha muerto.
Yo quisiera oír en este momento Ana María el ruido
de las cadenas de todos los barcos que suben el ancla en
todos los meses. ... pero el ruido de los mosquiteros
y del mar me lo impiden. Arriba en el cuarto de tu
hermano hay un santo en la pared. Pinia Sagià des
con su globito en la barriga baja la escalera. Estoy
demandose solo en el corredor. Pero no puedo levantarme.
Un dibujo de Salvador me enreda los pies. ¿Qué hora
será? ..... Yo quisiera comer ahora mismo un
pedacito de _moña_ ¿Cómo se dice nubes? Nub.....
Por la ventana pasan y pasan llorando amargamente,
esas mujeres probicientos y enlutadas que van a ver al
notario

Adiós, que en vuestro comedor estoy senorita
Ana María. Mi recuerdo es siempre intenso.

Fragmento de una carta de García Lorca a Ana María Dalí.

Querida amiga: No sé cómo tengo cara para ponerte estos renglones —escribe Federico a Ana María—. Me he portado como un sinvergüenza. *Sinvergüenza.* SINVERGÜENZA. Los sinvergüenzas subirán así, hasta ponerse un sirvergüenza grande como el Citroen luminoso de la Torre Eiffel. Pero yo sé que tú me perdonarás. Todos los días he pensado en escribirte. ¿Por qué no lo he hecho? Yo no lo sé. Me he acordado así más de ti, pero tú creerás que te he olvidado por completo. A la orilla del mar, bajo los olivos, en el comedor de tu casa, en la Rambla de Figueras, y el comedor de tu casa bajo la Divina Pastora, tengo un portafolio de recuerdos tuyos y de risas tuyas que no se pueden olvidar. Además, yo no olvido nunca. Podré no dar *señales de vida,* pero mi intensidad no varia (aquí una mosca ha puesto el punto a la i. Respetemos su opinión y ayuda).

¿Cómo está tu tieta? A tu hermano, por más que le pregunto, no recibo contestación a esta consulta. ¿Y tu padre?

Pienso en Cadaqués. Me parece un paisaje eterno y actual, pero perfecto. El horizonte sube construido como un gran acueducto. Los peces de plata salen a tomar la luna y tú te mojarás las trenzas en el agua cuando va y viene el canto tartamudo de las canoas de gasolina. Cuando todos estéis en la puerta de vuestra casa, vendrá el atardecer a poner encendido el coral que la Virgen tiene en la mano. No hay nadie en el comedor. La criada se habrá marchado al baile. Las dos bailarinas negras de cristal verde y blanco bailarán la danza sagrada que temen las moscas, en la ventana y en la puerta. Entonces mi recuerdo se sienta en una butaca. Mi recuerdo come *crespell* y vino rojo. Tú te estás riendo y tu hermano suena como un abejón de oro. Bajo los pórticos blancos suena un acordeón.

En la puerta de la Lydia está llamando la Bien Plantada, pero nadie le contesta. Los dos «bravos pescadores de Culip» están llorando con sus voces sentadas en sus rodillas. La Lydia se ha muerto. Yo quisiera oír en este momento, Ana María, el ruido de las cadenas de todos los barcos que suben el ancla en todos los mares..., pero el ruido de los mosquiteros y del mar me lo impiden. Arriba, en el cuarto de tu hermano, hay un santo en la pared. Puig Pujades, con su globito en la barriga, baja las escaleras. Estoy demasiado solo en el comedor. Pero no puedo levantarme. Un dibujo de Salvador me enreda los pies. ¿Qué hora será?... Yo quisiera comer ahora mismo un trocito de *mona.* ¿Cómo se dice nublo? Nub... Por la ventana pasan y pasan llorando amargamente esas mujeres polvorientas y enlutadas que van a ver al notario.

Así es que en vuestro comedor estoy, señorita Ana María. Mi recuerdo es siempre intenso. ¿Te acuerdas cómo te reías al verme los guantes rotos el día que íbamos a naufragar?

Espero que sabrás perdonarme. No seas vengativa. Mis hermanas no hacen más que preguntarme *que cómo eres.* — Da recuerdos a tu padre y tieta. — Para ti, el mejor de mis recuerdos. — Federico. — ¿Me contestarás? [14]

Ésta es la primera carta de Federico a Ana María. «Se trata de una semblanza viva —nos ha dicho Ana María— de las cosas poéticas y reales que vivió en mi casa durante la Semana Santa de 1925. Algunas frases parecen misteriosas, imágenes líricas, pero ésa era, en realidad, su forma natural de expresarse, porque las cosas más insignificantes las veía simpre a través de su mundo poético. Cuando escribe: "...viene el atardecer a poner encendido el coral que la Virgen tiene en la mano", habla del amanecer que iluminaba este coral, porque el sol sale por el mar, pero Federico me aseguraba que, cuando en la casa no había nadie, "también el atardecer lo encendía". Esto lo decía muy seguro y a mí siempre me ha gustado pensar que es así. "Las dos bailarinas negras de cristal verde y blanco bailarán la danza sagrada que temen las moscas en la ventana y en la puerta": esto puede parecer una frase enigmática, y no lo es. Se refería a unas cortinas de bolitas de cristal verde y blanco que teníamos en la ventana y en la puerta del comedor. Esas cortinas, al moverse, impedían

14. O. C., pp. 1636-37.

que entraran las moscas. El dibujo de Salvador que le enreda los pies, se trata de las líneas sueltas del dibujo, que como cordeles le enredan los pies. Su recuerdo es tan intenso que come *crespell,* bebe vino rojo, *se sienta* en una butaca, *desea* comer un pedacito de *mona,* pregunta cómo se dice nublo. A Federico le gustaba que le dijera los nombres de las cosas en catalán. "¿Cómo se llama esto?", "¿y esto?" Según la tradición, unas palabras las encontraba de una gran belleza fonética, otras le parecían ridículas, alegres, tristes, cariñosas, divertidas, agresivas... *Núvol* era una palabra que le gustaba mucho y siempre me la preguntaba para que se la dijera, fingiendo que no la recordaba: "¿Cómo se llama nublo?... ¿Nub... nuba... num...?" y no paraba de hacer juegos con ella hasta que le decía: *núvol.* Como es tradicional en Cataluña, el padrino regala a su ahijada, por Pascua, un pastel especie de tarta que se llama *mona.* Mi padrino me enviaba cada año una *mona* enorme, y aquel año de 1925, Federico la comió con nosotros. No conocía esta costumbre del pueblo catalán y la encontró simpática. El pastel le gustó mucho y le causaba risa pensar que se llamaba *mona.* En cambio, la palabra *culleretta* (cucharita en castellano) la encontraba "monísima" y "cariñosa".»

A partir de 1925, García Lorca queda vinculado a Cataluña. Antes, en la Residencia, intimó con algunos escritores y poetas catalanes que dieron a conocer su poesía en Barcelona. En una carta fechada en la capital catalana, en noviembre de 1921, leemos: «Tu libro ha pasado por todas las manos de mis amigos poetas aquí, todos son ya tus amigos y tu figura está presente en todas nuestras frases y en todas nuestras conversaciones, pasa de unas manos de poeta a otras como un pájaro maravilloso con un corazón caliente como el agua de la fuente, y las manos no se cansarían nunca de tenerlo.» [15] La carta la firma Roberto, a quien no hemos podido identificar. El escrito tiene un sello jovial y está dirigido a «Sidi Federico Ben García —El Lorca—, poeta carísimo». También tenemos pruebas de su amistad con Juan Gutiérrez Gili y con el escritor Eugenio d'Ors. En agosto de 1923, decía en la revista *Nuevo Mundo*: «...el poeta García Lorca me dijo

15. Archivo particular de la familia García Lorca.

La comedia «El maleficio
de la mariposa» de García Lorca
se estrenó en marzo de 1920
en el teatro Eslava de Madrid.

En su primera visita a Cataluña,
García Lorca dedicó a
Josep M.ª de Sagarra un soneto.

un día haber encontrado en un pequeño libro mío sobre temas de arte algunos subterráneos manantiales de alegría pura, más que en las cosas escritas allí —que eran de crítica y tal vez de metafísica a ratos—, en la *música* y "humor" de ellas, en su íntimo sentido de ímpetu y de niñez...» Es decir, que su relación tenía ya, por lo menos, dos años; pero de 1925 arranca resueltamente su relación con la intelectualidad barcelonesa. La admiración del poeta granadino por el país catalán, por sus gentes, por sus tradiciones, por su cultura, quedan anclados en su espíritu a la vez que su paso deja en tierras catalanas una larga estela de simpatías y amistades. No pasará mucho tiempo sin que el poeta exteriorice sus sentimientos en un canto a Barcelona, que es uno de esos estallidos de entusiasmo que tanto lo caracterizaban, en el que se declara «catalanista furibundo». La confesión la encontramos en una carta dirigida al escritor granadino Melchor Fernández Almagro:

En cambio, Barcelona ya es otra cosa. ¿Verdad? Allí está el Mediterráneo, el espíritu, la aventura, el alto sueño de amor perfecto. Hay palmeras, gentes de todos los países, anuncios comerciales sorprendentes, torres góticas y un rico pleamar urbano hecho por las máquinas de escribir. ¡Qué a gusto me encuentro allí con aquel aire y aquella pasión! No me extraña el que se acuerden de mí, porque yo hice muy buenas migas con todos ellos y mi poesía fue acogida como realmente no merece. Sagarra tuvo conmigo deferencias y camaraderías que nunca se me olvidarán. Además, yo, que soy catalanista furibundo, simpaticé mucho con aquella gente tan construida y tan harta de Castilla.

Yo tengo noticias constantes de ese país por mi amigo y compañero inseparable Salvador Dalí, con quien sostengo una abundante correspondencia. Y estoy invitado por él a pasar ahora otra temporada en su casa, cosa que haré ciertamente, pues tengo que posarle para un retrato.[16]

16. Archivo particular del señor Cendrós, Barcelona.

Su admiración y amistad con Sagarra quedaron selladas para siempre en esta primera visita del poeta granadino a Cataluña. García Lorca, en recuerdo de esos días, le dedicó un soneto: «A Josep Maria de Sagarra. Recuerdo de la primavera de 1925»:

SONETO
NARCISO

Largo espectro de plata conmovida.
El viento de la noche suspirando
abrió con mano gris mi vieja herida
¡Y se alejó! ¡Yo estaba deseando!
Llaga de amor que me dará la vida
perpetua sangre y pura luz brotando.
Grieta en que filomena enmudecida
tendrá bosque, dolor y nido blando.
¡Ay, qué dulce rumor en mi cabeza!
Me tenderé junto a la flor sencilla
donde yace ignorada tu belleza.
Y el agua errante se pondrá amarilla
mientras corre mi sangre en la maleza
dirigida y temblorosa de la orilla.

(Julio de 1925)

Sin embargo, en las Obras Completas del autor no aparece dedicada al poeta catalán y presenta algunas variantes:

¡Ay, qué dulce rumor en mi cabeza!
Me tenderé junto a la flor sencilla
donde flota sin alma tu belleza.
Y el agua errante se pondrá amarilla,
mientras corre mi sangre en la maleza
olorosa y mojada de la orilla.

García Lorca también regaló a Sagarra la canción «Agosto», que en un principio el poeta tituló «Cancioncilla»:

57

Agosto.
Contraponientes
de melocotón y azúcar,
y el sol dentro de la tarde,
como el hueso en una fruta.

La panocha guarda intacta
su risa amarilla y dura.

Agosto,
los niños comen
pan moreno y rica luna.

El ambiente de la Barcelona del primer cuarto de siglo exalta su espíritu de forma incontenible. Fue como un flechazo. En los escasos días que deambula por la capital catalana capta su gracia y encanto provinciano y, a la vez, el cosmopolitismo de gran urbe, barrida por innovadores aires europeos. Este armonioso equilibrio barcelonés es una de las cosas que más le fascinan.

El encuentro con la cultura catalana hace estallar los estrechos límites de su horizonte provinciano y ejercerá en García Lorca notable y decisiva influencia. A raíz de estos primeros contactos experimenta una necesidad imperiosa de cambiar de aires. En una de sus cartas a Fernández Almagro, le dice: «Me va pareciendo el ambiente literario de Madrid demasiado gurriñica. Todo se vuelve comadreos, insidias, calumnias y bandidaje americano. Tengo ganas de refrescar mi poesía y mi corazón en aguas extranjeras, para dar más riqueza y ensanchar mis horizontes. Estoy seguro que ahora empieza una nueva época para mí. Quiero ser poeta por los cuatro costados, amanecido de poesía y muerto de poesía. Empiezo a ver claro. Una alta conciencia de mi obra futura se apodera de mí y un sentimiento casi dramático de mi responsabilidad me embarga... No sé... me parece que voy naciendo a unas formas y un equilibrio absolutamente definidos.»

Su pensamiento era volver pronto a Cataluña, a Figueras, donde tenía que posar para Dalí, y luego seguir a Toulouse, donde se reuniría con su hermano Paco. Pero estos proyectos no se realizarían. Por entonces trabaja en la *Oda a Salvador Dalí,* la primera de la serie de las odas lorquianas que publica la *Revista de Occidente* en abril de 1926. Salvador había efectuado con gran éxito su primera exposición en las Galerías Dalmau. Era un muchacho entusiasta, generoso, con un gran sentido de la amistad «y sus cuadros traslucían un fondo tierno muy humano, poético y romántico», decía la *Gaceta de les Arts,* de diciembre de 1925.

García Lorca, en su oda al pintor de Figueras, recuerda a Cadaqués, en el fiel del agua y la colina, y canta el genio y la inteligencia del pintor de voz aceitunada e imperfecto pincel:

> *Cadaqués, en el fiel del agua y la colina,*
> *eleva escalinatas y oculta caracolas.*
> *Las flautas de madera pacificarán el aire.*
> *Un viejo Dios silvestre da frutas a los niños.*
>
> *Sus pescadores duermen, sin sueño, en la arena.*
> *En alta mar les sirve de brújula una rosa.*
> *El horizonte virgen de pañuelos heridos*
> *junta los grandes vidrios del pez y de la luna.*
>
> *Una dura corona de blancos bergantines*
> *ciñe frentes amargas y cabellos de arena.*
> *Las sirenas convencen, pero no sugestionan,*
> *y salen sin mostrarnos un vaso de agua dulce.*
>
> *¡Oh, Salvador Dalí, de voz aceitunada!*
> *No elogio tu imperfecto pincel adolescente*
> *ni tu color que ronda la color de tu tiempo,*
> *pero alabo tus ansias de eterno limitado.*
>
> *¡Oh, Salvador Dalí, de voz aceitunada!*
> *Digo lo que me dicen tu persona y tus cuadros.*
> *No alabo tu imperfecto pincel adolescente,*
> *pero canto la firme dirección de tus flechas.*
>
> *Canto tu bello esfuerzo de luces catalanas*
> *tu amor a lo que tiene explicación posible.*
> *Canto tu corazón astronómico y tierno,*
> *de baraja francesa y sin ninguna herida...*

Mariana Pineda en el espíritu del poeta

Mariana Pineda fue una figura que traspasó los linderos del mito y que simbolizó los nobles ideales de la libertad durante el siglo XIX. Granadina como Federico García Lorca, fue la heroína una sombra amiga de la infancia del poeta, con la que llegó a sentirse en deuda.

> Vestida de blanco —escribía Federico a su amigo Fernández Almagro—, con el cabello suelto y un gesto melodramático hasta lo sublime, esta mujer ha paseado por el caminillo secreto de mi niñez con un aire inconfundible. Mujer entrevista y amada por mis nueve años, cuando yo iba de Fuente Vaqueros a Granada en una vieja diligencia cuyo mayoral tocaba un aire salvaje en una trompeta de cobre. Si tengo miedo de hacer este drama, es precisamente por enturbiar mis recuerdos delicadísimos de esta viudita rubia y martir.[1]

Más tarde, en unas declaraciones a un periodista de Argentina, con motivo del estreno de su drama en aquel país, Federico completó su idealizada visión infantil de la heroína:

> Mariana Pineda fue una de las grandes emociones de mi infancia. Los niños de mi edad, y yo mismo, tomados

1. A. GALLEGO MORELL, op. cit., pp. 55-56.

de la mano, en corros que se abrían y cerraban rítmicamente, cantábamos con un tono melancólico que a mí se me antojaba trágico:

> *¡Oh, qué día tan triste en Granada*
> *que a las piedras hacía llorar*
> *al ver que Marianita se muere*
> *en cadalso por no declarar!*
> *Marianita sentada en su cuarto,*
> *no paraba de considerar:*
> *«Si Pedrosa me viera bordando*
> *la bandera de la Libertad.»*

Marianita, la bandera de la libertad, Pedrosa adquirían para mí contornos fabulosos e inmateriales de cosas que se parecían a una nube, a un aguacero violentísimo, a una niebla blanca en copos, que venía a nosotros desde Sierra Nevada y envolvía al pequeño pueblo en una blancura y un silencio de algodón.

Un día llegué, de la mano de mi madre, a Granada: volvió a levantarse ante mí el romance popular, cantado también por niños que tenían las voces más graves y solemnes, más dramáticas aún que aquellas que llenaron las calles de mi pequeño pueblo, y con el corazón angustiado inquirí, pregunté, avizoré muchas cosas, y llegué a la conclusión de que Mariana Pineda era una mujer, una maravilla de mujer, y la razón de su existencia, el principal motor de ella, el amor a la libertad.

Sobre estas dos cruces de dolor y de dicha, clavadas en estos dos espejismos, creados por los dioses para dar a la vida del hombre su contenido de esperanza, Mariana Pineda se me antojaba un ente fabuloso y bellísimo, cuyos ojos misteriosos seguían con inefable dulzura todos los movimientos de la ciudad. Materializando aquella figura ideal, antojábaseme la Alhambra una luna que adornaba el pecho de la heroína: falda de su vestido, la vega bordada en los mil tonos de verde, y la blanca enagua, aquella nieve de la

61

sierra, dentada sobre el cielo azul, puntilla labrada a la dorada llama de un cobrizo velón.[2]

Así vivía «la Bella de Granada» en el espíritu del poeta: era una emocionada visión juvenil de novio que contempla a su amada desde el balcón, día tras día, porque Federico, desde su casa granadina veía «su estatua frente a mi ventana que miraba continuamente. ¿Cómo no había de creerme obligado, como homenaje a ella y a Granada, a cantar su gallardía?» Mariana Pineda, como tantos héroes del siglo XIX, tenía su estatua en una plaza, pero no habían cantado con la nota exacta y la palabra justa su gesta, y el adolescente Federico, desde que siente nacer en él la imperiosa vocación literaria, se creyó obligado a «exaltarla», aunque Mariana Pineda, como figura excepcional de la galería femenina española, ya estuviera consagrada por el pueblo en romances que se cantaron por toda España. Una estatua puede ser ofrecida oficialmente a mucha gente, pero un romance no, porque un romance nace del pueblo llano y éste lo dedica sólo a las personas que, de un modo u otro, dejaron huella profunda en el alma de ese pueblo, cuya intuición es proverbial. En una entrevista que le hace el granadino Francisco Ayala, en 1927, le dice: «Era obligación mía exaltarla. Y sentía ese imperativo. Porque ella es una figura esencialmente lírica.»[3] Tenía que ser, irremediablemente, una de sus primeras piezas teatrales. Como tónica peculiar de la dramaturgia lorquiana, el tema palpita en la masa popular, cargado de esencias románticas y trágicas. El poeta empezó a trabajar en la obra en 1923. El 23 de junio confiaba a su amigo y paisano Antonio Gallego Burín su proyecto de hacer un gran romance teatral sobre Mariana Pineda y añadía: «...ya lo tengo resuelto, con gran alegría de Gregorio y Catalina, que ven las posibilidades de una "cosa fuerte".» Gallego Burín preparaba entonces un estudio histórico sobre la heroína y Federico le pedía noticias de la vida de Mariana, de la conspiración, del ambiente de Granada en la época...

2. O. C., pp. 1737-38.
3. *La Gaceta Literaria,* Madrid, 1-7-1927, p. 5.ª.

«Mariana Pineda fue una de las grandes emociones de mi infancia», escribía Lorca a su amigo Fernández Almagro.

Su pensamiento era llevar a escena los últimos días de la mártir,[4] aunque, «...cuando ella decide morir, está ya muerta, y la muerte no la asusta lo más mínimo», decía Federico, que pondrá esta declaración en su boca:

¡Ya estoy muerta, Fernando! Tus palabras me llegan
a través del gran río del mundo que abandono.
Ya soy como la estrella sobre el agua profunda,
última débil brisa que se pierde en los álamos.

El interés de Federico por la obra es radiante. La carta a Gallego Burín rebosa de aquel entusiasmo característico que brotaba del poeta: «Antonio —le apremia—, no sabes con qué alegría espero tu carta, pues estoy deseando ponerme a trabajar.» Tres meses más tarde tiene resuelta la obra e incluso ha concebido el escenario en que se desarrollará y el ambiente traspasado de romanticismo con que quiere rodear a su heroína. En carta a Fernández Almagro le expone su proyecto. Es una de las cartas más bellas de Federico. Para completar la atmósfera de su descripción le dibuja y colorea la estancia en que Mariana reflexiona si borda o no la bandera de la libertad. Es una sala de cortinas rojas, de volantes, consola, cornucopia, fanal, sofá de tres respaldos, elementos en los que más tarde insistirá en su proyecto de decoración para la obra y que conservaba en su recuerdo de viejas casonas granadinas, y en su propio hogar:

Marianita, en su casa de Granada, medita si borda o no la bandera de la libertad. Por las calles pasa un hombre vendiendo «alhucema fina de la sierra» y otro que ofrece «...naranjas, naranjitas de Almería», y los árboles recién plantados de la placeta de Gracia saben ya, por los pájaros y por el pino del Seminario, que un romance trágico y lleno de color ha de dormirlos en la noche de plenilunio tur-

4. José Martín Recuerda, dramaturgo granadino, ha escrito en 1971 una obra inspirada en los últimos días de Mariana Pineda, titulada *Las arrecogías de Santa María Egipciaca.*

quesa de la vega. ¡Si vieras qué emoción tan honda me tiembla en los ojos ante la «Marianita de la leyenda»!

> *Marianita salió de paseo*
> *y a su encuentro salió un militar...*

Yo quiero hacer un drama procesional —continúa Federico—, una narración simple e hierática, rodeada de evocaciones y brisas misteriosas, como una vieja madona con su arco de querubines.

Una especie de cartelón de ciego estilizado. Un crimen, en suma, donde el rojo de la sangre se confunda con el rojo de las cortinas. Mariana, según el romance y según la poquísima historia que la rodea, es una mujer pasional hasta sus propios poros, una «posesa», un caso de amor magnífico de andaluza en un ambiente extremadamente político (no sé si me explico bien). Ella se entrega al amor mientras los demás están obsesionados por la libertad, siendo en realidad (según incluso lo que se desprende de la historia) víctima de su propio corazón enamorado y enloquecido. Es una Julieta sin Romeo y está más cerca del madrigal que de la oda. En el último acto ella estará vestida de blanco y toda la decoración en este mismo tono. Ni el romance ni la historia me vedan en absoluto que yo piense así... Es más: mi madre me ha dicho que estas cosas se murmuraban por Granada...[5]

Sin perder tiempo, el 11 de setiembre de 1923 Fernández Almagro le comunica su entusiasmo:

Queridísimo Federico: Tu carta última me ha conmovido profundamente. Primero, la estampa era deliciosísima. Luego, el texto era de una intuición sorprendente. Mariana Pineda no pudo ser de otra manera. La historia con aparato documental no te daría la razón. Pero ello no te im-

5. A. Gallego Morell, op. cit., pp. 55-56.

porte. Tú no pretendes recoger la verdad histórica y sí la verdad poética, que coincide de seguro con la verdad psicológica de Mariana Pineda. Fue así en efecto: una Julieta del año treinta, mejor que una heroína a la manera clásica de Judith o de Virginia. Está más cerca del madrigal que de la oda (¡Admirable!) y no sería difícil intentar a base de tu intuición una teoría explicativa de nuestros movimientos políticos del siglo XIX. Nuestros abuelos no eran gentes de ideas claras y distintas, sino de sensibilidad vehemente. Y a cuenta del amor —y del odio— hay que cargar las idas y venidas de nuestros conspiradores, revolucionarios y cabecillas. Ardo en deseos de ver a tu Mariana sobre las tablas. No dudo de que harás un poema escénico de patetismo irresistible. ¡Me lo darás a conocer! ¡Me enviarás fragmentos! Pero no, no me resigno a que me los mandes. Es menester que me los leas tú; es menester que vengas. Te conviene venir. Díselo a tus padres (a quienes saludarás en nombre mío y de mi familia). Las circunstancias políticas del momento presente exaltan la figura de Mariana Pineda. Vuelve el siglo de nuestros abuelos, que nuestros padres no han sabido superar.

Ya habrás visto el enorme retroceso que la militarada representa. Nuestro pueblo continúa en una inconsciencia inverosímil. Han visto ya la avanzada del caos... y no se asustan. ¡Extraordinaria ceguera! Purgamos pecados históricos de difícil remisión.

Salinas ha vuelto ya de Burgos. La gente se reintegra a su lugar de invierno. Si no fuera por Primo de Rivera, el otoño se presentaría espléndido. ¿Vendrás? ¿Y Paquito? Un abrazo fraternal, MELCHOR.[6]

En efecto, el poeta somete en la acción el tema político al sentimental. Ve en la heroína «una figura esencialmente lírica». El interés del drama —escribe Federico a Gallego— «...está en

6. Archivo particular de la familia García Lorca, a quienes agradezco cariñosamente el haberme brindado la oportunidad de trabajar en él.

el carácter que yo quiero construir y en la anécdota, que no tiene que ver nada con lo histórico, porque me lo he inventado yo».[7] Así, el autor no enfoca «el drama épicamente» sino que funde en un mismo momento circunstancial la fuga de Sotomayor, ocurrida en 1828, y el fracaso de Torrijos, que acaeció en diciembre de 1831, siete meses después de la ejecución de Mariana. Lorca buscó la teatralidad de la huida del capitán, vestido de fraile, y el interés real del suceso revolucionario. Al poeta no le interesaba la versión histórica, «...sino la legendaria, deformada por los narradores de placeta».

Durante mucho tiempo Federico sostuvo una lucha íntima entre una visión de Mariana heroína y la Mariana entrañable del romancillo popular «...que cantaban en las calles las voces puras y graves de los niños, y terminaba musitándose tras las celosías y las rejas en un tono de oración que arrancaba lágrimas:

> *¡Oh, qué día más triste en Granada,*
> *que a las piedras hacía llorar...»*

Más tarde lo habría de explicar así:

A los personajes creados por los autores del Siglo de Oro que leía con emoción vivísima, juntaba yo el de Mariana Pineda vistiéndolo con todo el ímpetu de una pasión heroica; Mariana Pineda hubiera salido de mi intelecto y de mis manos de entonces vestida con los arreos del Gran Capitán y matando con su larga espada a todos los que no aceptaron como esencia fundamental de la vida el amor a la libertad.

Envuelta en altisonantes endecasílabos, acrósticos y octavas reales, surgía constantemente Mariana Pineda cubierta de férrea armadura, en mi imaginación, mientras el corazón me decía suavemente «que no era aquello»; Mariana Pineda llevaba en sus manos, no para vencer, sino para morir en la horca, dos armas, el amor y la libertad: dos puñales que se clavaban constantemente en su propio corazón.

7. A. Gallego Morell, op. cit., p. 123.

Pero me decía a mí mismo también que para crear este ente fabuloso era absolutamente necesario falsear la historia, y la historia es un hecho incontrovertible que no deja a la imaginación otro escape que el de vestirla de poesía en la palabra y de emoción en el silencio y en las cosas que lo rodean.

Y ya consciente de mi obligación, obligación que me había impuesto ofrecer a Granada, la del agua cantora y cristalina, el homenaje de mi cariño y de mi admiración, inicié mi labor con el romance popular.[8]

Al final venció, tenía que vencer en el poeta «la emoción y la dulce poesía que surge de los niños, de las monjitas, del silencio de los conventos, la poesía recia y varonil que acompaña a aquellos caballeros románticos del amor y de la libertad del siglo XIX, la que recoge la muerte bellísima de Torrijos, contraste de aquella otra que pinta una corrida de toros en Ronda la Vieja, toros con barbas y toreros con patillas en las mejillas y en las sienes; conspiradores y enamorados, aire de libertad y argolla de opresión, y por encima de todos esta admirable mujer, que con el ala rota de su amor le basta con la otra de la libertad para conquistar el espacio y coronarse con la gloria de la inmortalidad».[9]

Mariana abraza la causa de la libertad por el amor de Pedro, para ser así la amante absoluta:

Mariana, ¿qué es el hombre sin la libertad? ¿Sin esa
luz armoniosa y fija que se siente por dentro?
¿Cómo podría quererte no siendo libre, dime?
¿Cómo darte este firme corazón si no es mío?

Y la amorosa mujer para no compartir al hombre con nadie, se declara ella misma la Libertad:

8. O. C., p. 1738.
9. O. C., p. 1739.

Canción infantil que García Lorca incorporó a su obra «Mariana Pineda».

De "Mariana Pineda"

Canción de las niñas

Ma—ria—ni—ta sen—ta—da en su cuar—to. no ce sa—ba de con—si—de—rar. Si Pe—dro—a se vie—ra Cur—dien—do la ban—de—ra de la li—ber—tad.

Mariana Pineda en un dibujo de García Lorca.

> *¿Amas la Libertad más que a tu Marianita?*
> *¡Pues yo seré la misma Libertad que tú adoras!*

Y los dos, en una conjunción física e ideológica, expresan sus anhelos y sueños por una España cubierta de espigas y rebaños:

PEDRO.   *No es hora de pensar en quimeras, que es hora*
de abrir el pecho a bellas realidades cercanas
de una España cubierta de espigas y rebaños,
donde la gente coma su pan con alegría
en medio de estas anchas eternidades nuestras
y esta aguda pasión de horizonte y silencio.
MARIANA.   *Y yo soy la primera que lo pido con ansia.*
Quiero tener abiertos mis balcones al sol
para que llene el suelo de flores amarillas
y quererte, segura de tu amor sin que nadie
me aceche, como en este decisivo momento.

Y al final, cuando Mariana, herido su corazón por el abandono de los hombres, sale camino del patíbulo, dice:

> *¡Yo soy la Libertad porque el amor lo quiso!*
> *¡Pedro! La Libertad por la cual me dejaste.*
> *¡Yo soy la Libertad, herida por los hombres!*
> *¡Amor, amor, amor, y eternas soledades!*

Federico esperaba estrenar su drama al año siguiente. Pero otras tareas lo reclaman y tiene que abandonar su «Marianita», como cariñosamente la llama en sus cartas. «Trabajo casi todo el día en la obra poemática que hago con Falla y creo que pronto estará terminada, para poder seguir mi "Marianita"», escribirá en octubre. Son tiempos de intensa fecundidad para el poeta, ya que, además de la colaboración con Falla y el drama de *Mariana Pineda,* está preparando su libro *Canciones* y proyecta su *Romancero gitano.*

García Lorca debió de terminar su *Mariana Pineda* a fines de

1923. Al menos la primera versión. Ya que el poeta, en unas declaraciones a Francisco de Ayala, dijo:

> Tengo tres versiones completamente distintas del drama. Las primeras no viables teatralmente. En absoluto... La que estreno implica una conexión, una sincronización. Hay en ellas dos planos: uno amplio, sintético, por el que pueda deslizarse con facilidad la atención de la gente. Al segundo —el doble fondo— sólo llegará una parte del público.

Aunque se ha venido repitiendo que el poeta terminó el drama a principios de 1925, José Mora Guarnido, granadino, íntimo amigo y compañero de estudios de Federico en Granada y en Madrid, dice: «...me ausenté de España a fines de 1923 y ya conocía esta obra por una primera lectura de su autor.» [10] Esta cronología concuerda con lo que el propio Lorca dijo en 1927: «La escribí hace cinco años», y en 1929 vuelve a insistir: «...hace seis o siete años terminé la última escena de *Mariana Pineda.*»

Por carta de Federico a su familia conocemos la impresión que causó la obra en los medios intelectuales y artísticos madrileños, cuando su autor la dio a conocer:

> Estoy muy contento, contentísimo ¡esto marcha! Mi *Mariana Pineda* ha tenido un éxito que yo no me esperaba y *La zapatera prodigiosa* ha entusiasmado por su novedad. *Mariana Pineda* le estoy dando los últimos toques. Martínez Sierra está entusiasmado como *empresario,* pues dice que la obra puede tener un éxito como el *Tenorio* de Zorrilla. Ayer comí en casa de Marquina y me dijo *que se cortaba la mano* derecha con la que escribe si esta obra no era un clamor en todos los países de habla española. Canedo, Salinas y Melchor hace días la oyeron y les causó una profunda impresión. Parece ser que el Directorio (agravado por el ma-

---

10. José Mora Guarnido, *Federico García Lorca y su mundo,* Buenos Aires, 1958, p. 134.

nifiesto de Blasco Ibáñez y los sucesos de Vera) no la deja poner pero nosotros vamos a empezar a ensayarla para tenerla preparada en la primera ocasión que será dentro de este año según todos creen. Desde luego ponerla inmediatamente es imposible y vosotros lo comprenderéis, pues aunque la dejaran poner en escena en el teatro se *armaría un cisco* y lo cerrarían viniendo por tanto la ruina del empresario, cosa que nadie quiere. Las circunstancias están de manera imposible pero nosotros vamos a hacer las decoraciones, trajes, ¡ todo ! y tenerla estudiada. Yo creo, y todos creen lo mismo, que este año se verá puesta, y el éxito de la obra me ha convencido de que no es *ni debe,* como quisiera don Fernando, ser político, pues es una *obra de arte puro,* una tragedia hecha por mí, como sabéis, sin interés político y yo quiero que el éxito sea un éxito *poético* ¡ Y lo será ! —se represente cuando se represente.

Y si no lo es que no lo sea, que obra de arte será siempre. Mis amigos creen lo mismo.

La zapatera tengo que terminarla bien y se pondrá en seguida, pues la Bárcena tiene uno de sus mejores papeles. Así es que se *ponen de seguro las dos cosas.* Martínez Sierra lo dice a todos vientos y yo además he enviado a Marquina para que le sonsaque y Marquina me ha dicho que no tengo nada que temer ni dudar de él pues le conviene como empresario y esto basta.

Como podemos ver el drama lorquiano iba a ser puesto en escena por la compañía de Gregorio Martínez Sierra, de la cual era director-empresario, con Catalina Bárcena como primerísima actriz. Pero cuando Federico les entrega la obra, el temor a las consecuencias políticas que podía provocar, apagó el encendido entusiasmo que inspira en ellos, llegando a prever un éxito como el de Zorrilla, con su *Tenorio.* Los presuntos creadores expusieron sus reservas. Creía Martínez Sierra que, dada la situación del país, podía crearse un malentendido bajo la sospecha de un velado ataque a la dictadura primorriverista. El dramaturgo decidió revisar la obra, matizándola. En una carta que Manuel de Falla le escribe a Mora Guarnido, el 17 de junio de 1924, confirma el retoque del texto: «...en Madrid me dijo (Federico) que Martínez Sierra había aplazado el estreno de *Mariana Pineda* y que estaba reformando la obra.» [11]

La nueva versión no debió de disipar todos los temores que abrigaba el autor de *Canción de Cuna,* ya que, tras reiteradas dilaciones, acabó renunciando a estrenar la obra. La actitud de la Bárcena y de Martínez Sierra molestó a Federico, el cual confió a Melchor Fernández Almagro: «Ahora quisiera resolver la *Mariana Pineda,* ya que Martínez Sierra se ha portado como un... Pero Martínez Sierra *ignora mi fantasía.* No sabe él *la que se ha echado encima conmigo.*» Y más abajo: «Lo que va resultando ya un latazo es *Mariana Pineda.* Porque ya veremos... pero, ¿la querrá poner alguien? A mí me gustaría por mi familia.»[12]

11. José Morá Guarnido, op. cit., p. 134.
12. A. Gallego Morell, op. cit., p. 75.

Margarita Xirgu y Federico García Lorca

Margarita Xirgu «es una mujer extraordinaria y de un raro instinto para apreciar e interpretar la belleza dramática, que sabe encontrarla donde está. Va a buscarla con una generosidad inigualable, haciendo caso omiso de toda consideración que pudiéramos llamar de orden comercial».

F. García Lorca

«La obra recorrió varios teatros y en medio de los más calurosos elogios me la devolvían unos, por atrevida; otros, por difícil», esto le ocurrió a García Lorca con su obra *Mariana Pineda*.

En los primeros meses de 1926 García Lorca le entregó su drama a Eduardo Marquina, con el propósito de que la hiciera llegar a manos de la actriz catalana Margarita Xirgu, muy amiga de éste. Se trataba de otro intento más para llevarla a escena.

Terminada la gira veraniega que Margarita Xirgu y su compañía ofrecían cada año por el Norte, la actriz volvió a Madrid para resolver asuntos pendientes relacionados con la próxima temporada en el teatro Fontalba. En el *hall* del hotel Ritz, donde se hospedaba, la Xirgu se encontró con Lydia Cabrera. La grata emoción del encuentro se fundió en un abrazo y en una exclamación:

—¡Margarita!

—¡Lydia! Pero ¿cómo? ¿Tú en Madrid?

Tres años antes se habían conocido en La Habana, con motivo de la actuación de la Xirgu en el teatro de la Comedia, y entre ellas estaba viva la cálida amistad de aquellos días. Los nombres de las dos mujeres iban a quedar unidos en el *Romancero gitano,* que García Lorca preparaba ya por aquellas fechas. «A Lydia Cabrera y a su negrita» le dedicaría el poema de *La casada infiel* y a Margarita Xirgu *Prendimiento de Antoñito el Camborio en el camino de Sevilla.*

Tras la alegre sorpresa del encuentro se sentaron en el *hall* del hotel. Evocaron recuerdos, se cruzaron noticias de amigos comunes, la suerte que habían corrido algunos actores de su compañía, que la cubana había conocido; se interesó por las obras que preparaba para la próxima temporada y, a propósito, Lydia le dijo:

—Ya sé que vas a estrenar una comedia nueva muy interesante...

Con gran sorpresa supo Margarita que se trataba de un drama titulado *Mariana Pineda.*

—No sé de qué me hablas —repuso—. No tengo ni idea de semejante obra.

Entonces la sorpresa fue de la amiga.

—Pero ¿cómo? ¿No te la ha entregado Eduardo...?

—¿Eduardo?

—Sí, chica: Eduardo Marquina.

—Ni me la ha entregado ni me ha dicho una palabra...

—Sin embargo, le prometió a Federico...

—¿Federico?

—García Lorca... ¿Es posible que no lo conozcas? Un poeta nuevo... ¡Y qué poeta...! El mejor de los jóvenes...

No. Margarita Xirgu no conocía a García Lorca y lo sentía, pues aquel entusiasmo de Lydia la había llenado de curiosidad por su obra e intrigado su personalidad. ¿Por qué Eduardo Marquina no le habría entregado el drama que le habían recomendado para ella?

—Sé que Eduardo está en Madrid —le dijo Margarita—. ¿Por qué no le hablas por teléfono para que nos la mande?

Lydia Cabrera decidió ir ella misma por el original a casa

75

del dramaturgo. Tenía su coche en la puerta del hotel y al poco tiempo volvía con el manuscrito de *Mariana Pineda*.

—Me ha dado mil excusas... —le dijo entrando—. Ya sabes lo cumplido que es Eduardo. Dice que te hablará... Aquí tienes la obra. Léela. Estoy segura de que te entusiasmará.

—La leeré. Y si es como tú dices...

—¡Tendrías que conocer al autor!

—¿Tan enamorada estás de él?

—¡Oh! No se trata de amor... Pero le quiero y me divierte mucho... Es un muchacho extraordinario, genial... Si me encuentras en Madrid, es por él... Hace ya tiempo que debía estar en Biarritz; pero no me iré hasta que se vaya él —lo que será dentro de unos días— a un pueblo de Granada, donde viven sus padres. Porque es granadino, ¿sabes?, y en Madrid vive en la Residencia de Estudiantes. ¡Si vieras qué bien recita! Además, toca el piano y canta... ¡Y sabe unas canciones populares divinas...!

El entusiasmo de Lydia por aquel ser maravilloso había ido despertando en Margarita creciente curiosidad, hasta el punto de proponerle:

—Oye, ¿por qué lo mismo que te has traído la obra no te traes al autor?

—¡Pero, cómo no! La Residencia está lejos. Le llamaré por teléfono y vendrá en seguida. Ya verás...

Media hora después llegaba Federico. Lydia fue a su encuentro. Con alegría presentó a la actriz y al poeta, como si presintiese que aquél era un momento importante en la vida de ambos.

Se sentó con nosotros —contaría Margarita—. Era la hora del aperitivo. Ellos pidieron whisky. Me supo a petróleo, y lo dije... Federico se reía. Entonces oí por primera vez su risa, esa risa suya tan particular, que parecía apoyarse en la O.

La simpatía de Federico subyugó a Margarita. Lydia tenía razón. Su personalidad era fascinante. Su conversación arrastraba, hacía reír, pensar, divertía inteligentemente, se imponía, había que escucharlo, embelesaba.

Federico García Lorca con la actriz Margarita Xirgu, cuya carrera estuvo muy ligada a la del poeta.

—¿Por qué no se queda a comer con nosotros? —le preguntó la Xirgu. Lydia apoyó la idea con entusiasmo y Federico aceptó.

Durante el almuerzo —continúa relatando Margarita—, Federico nos contó el estreno de *El maleficio de la mariposa* que, a poco de llegar a Madrid, dio a conocer la compañía de Martínez Sierra, Catalina Bárcena y Manolo Collado. Ni Lydia ni yo teníamos idea de aquella obra, que fracasó ruidosamente y de la que no se dio más que una representación. Y se reía como un niño, recordando las incidencias del estreno, del rato que pasó en el sótano del Eslava, donde están los cuartos de los actores y donde él permaneció todo el tiempo. «¡Cómo pateaban —decía—, y cómo se sentía el pateo desde allá abajo! ¡Parecía que pateaban en mi cabeza!»... En vez de mostrarse amargado por el fracaso, sacaba de él las consecuencias más divertidas...

En la sobremesa hablaron de *Mariana Pineda*. Federico, con la naturalidad que le caracterizaba, dijo:

—Pero Margarita no la estrenará cuando sepa que la han tenido ya la Bárcena y Pepita Díaz, y no han querido hacerla.

—Eso no importa —repuso ella—. Puede estar seguro de que, si me gusta, la estrenaré.

—Entonces, ¡la estrenarás! —aseguró Lydia Cabrera.[1]

Federico iba a vivir meses de incertidumbre después de este encuentro feliz con la Xirgu. Su impaciencia fue creciendo al cabo de días y de meses, al no tener noticia alguna de la impresión que a la actriz había causado la obra. Los repetidos intentos de Federico por entrar en contacto con Margarita se estrellaron ante un pertinaz silencio. García Lorca no quería enturbiar la impresión que la actriz le había causado de mujer sensata y desnuda de esa frivolidad brillante, pero vacía, que arrastra esta profe-

1. Este diálogo pertenece a las Memorias que Margarita Xirgu dictó al periodista Valentín de Pedro, para el semanario *¡Aquí está!*, de Buenos Aires, en 1949.

sión. Después de los repetidos rechazos que ha sufrido la obra, el silencio de la actriz lo llena de desconfianza y decide exponer a Eduardo Marquina la situación:

> Querido Marquina: Margarita Xirgu quedó en contestarme su impresión de la latosísima *Mariana Pineda*. No lo ha hecho. Sé que su madre ha muerto, pero ya hace tiempo, y además ella no por eso se va a retirar de las tablas. Yo no sé qué hacer, y además estoy fastidiado, porque como mis padres no ven *nada práctico* en mis actuaciones literarias, están disgustados conmigo y no hacen más que señalarme el ejemplo de mi hermano Paquito, estudiante en Oxford lleno de laureles. Aunque sea una lata para usted, le ruego no me olvide en esta situación indecisa. El verano se acaba y yo sigo colgado, sin el menor atisbo de iniciar mi labor de poeta dramático, en la cual tengo tanta fe y tanta alegría. No deje de contestarme lo que piensa y cuál es su opinión. ¿Debo escribir yo a Margarita? Si usted considera perdido el asunto, dígamelo también. Salude a todos los de su familia. Eduardo, usted sabrá disculpar estas molestias que le causo. ¡No me olvide! Ahí va un gran abrazo de
>
> FEDERICO.

Acera del Casino, 91, Granada.[2]

El silencio de la Xirgu y después el del dramaturgo catalán exasperan a García Lorca hasta el punto que llega a calificar el asunto «de feo y odioso». Existe una razón imperiosa en esta actitud de Federico, pues de la puesta en escena o no de la obra depende que pueda abandonar Granada, donde lo retienen sus padres, y marcharse a Madrid. En la segunda quincena del mes de octubre indica a Fernández Almagro la situación y pone en sus manos la solución del problema:

> Como sabes, yo entregué la antipática *Mariana Pineda* a la Xirgu para que la leyera. Esta señora quedó en contes-

2. JOSÉ MONTERO ALONSO, *Vida de Eduardo Marquina*, Madrid, 1965, p. 205.

79

tarme. Pero no lo ha hecho. Se murió su madre. Yo le puse un telegrama de pésame. No me ha contestado. Le escribí a Marquina (el fresco de Marquina). No me ha contestado. Le escribí otra vez. Tampoco me ha contestado. ¿Qué hago? Mi familia, disgustada conmigo porque dicen que no hago nada, no me dejan moverme de Granada. Yo estoy triste como puedes suponer.

Tengo varios proyectos, pero quiero dejar ultimada esta desastrosa intervención mía en el antro del teatro, intervención que hice para agradar a mis padres, y he fracasado con todo el equipo. Yo no lo siento por mí. Pero sí por mi padre, que es tan bueno y que hubiese tenido tanta alegría con el estreno de esta obra. Tú me vas a hacer un pequeño favor. Vas a visitar a Eduardo Marquina de mi parte, en vista de que no me contesta, y le vas a decir que haga el favor de preguntar a la Xirgu su opinión sobre el drama y lo que piensa hacer, y si no piensa nada que devuelva la copia que tiene en su poder. Marquina, si yo no lo veo, queda encantado. Él está satisfecho si *Mariana Pineda* no se pone y bastante le he mareado ya. Ahora bien, yo no sé, querido Melchorito, si le tengo que agradecer algo o no, porque su actitud (que se reflejó en la interviú con Mila en *La Esfera*) es equívoca y llena de nieblas. Tú, en seguida, visitas a Marquina y le dices que vas de mi parte (y con interés tuyo, como es natural, tratándose de mí) para preguntarle sobre el asunto de *Mariana*. Él te empezará a dar *buenas razones y treguas*. No hagas caso. Tú insiste y dile que hable con la Xirgu y que claramente exponga su opinión. No tardes en hacerme este favor. Si la Xirgu no quiere representar mi obra y devuelve el original, tú te quedas con él como regalo de mi fracasada tentativa, en una época en que *no hay teatro,* y tenemos que resignarnos. Pero haz porque Marquina dé sus razones. No tardes. Quiero saber qué pasa. ¡Es una verdadera lástima el tiempo que he perdido! Pero hay *mala fe* en todos. Marquina se pone la careta queriendo *protegerme,* pero no lo creo. Por todas partes gentuza y cretinismo.

Federico en una foto dedicada a Margarita Xirgu.

Mariana Pineda hablando con Federico García Lorca. (Dibujo de S. Ontañón.)

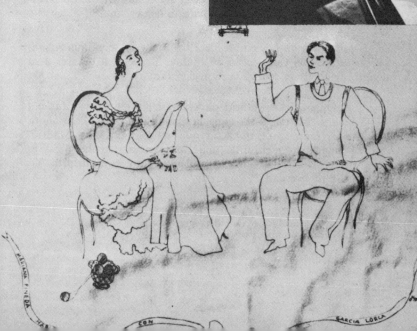

Perdona, pero nadie mejor que tú para esto. Eres amigo de Marquina y él habla bien de ti y te *está agradecido* por tus crónicas benévolas.

Tú sirves mejor que yo para esto. Sé fuerte y firme. Todo lo que tú hagas estará bien hecho. Lo que tú hagas será aceptado por mí. Toma la decisión y la actitud que te parezca ante los acontecimientos. Y si no quieres hacer esto por cualquier causa, yo no me disgusto. Me lo dices. Si te decides y quieres, hazlo inmediatamente y escríbeme la marcha *del caso*. Desde luego, si *Mariana* se representara, yo ganaría todo con mi familia.[3]

Melchor Fernández Almagro le responde en seguida:

Mi muy querido Federico: Yo tengo más interés que tú, si cabe, en el estreno de *Mariana Pineda*. Creo que Marquina, a pesar de todo, puede contribuir a que la promesa de la Xirgu se haga efectiva, y todo se hará aún más fácil si vienes por aquí, aunque sea un par de días. Pero tu visita puede acabar de decidir a la actriz de marras. En cuanto de mí depende no dejaré la cosa de la mano.[4]

A principios de noviembre de 1926, Federico continúa sin saber la suerte que va a correr su drama. Y vuelve a escribir a su amigo Melchor con renovada impaciencia:

Quiero ir a Madrid para ver si arreglo lo de *Mariana Pineda*. No me gusta nada la obra; tú lo sabes. Pero ahora es el único pretexto serio que tengo para ir a Madrid. ¿Quieres tú escribirme una carta en la que me digas es necesaria mi marcha y conveniente? Esto no es mentira. Yo debo ir, ¿verdad?[5]

3. A. GALLEGO MORELL, op. cit., pp. 81-82.
4. Archivo particular de la familia García Lorca.
5. A. GALLEGO MORELL, op. cit., p. 90.

En carta de fecha 8 de noviembre, Fernández Almagro tranquiliza a Federico:

Mi queridísimo Federico: He hablado personalmente con Margarita Xirgu, que me ha dicho que no te devuelve el original porque está «decidida a hacer la obra» no sabe si al final de la presente temporada en Madrid, o en abril ya en Barcelona. Parece que habló con gran sinceridad, demostrando haber leído con cariño y atención tu magnífica *Mariana.* Claro que si a ti no te conviene aguardar el plazo que señala, dímelo con franqueza, y le recojo la obra. Pero creo que lo pertinente es no dejarla de la mano, para que cumpla su ofrecimiento, por lo que convendría tal vez que tú le escribieras dándote por enterado de nuestra conversación, o quizá venir para que formalmente consolidarais el acuerdo. Como Marquina no ha vuelto aún, que yo sepa, para nada ha podido intervenir. Pero yo haré por verle en cuanto venga, para estrechar más el cerco. Y nada más de este asunto. Te escribiré otro día. Un abrazo fraternal.

MELCHOR.[6]

Y a los pocos días vuelve a escribirle el escritor granadino:

Queridísimo Federico: Ya te tengo dicho que convendría extraordinariamente que vinieras a Madrid para darle un «achuchón» a Margarita Xirgu. Lo mismo cree Eduardo Marquina, con quien hablé, según creo que te dije y que parece muy bien impresionado. De modo que no debes retrasar tu viaje aquí, aunque sea de un par de días, lo preciso para recibir de la Xirgu la confirmación de su promesa...[7]

La duda de si la Xirgu pondría en escena *Mariana Pineda* se convirtió en obsesión para Federico:

6. Archivo particular de la familia García Lorca.
7. Ídem.

Desde luego tengo la seguridad de que la Xirgu no pone la *ya famosa Mariana*. Porque no he recibido de ella la más leve noticia. ¿No te parece esto un poco raro? Porque si quiere estrenarla ya debía de dar señales de vida. Si tú la ves por casualidad, pregúntale otra vez.[8]

Con fecha 2 de febrero de 1927, Fernández Almagro le responde:

Piensas mal si crees que la Xirgu no pondrá tu obra; lo ha repetido a Cipriano y a Margarita Nelken cuando le han hablado del asunto. De suerte que la estrenará. Y si vienes tú con más seguridad. Insisto, pues, en que tomes el tren. Lo de la gripe no debe intimidarte; ya está pasando, y no ha sido grave en momento alguno...[9]

Días más tarde, el 13 de febrero, Cipriano Rivas Cherif le comunica la noticia *oficialmente*:

Querido Federico: Aunque Melchor te ha adelantado algo ya, quiero apresurarme a comunicarte *oficialmente* que tu *Mariana* ha entrado en el turno de estrenos de la Xirgu para inmediatamente después del próximo, que será *La cantaora del puerto,* de Ardavín.

La Xirgu, que está muy ocupada, le ha encargado de decírtelo a Margarita Nelken, quien por deferencia a nuestra amistad quiere que sea yo el que te lo comunique. Debes apresurarte a escribir a la Xirgu, a Margarita Nelken, que se ha interesado de veras (Av. Menéndez Pelayo, 29), y a Eduardo Marquina. Como yo era quien más desconfiaba de su apoyo, me apresuro y complazco en decirte que ahora no ha podido estar más efusivo. Ayer, después de su gran éxito de *La ermita, la fuente y el río,* se desbordó (él, no el río) en elogios a tu persona con Margarita Xirgu. No dejes,

8. A. GALLEGO MORELL, op. cit., p. 92.
9. Archivo particular de la familia García Lorca.

pues, de escribir a los tres. Y, si te es posible, ven. La Xirgu
está dispuesta, dice, a gastarse el dinero y poner la obra
a tu gusto. Ven, y si lo crees necesario te escribiré otra carta diciéndote que la obra se estrena en marzo, para que tu
padre consienta en tu viaje. Porque la verdad es que *Mariana* ya no se hará sino en Barcelona, para inaugurar los
estrenos en Madrid a la vuelta de la Xirgu el invierno próximo. Lo cual no es inconveniente, porque después del éxito de Marquina, y el que tendrá Ardavín, tú no puedes esperar nada parecido. Entre otras razones fortísimas porque
tu «Marianita», no es una *doña María de algo,* ni eres capaz de poner tantos disparates como por lo visto son necesarios para gustarle al público, a Canedo, a Pérez de Ayala,
a Mesa y a Melchor. No dejes de felicitar mucho a Marquina por el grandísimo éxito. A mí la obra no me gusta
nada, pero me alegro infinito, primero porque quiero a
Eduardo, que está radiante. A Margarita le dices que sabes
por mí que la protagonista de *La ermita, etc…* es una de
sus cosas mejores. ¡Cómo te va a destrozar los versos de Mariana! Porque los dice de una manera bárbara y catalana,
pero es lo cierto que hace algunas escenas, las mudas y ca-
chondas, por *manera excelente.* Y no dejes, y perdona que
insista dada tu habitual dejadez, de agradecerle mucho a
Margarita Nelken lo que ha hecho indudablemente, puedes
creerme —la que más ha influido— aparte la señorita Lydia, a quien tú amas. Y claro que a la Xirgu le ha parecido
bien la comedia, porque, si no, no la hubiera hecho.

Ven pronto. Voy a dar un recital de poesías *moderrrrnas*
en la Residencia de Señoritas, y pienso añadir al repertorio
dos piezas tuyas, ya experimentadas por el éxito público: el
romance de los *Camborios* y el de los *culos.* En honor a la
verdad te diré que en *tus obras* no puedo competir contigo,
pero de todos modos las recito y me aplauden. — Salud y
hasta pronto. — Tuyo affmo.

Cipri [10]

10. Archivo particular de la familia García Lorca.

Para esas fechas Fernández Almagro ha «... hecho traspaso de la tienda de su talento», según palabras de Federico; es decir, se ha pasado del diario *La Época,* a *La Voz,* de donde lo han solicitado «con mucho empeño» y en ventajosas condiciones. Melchor, desde las páginas de su nuevo rotativo, da la noticia del inminente estreno de *Mariana Pineda.* Federico le da las gracias y lo felicita porque había llegado, luchado y vencido, y le confiaba el comentario de la «gente»: «Dentro de na ese niño le da la patá a Fabián Vidal, y lo tenemos amo de *La Voz.* Estos gallegos-judíos de Granada son lo peor del mundo.» [11]

¿Cuál es la actitud de García Lorca ante la promesa del estreno de su obra? La de un niño asustado ante el caballo que tanto deseaba y que ante él lo encuentra demasiado grande:

> Ahora estoy aterrado y bajo el peso de una cosa superior a mis fuerzas —escribe a Jorge Guillén—. Parece ser que la Xirgu va a estrenar *Mariana Pineda* (drama romántico). El hacer un drama romántico me gustó extraordinariamente hace tres años. Ahora lo veo como al *margen* de mi obra. No sé.

Y a Fernández Almagro:

> ... Me dio miedo el *ambiente* del teatro. ¡Qué alegría sentirme alejado de él! Así haré, y ésta será mi norma de *autor dramático.*

El interés que aquel día, en el Ritz, despertó García Lorca en Margarita Xirgu, unido a una buena dosis de curiosidad, predispuso a la actriz a leer con atención y simpatía el manuscrito del joven poeta. Su impresión fue buena y pensó en su estreno. Pocos días después llegaba a Barcelona y le entregaba la obra a su hermano Miguel: «Mi hermano —confiaría Margarita al periodista Valentín de Pedro, años después— ha leído mucho, tiene

11. A. GALLEGO MORELL, op. cit., p. 91. Fabián Vidal, seudónimo del periodista granadino Enrique Fajardo, director de *La Voz,* de Madrid.

En el saloncillo del Español, de izquierda a derecha, Alfonso Muñoz,
Leonor Coello de Portugal de Góngora, García Lorca, Manuel
de Góngora, Eduardo Marquina, Margarita Xirgu,
Margarita Nelken, Joaquín y Serafín Álvarez Quintero y Martín de Paúl.

«García Lorca volvió a Granada a pasar la Semana Santa junto a su familia.
El 10 de abril, Domingo de Ramos, Dalí le escribe apremiante.»

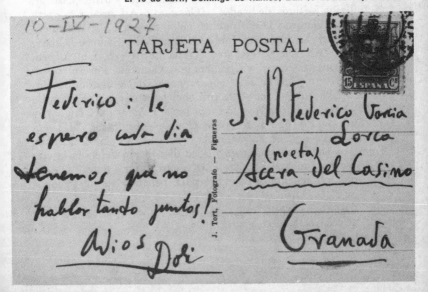

10-IV-1927

TARJETA POSTAL

Federico: Te espero cada día tenemos que no hablar tanto juntos! Adios Dalí

J. Tort, Fotógrafo – Figueras

S. D. Federico García Lorca (poeta) Acera del Casino Granada

un gran conocimiento del teatro, y yo he confiado siempre en su gusto y he tenido en cuenta sus opiniones. Le di *Mariana Pineda* sin adelantarle nada sobre el autor, al que tampoco conocía. Su lectura le entusiasmó más por el poeta que por el dramaturgo. Y no porque la obra le pareciera mal, pero lo que más le importaba era que había descubierto en ella a un gran poeta nuevo. Me alegré de que su impresión coincidiera con la mía y me afirmé entonces en mi idea de estrenarla.» [12]

Los meses de febrero, marzo y abril de 1927 son un tiempo de intensa actividad literaria para García Lorca. Está terminando el *Romancero gitano* y le «hace cosquillas un poema largo, inconcreto todavía, pero lírico, de un lirismo agudo y fabuloso de planos y rumores».[13] Prepara *El Gallo de El Defensor,* suplemento literario del diario *El Defensor de Granada,* y escribe cartas a sus amigos pidiéndoles colaboraciones: Jorge Guillén, Gerardo Diego, José Bergamín, Jarnés, Dalí... El 24 de mayo se cumplía el tercer centenario de la muerte de Luis de Góngora y un grupo de poetas jóvenes, que vindicaban entonces el «gongorismo», proyectaba un homenaje de alcance nacional, en su honor. «Además de editar su obra lírica, se publicarán varios volúmenes, uno de prosa, otro de poesía y otro de música y artes plásticas, con trabajos inéditos dedicados a Góngora.» Así rezaba la carta circular que Gerardo Diego publicó en su revista *Lola,* suplemento de *Carmen.* La firmaban Jorge Guillén, Pedro Salinas, Dámaso Alonso, Gerardo Diego, Federico García Lorca y Rafael Alberti. Federico pensaba editar, en homenaje a Góngora, *Paraíso cerrado para muchos, jardín abierto para pocos,* del granadino Pedro Soto de Rojas, amigo del poeta cordobés homenajeado. *El Paraíso* de Soto tiene la misma medida que las *Soledades* de Góngora, y Federico opinaba que parecía de Góngora. En honor al poeta cordobés escribe y lee en Granada, y después en la Residencia, *La imagen poética de Góngora.* En su disertación defendía la claridad «en sí mismo» del poeta; «Los oscuros somos nosotros —decía—, que no tenemos capacidad para penetrar su inteligencia.

12. VALENTÍN DE PEDRO, *¡Aquí está!,* Buenos Aires, 16-5-1949.
13. A. GALLEGO MORELL, op. cit., p. 92.

El misterio no está fuera de nosotros, sino que lo llevamos encima del corazón. No se debe decir *cosa oscura,* sino hombre oscuro. Porque Góngora no quiere ser turbio, sino claro, elegante y matizado. No gusta penumbras ni metáforas disformes; antes al contrario, a su manera, explica las cosas para redondearlas. Llega a hacer de su poema una gran Naturaleza muerta». En el mes de abril aparece su libro *Canciones,* en la editorial malagueña *Litoral,* de los poetas Manuel Altolaguirre y Emilio Prados. García Lorca había suprimido «algunas canciones rítmicas, a pesar de su éxito, porque así lo quería la claridad. Quedan las canciones ceñidas a mi cuerpo, y yo *dueño* de mi libro. Mal poeta..., ¡muy bien!; pero dueño de mi mala poesía».[14]

A primeros de abril, Federico se va a Madrid. Es un viaje corto, de unos días, para concretar el estreno de *Mariana Pineda.* Margarita Xirgu tenía proyectado ponerla en Madrid, pero el éxito de las obras programadas [15] obligó a mantenerlas en la cartelera más tiempo del previsto y agotaron el espacio para otros títulos. La obra del poeta granadino hubiera tenido que esperar a la temporada siguiente, pero la actriz no quería aplazar más la presentación del drama y decidió darla a conocer en Barcelona, en la temporada de primavera. Antes de acabar la campaña en Madrid, el autor llegaba de Granada a leer la obra a la compañía en el teatro Fontalba. Al acto asisten los amigos de Federico. Entre ellos Fernández Almagro, a quien el poeta se apresura a invitar: «Ven esta tarde a las tres *en punto al Savoia* para ir de allí con Cipriano y el imponente señor Azaña a la lectura de *Mariana* en el Fontalba. Dice Cipriano que me conviene muchísimo que vengas. ¿Vendrás? Hasta ahora.» [16]

A la hora prevista el *imponente* señor Azaña, por entonces presidente del Ateneo, no aparecía y decidieron irse para el teatro, donde ya los esperaban amigos y actores. Cuando Federico disponía el manuscrito, aquellos papeles tan resobados ya, apareció

14. O. C., p. 1616.
15. Las obras eran *Barro pecador,* de los ÁLVAREZ QUINTERO; *La mariposa que voló sobre el mar,* de BENAVENTE; *La ermita, la fuente y el río,* de EDUARDO MARQUINA.
16. A. GALLEGO MORELL, op. cit., p. 78.

alguien que, andando de puntillas, trataba sigilosamente de pasar inadvertido. Se sentó lo más cerca que pudo del escenario, sobre unas tablas de decorados, dispuesto a escuchar a García Lorca, que en cuanto lo reconoció se levantó y fue a su encuentro. Rivas Cherif se acercó a Margarita Xirgu y le dijo: Es Manuel Azaña, y se lo presentó. Federico quiso que se sentara a su lado, pero Azaña no accedió. «De ningún modo —recordaría Margarita— consintió en moverse de su sitio, por más que hicimos. Tuvimos que acatar su voluntad, y desde allí, sentado en el montón de listones, oyó la lectura de *Mariana Pineda*.» [17]

García Lorca volvió a Granada a pasar la Semana Santa junto a su familia. El 10 de abril, Domingo de Ramos, Dalí le escribe apremiante, desde Figueras: «Te espero cada día, ¡tenemos que no hablar tanto juntos!»[18] Pasados esos días, Federico salió para Barcelona y Figueras a dirigir los ensayos junto a la Xirgu y a Rivas Cherif, y a proyectar los decorados, que realizaría Salvador Dalí.

17. *¡Aquí está!*, Buenos Aires, 16-5-1949.
18. Archivo particular de la familia García Lorca.

El poeta vuelve al Ampurdán

Federico García Lorca llegó a Figueras a primeros de mayo de 1927. La ciudad, capital comercial del Ampurdán, celebraba las ferias y fiestas más importantes de la comarca: las de la Santa Cruz.

Los Dalí vivían en la plaza de la Palmera, en una casa que tenía fachadas también a otras dos calles. El estudio de Salvador daba a la de Monturiol. A Federico le habían reservado su habitación con vistas a la de Caamaño. Tenía un balcón, el tercero del primer piso, según se va hacia la Rambla.

En aquellos años las atracciones del ferial se instalaban en la plaza de la Palmera. La plaza se convertía en un «bazar viviente, en una gran caja de música», decía Salvador. Durante varios días el hogar de los Dalí perdía su ritmo habitual.

Federico iba a encontrarse con una Ana María transformada físicamente. Los tirabuzones de adolescente habían desaparecido por un corte de pelo a lo *garçon*. Estaba mucho más alta y estilizada, y sus formas eran contundentes y armoniosas, de plenitud. Sólo su alegría, su entusiasmo y sus bellos ojos seguían siendo los de la muchachita de dos años atrás. Durante ese tiempo su relación no quedó cortada y su amistad se reanudó con la espontaneidad y el calor de sus comienzos, en 1925. Su epistolario había dado solidez a su amistad, recreando un clima entrañable, gracias a mutuas confidencias, y a ese carácter íntimo que el poeta ponía en sus escritos.

«Los Dalí vivían en la plaza de la Palmera, en una casa
que tenía fachadas también a otras dos calles.»

El comedor de los Dalí; Federico acostumbraba sentarse
en el sillón que hay al lado de la ventana, junto al radiador.

La Rambla de Figueras.

Ana María Dalí confeccionó a Federico una blusa de pescador, azul marino, con la que aparece en la foto.

Uno de los primeros gestos de García Lorca en el hogar de los Dalí fue presentar al jefe de la casa su libro *Canciones,* aparecido semanas antes. Conocía de antemano la alegría que iba a proporcionarle. Salvador le había escrito poco antes que su padre estaba «encantado» con el estreno de *Mariana Pineda* y que pensaba presenciarlo toda la familia y «... además me dice que si dentro de dos meses no has publicado aún nada, va a escribirte una carta terrible». En el libro el poeta dedicaba a Ana María *Árbol de canción.* Ya lo sabía, pues en una de sus cartas le había comunicado: «En mi primer libro te dedico una canción que no sé si será de tu agrado, pero he procurado que fuese de las más bonitas.» [1]

García Lorca encontró terminada una blusa de pescador, azul marino, como la que llevaban las gentes de mar de Cadaqués. Le gustaba mucho el típico atuendo marinero de este bello rincón del Ampurdán. En una de sus cartas le había pedido a Ana María que le confeccionara una para él, con la advertencia de que los cordones fueran rojos en vez de azules. Esta pescadora la llevó casi todo el verano. Con ella aparece en las fotos que nos devuelven hoy imágenes de aquellos días felices.

1.   ÁRBOL DE CANCIÓN

                 (Para Ana María Dalí)

> *Caña de voz y gesto,*
> *una vez y otra vez*
> *tiembla sin esperanza*
> *en el aire de ayer.*
> *La niña suspirando*
> *lo quería coger;*
> *pero llegaba siempre*
> *un minuto después.*
> *¡Ay sol! ¡Ay luna, luna!,*
> *un minuto después.*
> *Sesenta flores grises*
> *enredaban sus pies.*
> *Mira cómo se mece*
> *una y otra vez,*
> *virgen de flor y rama,*
> *en el aire de ayer.*

**Carta de Salvador Dalí a Federico en la que expone
                     sus ideas sobre el decorado de «Mariana Pineda».**

Querido Federico: Veo que parece cierto al fin la realización
de tu Marianita Pineda. Mi padre está encantado iremos todos
la familia al estreno, mi padre desde mí día que te sentó 2 meses
no has publicado album nada se creía a escribirte una carta terrible —

Yo siento mucho estar hablando de Pailón por que según
lo pronto que fuese el estreno me sería moralmente
imposible de hacer los decorados, ya que si me encargo de
ellos, como necesito lo mínimo sería para hacer algo tan
bien uno supiera e naturalmente, en bastante tiempo, a pesar
de que tengo perfectamente vista ple. a mí vista perfectamente su
realización plástica —

No hay que hablar de que una cosa tan depurada
como tu Mariana Pineda es imposible que sea realizada
con un decorado estúpido, de los conocidos solo Manuel Ángeles
y yo te lo podemos hacer —

Indicaciones generales para la realización plástica de Mariana de Pineda -
Todas las escenas enmarcadas en el marco blanco de la litografía que
te propusiste, en ese Marco blanco, además de él el título, podría
ir un verso, que convinia cada acto se

Los telones de los decorados, tienen que ser meros fondos
a las figuras, con afiligranados indicaciones plásticas de la

escena; El color tiene que estar en los trajes de los personajes
por lo tanto para que estos tengan máxima visualidad el
decorado será casi monocromo, las ligerísimas
variantes de tono, tienen que ser como desteñidas,
, todos los muebles, como copas
consolas ect, dibujadas sencillamente en el decorado; el
clave, de cartón recortado y pintado igual que los
demás muebles, menos los cristales que tienen que ser
de verdad (me parece ¿y a ti?)

El conjunto será de una sencillez tal, que á (me parece) los mismos
pasos dejará de indignar — por que la impresión que
dará al levantarse el telón y antes de empezar a anotar
será de una calma y naturalidad absolutas —

Además desgraciadamente, ya hay demasiada gente que
tolera esas cosas; aquí todo dios tiene pasar por tonto
y dice que le gusta por pasar por inteligente

(estilo para el decorado - Mariana pineda)

A Procurar de la máxima sugestión
sentimental de los ligerísimos acordes cromáticos del decorado.

Federico y Salvador, a la vez que participaban en el jolgorio de las fiestas, sobre todo oyendo las sardanas que las coblas desgranaban en la Rambla, empezaron a trabajar en los decorados. Por una carta de Dalí a García Lorca conocemos la concepción plástica del pintor ampurdanés:

Yo siento mucho estar haciendo de Talión porque según lo pronto que fuese el estreno me sería materialmente imposible de hacer los decorados, ya que si me encargara de ellos, como sería para hacer algo tan bien como supiera y, naturalmente, con bastante tiempo, a pesar que tengo vista perfectamente su realización plástica.

No hay que hablar de que una cosa tan depurada como tu Marianita Pineda es imposible que sea realizada con un decorado estúpido; de los conocidos, sólo Manuel Ángeles y yo te lo podemos hacer.

Indicaciones generales para la realización plástica de Mariana Pineda.

Todas las escenas enmarcadas en el marco blanco de la litografía que tú proyectaste, en ese marco blanco, además del título, podría ir un *verso, que cambiaría en cada acto.*

Los telones de los decorados tienen que servir de meros fondos a las figuras, con afiligranadas *Indicaciones* plásticas de la escena; *el color* tiene *que estar en los* trajes *de los personajes;* por lo tanto, para que éstos tengan máxima visualidad, el *decorado* será *casi monocromo*; las ligerísimas cambiantes de tono tienen que ser como desteñidas; todos los muebles, cornucopias, consolas, etc., dibujadas sencillamente en el decorado; el clave, de cartón recortado y pintado igual que los demás muebles; en cambio, los *cristales* tienen que *ser de verdad* (me parece ¿y a ti?).

El conjunto será de una *sencillez* tal, que (me parece) a los mismos puercos dejará de indignar —porque la impresión que dará al levantarse el telón y antes de empezar a analizar será de una calma y *naturalidad* absolutas.

Además, desgraciadamente, ya hay demasiada gente que

«Este decorado —escribió Gasch— contiene latente toda la Andalucía intuida, adivinada, presentida por un hombre que no la conoce.» (Decorado de «Mariana Pineda», por Dalí.)

Boceto de decorado para «Mariana Pineda» de Federico García Lorca.

tolera esas cosas; aquí todo Dios teme pasar por tonto y dice que le gusta pasar por inteligente.

(Nota para el decorado de *Mariana Pineda.*)

Aprovechar la máxima sugestión sentimental de los ligerísimos acordes cromáticos del decorado.[2]

La colaboración fue absoluta. Federico ilustró a Salvador sobre el ambiente de la Granada del primer cuarto del siglo XIX. El dramaturgo sugería escenarios de formas estilizadas, en armonía con la más pura esencia romántica de la época.

Para dirigir el montaje de la obra, Federico hacía frecuentes viajes de Figueras a Barcelona, algunas veces acompañado de Salvador Dalí. Entonces asistía a los ensayos, en el teatro Goya, y sus sugerencias eran acertadas visiones de su prodigiosa intuición. Al poeta, a la vez músico y pintor, le gustaba cuidar de todos los detalles: los decorados, los figurines, la música. Simultáneamente, Federico, alentado por el grupo de *L'amic de les Arts,* preparaba una exposición de sus dibujos. Salvador Dalí y Sebastià Gasch influyeron decisivamente en esta determinación.

Al cabo de los días, las decoraciones fueron perfilándose. A García Lorca le agradaba sumamente la interpretación escenográfica que Dalí hacía de su drama. Su entusiasmo lo hace patente en todas las cartas que por aquellos días escribe: A Guillén le dice: «Querido Jorge: Estoy con Dalí, que ha pintado ya las decoraciones de *Mariana Pineda.* Son maravillosas. Ahora hace los trajes. Te recordamos mucho.» A Ana María Dalí: «Querida Ana María: Un abrazo y saludos cariñosos desde Barcelona. Las decoraciones del Noy son deliciosas.» Y a Fernández Almagro: «Aquí estoy en pleno ensayo. Barradas se ha encargado de realizar el decorado de Dalí. Yo creo que plásticamente estará muy bien y de una gran novedad.» *Novedad.* Y Sebastià Gasch veía en ellos *ritmo*: «Ritmo necesario, medidas exactas, dimensiones justas sin las cuales no hay obra de arte posible. Unidad, unidad y unidad. Llamada de los ojos, ante todo, que es la antesala para

2.   Archivo particular de la familia García Lorca.

Dibujo de Federico García Lorca.

Decorado de Salvador Dalí para el segundo acto de «Mariana Pineda».

penetrar en el corazón de la obra, hecho de imponderable efusión...»[3]

Para resaltar la calidad de estampas (Federico subtituló el drama, *Romance popular en tres estampas*), las decoraciones eran más pequeñas que la embocadura, de lo cual resultaba un escenario dentro del escenario.

El pintor de Figueras supo interpretar admirablemente la idea del poeta. Si observamos los proyectos de interiores de Federico con la descripción que del decorado de Dalí hizo Sebastià Gasch en la revista *L'amic de les Arts,* encontraremos los mismos elementos decorativos, distribuciones y huecos: el corazón pintado sobre los dos balcones, los cortinajes rojos, el jarrón de flores, la fuente y el ciprés. «Este decorado —escribía el crítico catalán— contiene latente toda la Andalucía intuida, adivinada, presentida por un hombre que no la conoce... El amarillo de un vestido se conjuga con el negro del fondo. La ondulación del sofá se enlaza con las curvas de una silla. El reloj de pared prolonga la línea de una ventana. Las rayas de un traje juegan con las rayas de la puerta. Y así hasta el infinito. Sinfonía total, orquestación constante.»[4]

El estreno de *Mariana Pineda* se fijó para la noche del 24 de junio, día de San Juan, en el teatro Goya (hoy cine Goya). García Lorca dirigió personalmente el ensayo del coro de niños y niñas que cantaban el romance con el que da comienzo y finaliza la obra. El poeta trató de inculcar a las voces infantiles, de marcado acento catalán, las flexibilidades y ecos melancólicos de aquellas otras que habían llenado los aires de su pequeño pueblo cuando él era niño. Para acentuar el carácter de vieja estampa de plazuela, la obra comenzaba con un romance que las voces infantiles coreaban tras un cartel que representaba la granadina puerta de Elvira:

> *¡Oh, qué día tan triste en Granada,*
> *que a las piedras hacía llorar*
> *al ver que Marianita se muere*
> *en cadalso por no declarar!*

3. *L'amic de les Arts,* Sitges, 31-7-1927.
4. Archivo particular de la familia García Lorca.

Figurín para la obra «Mariana Pineda» diseñado por Salvador Dalí.

Un estreno es siempre una incógnita para el autor y los intérpretes. García Lorca había podido comprobarlo siete años antes. Hasta muy avanzados los ensayos de *Mariana Pineda,* no embargó a Federico ese sentimiento mezcla de ansiedad y angustia habitual en estos casos. Los fantasmas de la duda que solivantaban su espíritu vestían los sudarios de aquellos maltratados personajes-insectos de *El maleficio de la mariposa.*

La autorizada voz de Margarita Xirgu dijo del estreno de la segunda obra del autor granadino: «*Mariana Pineda* se estrenó en Barcelona con un público en el que predominaba el elemento joven, que fue dispuesto a dar batalla, como los románticos en el estreno de *Hernani.* Pero no hubo batalla, porque la obra gustó a todo el público, o, por lo menos, no hubo protestas.» [5]

García Lorca tuvo que salir en los entreactos y alguna vez al terminar las escenas.

Ana María Dalí, entusiasta espectadora, nos ha hablado de la alegría radiante de Federico, de la casi infantil ilusión que supuso para él verse aclamado como dramaturgo. Sin embargo, después del estreno estaba triste.

—Cuando terminó la función nos fuimos a celebrarlo —nos ha contado—. Componíamos un grupo formado por Federico, la Xirgu, Moraguetes, mi hermano... y algunos actores de la compañía. Paseando nos encaminamos al Barrio Gótico, uno de los lugares más admirados de Federico en la Barcelona antigua. Las calles silenciosas, escasamente alumbradas, y la soberbia belleza de sus evocadores rincones, en la alta noche de junio, eran de un encanto sugestivo. Al llegar a la plaza del Rey, García Lorca nos divirtió haciendo parodia de su actitud de dramaturgo. Agradecía los aplausos de un público imaginario, con profundas reverencias, desde un proscenio imaginario, con el dominio de su mímica de consumado actor. Pero los que lo conocíamos bien, sabíamos que aquella pantomima tenía un fondo de amargura. Llegamos a la plaza de San Jaime y bajamos por la calle de Fernando hasta las Ramblas, donde nos sentamos en la terraza del Lyon d'Or.

Con el tiempo debió de borrársele a Federico aquella tris-

5. *¡Aquí está!,* Buenos Aires, 16-5-1949.

Comedias y comediantes

TEATRO GOYA

Se estrenó, con éxito, «Mariana Pineda», romance en tres estampas, de Federico García Lorca, por la compañía de Margarita Xirgu

García Lorca y Dalí

Caricatura aparecida en «La Noche» con motivo del estreno de «Mariana Pineda» en el teatro Goya de Barcelona, en 1927.

teza, pues siempre recordó con alegría la noche en que por primera vez fue aclamado en un escenario, de la mano de Margarita Xirgu.

No obstante, se temía —dijo la Xirgu—, «...que un público chapado a la antigua» no entendiera la obra. Para probarlo, la actriz «... la dio en un día de abono a cargo de una de esas instituciones tradicionales que tenían fama de reunir a la gente más rancia de la población. Y también le gustó, tanto, que salió Federico a la terminación de todos los actos a recibir los aplausos. Y mientras saludaba al público, apretándome la mano, decía por lo bajo: "¡Hasta las viejas aplauden...! ¡Hasta las viejas aplauden...!"» [6]

La Xirgu, que sentía profunda admiración por su nuevo personaje, lo presentó seguidamente en San Sebastián, lugar de veraneo de la Corte, y después en Madrid. Mariana Pineda fue una de las heroínas predilectas de Margarita, y quedó para siempre vinculada a su repertorio. Cuando ya estaba retirada de los escenarios como actriz y dirigía la Comedia Nacional Uruguaya, sabemos que era uno de los papeles que accedía a representar.

La obra tuvo recepción en toda la prensa barcelonesa: *La Publicitat, El Liberal, La Veu de Catalunya, El Noticiero Universal, La Vanguardia, Las Noticias, El Diluvio, El Día Gráfico*... Pero salvo algún crítico, en general no supieron captar que bajo la esencia lírica, de fina expresión y pura línea del poeta, latía un prodigioso dramaturgo. Aunque en esta obra no revelara su estilo teatral, sí se anunciaba ya su germen. Federico sería el primero en admitir que su drama era la obra débil de un principiante y aunque presentaba varios aspectos de su temperamento poético, no respondía absolutamente a su concepción del teatro.

Bernat y Durán decía en *El Noticiero Universal*: «La obra que nos presenta Federico García Lorca es un bosquejo sin ambientar. Mas ese bosquejo, a través de líneas pueriles, de versos sin articulación teatral y de imágenes rebuscadas, ofrece otras líneas, otros versos, otras imágenes, y, en general, un nervio que señala en el autor temperamento para cultivar el teatro.»

6. *¡Aquí está!*, Buenos Aires, 16-5-1949.

Dos escenas de la obra «Mariana Pineda»,
estrenada en el teatro Goya de Barcelona.

Y Domènec Guansé en *La Publicitat*: «En otros momentos su poesía consigue liberarse de música huera de bombos y platillos que tan a menudo hacen las rimas castellanas desde los clásicos a nuestros días. Poesía de los más primitivos y de los más modernos. Gusto de poesía gris y nutrida de cancionero anónimo y gusto de poesía quebradiza y preciosa de un Juan Ramón Jiménez. Ecos patinados de canción popular e imágenes de poeta de vanguardia, fantasmagóricas como el resplandor de un cohete... La decoración de este acto interpreta maravillosamente el poema. Hay en ella una luminosidad blanca, de lirio, claustral y poemática. Una sombra melancólica de ciprés. Un surtidor que llora con el mismo plateado seductor y convencional de los versos del poeta... Y el movimiento escénico es conducido aquí, más aún que en los restantes cuadros, con una gracia justa y delicada.»

Tampoco supieron interpretar los modernistas decorados de Dalí: «La presentación se nos antojó poco en concordancia con el ritmo y el ambiente de la obra», decía E. G. G., en *El Diluvio*.

«En cuanto a la presentación escénica, se ofrece el contrasentido de trajes de estricto figurín de 1831, y de un decorado concebido con arreglo a normas, y convenciones en algún caso, de cosa de un siglo después. Esto es, remedador del arte de avanzada que priva ahora en algunos escenarios extranjeros», escribía Rodríguez Codolá, en *La Vanguardia*.

«La obra se presentó bajo la dirección artística del joven Dalí. Algo parecido a lo que hacen en Francia los del llamado teatro de vanguardia. Decorados y accesorios para dar un ambiente artístico, convencional, pero que impresione y precise. El joven Dalí demostró ser artista sincero y elegante», aseguraba Emilio Tintorer en *Las Noticias*.

Dibujos de García Lorca en Barcelona

> Si no fuera por vosotros, los catalanes, yo
> no habría seguido dibujando.
>
> F. García Lorca

En mayo de 1927 Sebastià Gasch recibió una carta del pintor uruguayo Rafael Barradas, en la que por primera vez se encontraba con el nombre de Federico García Lorca: «Admirado amigo Sebastià Gasch: Tendría mucho gusto de verle. Estaremos en el Oro del Rhin a las seis de la tarde del miércoles. Estaremos Federico García Lorca y este su amigo que mucho le admira.» Gasch no había oído nunca este nombre. ¿Quién sería? Intrigado, lo preguntó a Lluís Muntanyà, crítico prestigioso, el cual, pese a estar muy relacionado, tampoco supo de quién se trataba. A la hora prevista, Gasch acudió al Oro del Rhin, café frecuentado por intelectuales y artistas, situado en la Gran Vía, en la confluencia con la Rambla de Cataluña. Sobre este encuentro, el crítico catalán ha escrito: «Tan pronto como cambié cuatro palabras con el misterioso personaje, fui víctima del flechazo. De un modo fulminante, repentino, me sentía atraído hacia aquel apasionado muchacho como por un imán.»

La impresión fue recíproca. Aquella tarde nació una amistad que sería entrañable, como testimonia el epistolario rebosante de efusión que Federico, después de marcharse de Barcelona, inicia con Gasch. Aquella misma tarde, en el Oro del Rhin, el poeta granadino le dedicó su flamante libro *Canciones*. «Lo leí de un tirón aquella misma noche —dice Gasch—. Apenas leídos los primeros versos, mi admiración cobró forma tangible y comprendí que me hallaba frente a un verdadero poeta, ante un vibrante temperamento de poeta, con una portentosa aptitud para la imagen rápida y modernísima y un sentido formidable del ritmo y de la lírica. Mi simpatía hacia Federico García Lorca se metamorfoseó rápidamente en fraternal amistad. Paseos nocturnos por el rompeolas y coloquios hasta la madrugada en los merenderos de Montjuïc, fines de semana en Sitges...» [1]

En las idas y venidas de Federico, de Figueras a Barcelona, mientras preparaba el estreno de *Mariana Pineda*, se alojaba en el Gran Hotel Condal, calle de la Boquería, desde el que citó a Gasch: «Querido amigo Gasch: Acaba de llegar Dalí. Esta tarde, si puede, le esperamos, a las seis y media o siete, en el Oro del Rhin. Yo le llevaré una colección de dibujos míos para que los vea.» Aquella misma tarde seleccionaron los dibujos que expondría el poeta granadino poco tiempo después.

Al día siguiente del estreno de *Mariana Pineda*, a las seis de la tarde del 25 de junio de 1927, se inauguró en las Galerías Dalmau una exposición de dibujos coloreados de García Lorca. Era la primera vez que colgaba sus cuadros en una galería de arte. La muestra la componían veinticuatro cuadros: *Claro de luna, Sueño del marinero, Vaso de cristal, Dama en el balcón, Payaso, Gota de agua, Ojo de pez, Escándalo, Santa Teresita del Santísimo Sacramento, Claro de circo, Naturaleza muerta, Payaso japonés, Leyenda de Jerez, Teorema del jarro, La mantilla, La musa de Berlín, El viento Este, Teorema de la copa y de la mandolina, Merienda, Pecera, Beso en el espejo, Naturaleza muerta, Retrato del pintor Salvador Dalí.* Al frente del catálogo aparecían los nombres de los amigos de Federico que habían patrocinado y animado la exposición: Josep Dalmau, Salvador Dalí, Josep Carbonell, M. A. Cassanyes, Lluís Góngora, R. Sainz de

---

1. Del prólogo de *Cartas a sus amigos*, Ediciones Cobalto, Barcelona, 1950, pp. 9-10.

Federico García Lorca en una foto dedicada al crítico catalán Sebastià Gasch.

la Maza, Lluís Muntanyà, Rafael Barradas, J. Gutiérrez Gili, Sebastià Gasch. La exposición estaría abierta hasta el 2 de julio.

Uno de los grandes «regocijos» de Federico en Barcelona, de «extraordinario» lo calificó él, fue verse «tratado como pintor». Gregorio Prieto ha escrito que la poesía era para García Lorca la compañera oficial inseparable, y la pintura la amante secreta hacia la que se sentía fatalmente unido. Y es que el dibujo era algo consustancial con el poeta, como el recitar, tocar el piano, cantar, contar historias verdaderas o inventadas, su violín de Ingres. Un elemento más de comunicación de su fabuloso mundo mágico. Una necesidad vital, un gesto alegre, el saludo o la despedida cariñosa en sus cartas: «Un abrazo (he procurado animar la carta con dibujos»), le dice a Jorge Guillén al despedirse en una de ellas, y en otra: «... alguna vez puede que exprese los extraordinarios dibujos reales que sueño.» Pero siempre eran un mensaje bello, alegre, cariñoso: «Cuando un asunto es demasiado largo o tiene poéticamente una emoción manida, lo resuelvo con los lápices. Esto me alegra y divierte de manera extraordinaria.»

La mayor parte de los dibujos de García Lorca los encontramos en las cartas y dedicatorias a sus amigos, pues el poeta los consideraba «una cosa privada», algo íntimo inspirado por la amistad y el afecto. Sus firmas y sus rúbricas son líneas rectas, ondulantes, trenzadas, en las que se enredan ramas con hojas, florecillas, medias lunas, copas, fruteros repletos de membrillos, de limones, de naranjas.

El gusto por el dibujo le venía a García Lorca de su niñez. Cuando deja de hacerlo en sus cuadernos escolares, es para ilustrar sus prosas, sus poemas y más tarde sus libros, con el mismo primor y entusiasmo infantil. Los lápices de colores serán siempre sus cómplices; con ellos ilumina delicadamente sus trabajos. En 1923, para las fiestas de los Reyes Magos, organiza en su casa un teatrillo de los *Títeres de Cachiporra,* y es él el que se encarga de pintar las decoraciones para la puesta en escena del viejo cuento andaluz *La niña que riega la albahaca y el príncipe preguntón.* Cuando comenta sus proyectos literarios en muchas ocasiones los ilustra con dibujos. A Dalí, para sugerirle los decorados de *Mariana Pineda,* le describe la Granada del XIX, y lo hace con visiones plásticas tan genuinas, que merced a ello el pintor de Figueras pudo recrear en su obra auténticas esencias granadinas, de una ciudad que no conocía.

De 1926 a 1928, sus dibujos ilustran sus trabajos, en prosa y en verso, para las revistas *L'amic de les Arts,* de Sitges; *Litoral,* de Málaga, en el número dedicado a Góngora en su centenario, y la revista *Gallo,* que él dirige en Granada. En 1928, la colección dramática *La Farsa* le publica *Mariana Pineda,* con dibujos del autor, y en ese mismo año la *Revista de Occidente* le edita su primer *Romancero gitano,* con portada de García Lorca. Su entusiasmo por el dibujo lo lleva durante algún tiempo a hacer proyectos para la edición de un *Libro de Dibujos,* con prólogo de Sebastià Gasch y epílogo de Salvador Dalí.

«Pintar fue su descanso, su embriaguez, su fiesta, pintar con la aplicación que un niño dedica a sus juegos, como si se tratara de un asunto capital, esencial a su vida; pero más todavía con la prodigalidad de un demiurgo con respecto a sus obras, ya que regalaba sus dibujos predilectos», ha escrito Gregorio Prieto. El pintor manchego hablaba por experiencia propia. La primera vez que contempla un dibujo de García Lorca es en la habitación del poeta, en la Residencia, donde Federico le enseña una Virgen de los Dolores que preside la cabecera de su cama. Ante la expresividad de sus juicios, García Lorca, con toda espontaneidad, descuelga el cuadro y se lo regala. A Sebastià Gasch, en una de sus cartas, le dirá: «Los dibujos que publicáis te quedas tú con ellos. Te los regalo. Y te vas haciendo una colección de pequeñas tonterías.»

La notas predominantes en los dibujos de García Lorca son la ternura y el humor: «Los dibujos debes cuidarlos para que, al ser reproducidos, las líneas no pierdan la *emoción,* que es lo único que tienen.» [2] Su técnica es muy personal, primitiva, llena de fantasía infantil, de gracia, sin *complicaciones,* alegre siempre, pues hasta cuando pinta a sus personajes sumidos en el llanto, son lágrimas intrascendentes, de niño mimado que llora sin pena, como una lluvia fresca de primavera:

2. O. C., p. 1672.

Pero *sin tortura ni sueño* (abomino el arte de los sueños), ni complicaciones. Estos dibujos son poesía pura, plástica pura a la vez. Me siento limpio, confortado, alegre, *niño,* cuando los hago. Y me da horror la *palabra* que tengo que usar para llamarlos. Y me da horror la pintura que llaman *directa,* que no es sino una angustiosa lucha con las formas en las que el pintor sale *siempre* vencido y con la obra *muerta.* En estas abstracciones más veo yo realidad *creada* que se une con la realidad que nos rodea como el reloj concreto que se une al concepto de una manera como lapa a la roca. Tienes razón, queridísimo Gasch, hay que unir la abstracción. Es más, yo titularía estos dibujos que recibirás (te los mando certificados) *Dibujos humanísimos.* Porque casi todos van a dar con su flechita en el corazón...[3]

Sí, eso era para Federico el dibujo, ante todo, el goce personalísimo de un juego, doblemente seductor al unir la poesía y la plástica. Unas veces los dibujos le salen como las *metáforas más bellas,* otras va a buscarlas *al sitio donde sabe que seguro están*:

Estos últimos dibujos que he hecho me han costado un trabajo de elaboración grande. Abandonaba la mano a la tierra virgen y la mano junto con mi corazón me traía los elementos milagrosos. Yo los descubría y los anotaba. Volvía a lanzar mi mano, y así, con muchos elementos, escogía las características del asunto o los más bellos e inexplicables, y componía mi dibujo. Así he compuesto el *Ireso sevillano,* la *Sirena,* el *San Sebastián,* y casi todos los que tienen una crucecita. Hay milagros puros, como *Cleopatra,* que tuve verdadero escalofrío cuando salió esa armonía de líneas que *no había pensado, ni soñado, ni querido; ni estaba inspirado,* y yo dije: ¡Cleopatra! al verlo, ¡y es verdad! Luego me lo corroboró mi hermano. Aquellas líneas eran el *retrato exacto, la emoción pura,* de la reina de Egipto. Unos

3. O. C., p. 1659.

«En las idas y venidas de Federico, de Figueras a Barcelona, mientras preparaba el estreno de "Mariana Pineda", se alojaba en el Gran Hotel Condal, calle de la Bóqueria, desde el que citó a Gasch.»

«El Oro del Rhin, café frecuentado por intelectuales y artistas, situado en la Gran Vía.»

dibujos salen así, como las metáforas más bellas, y otros buscándolos en el sitio *donde se sabe de seguro que están.* Es una pesca. Unas veces entra el pez solo en el cestillo y otras se busca la mejor agua y se lanza el mejor anzuelo a propósito para conseguir. El anzuelo se llama *realidad.* Yo he pensado y hecho estos dibujitos con un criterio poético-plástico o plástico-poético, en justa unión. Y muchos son metáforas lineales o tópicos sublimados, como el *San Sebastián* y el *Pavo Real.* He procurado escoger los rasgos esenciales de emoción y de forma, o de super-realidad y super-forma, para hacer de ellos un *signo* que, como llave mágica, nos lleve a *comprender mejor* la realidad que tienen en el mundo.[4]

Pero, ¿cómo acogió la prensa barcelonesa la obra pictórica de Federico García Lorca? Durante la semana que permaneció abierta la exposición en las Galerías Dalmau, su indiferencia fue total. Hubo diario que anunció la inauguración escuetamente. La *Revista de Catalunya* insertó esta breve nota: «En las Galerías Dalmau, exposició d'art surrealista, obra del pintor-poeta senyor Frederic García Lorca.» Son algunos de sus amigos más íntimos los que comentan extensa y entrañablemente la poesía plástica de los dibujos lorquianos. Sebastià Gasch escribió en la revista *L'amic de les Arts:*

> ¡Dibujos de Federico García Lorca en las Galerías Dalmau! ¡Que los burócratas del arte, los miedosos, que los sedentarios pasen de largo!
>
> ¡Que los trascendentes, que los engreídos, que los responsables pasen de largo!
>
> ¡Que los temerosos del ridículo, y de las aventuras inéditas, y los grávidos de preocupación pasen de largo!
>
> Los dibujos de García Lorca se dirigen exclusivamente a los puros, a los sencillos, a los que son capaces de sentir sin comprender. A los inefables catadores de la infinita poe-

4. O. C., p. 1658.

114

«A las seis de la tarde del 25 de junio de 1927 se inauguró
en las Galerías Dalmau una exposición de dibujos coloreados
de García Lorca.» (Las galerías en la actualidad.)

Catálogo de la exposición de dibujos de García Lorca.

CATÀLEG

1 Clar de lluna.
2 Somni del marino.
3 Vas de cristal.
4 Vas de cristal.
5 Dama en el balcón.
6 Payaso.
7 Gota de agua.
8 Ojo de pez.
9 Escàndalo.
10 Santa Teresita del Santísimo Sacramento.
11 Clar de circo.
12 Naturaleza muerta.

13 Payaso japonès.
14 Leyenda de Jerez.
15 Teorema del jarro.
16 La mantilla.
17 La Musa de Berlin.
18 El viento Este.
19 Teorema de la copa y de la mandolina.
20 Merienda.
21 Pecera.
22 Beso en el espejo.
23 Naturaleza muerta.
24 Retrato del pintor Salvador Dalí.

Inauguració el 25 de Juny, a les sis de la tarde.

sía de los objetos pueriles, anti-artísticos y anti-trascendentes: desde la tarjeta postal ilustrada hasta el inmenso lirismo del interior de *La loge de la concierge,* pasando por toda la intensidad patética del cartelón del *bistrot.* Poesía plástica inventada por Jean Cocteau. Nada más justo al referirnos a estos dibujos. Productos de la intuición pura, con la inspiración que guía la mano de su mano. Una mano que se entrega. Una mano que deja hacer, que no opone resistencia, que no sabe, no quiere saber adónde se la conduce. Poesía, mucha poesía. Plástica, pero muy plástica. Equilibrio de líneas, dimensión, relación de tonos.

No es una armonía querida, sin embargo. Ya que si la voluntad se mezclara en este juego, éste se volvería impuro. Ya que si el entendimiento tuviera acceso a ello, el juego perdería toda su importancia.

Armonía intuitiva, esto es, sencillamente, sentido plástico instintivo que se opuso definitivamente a la tentación de la divagación literaria.

Poesía plástica, inventada por Jean Cocteau.[5]

Y José María de Sucre, en la revista manresana *Ciutat,* reproducía algunos cuadros y dedicaba un extenso artículo a la exposición:

... La obra del claro y admirado poeta Federico García Lorca, expuesta en las Galerías Dalmau, es elocuente testimonio de tan valiosa aspiración. Del jovencísimo y singular granadino puede decirse que, traduciendo plásticamente, con exquisita y dinámica intuición su profunda musicalidad imaginativa, la misma impensada ingenuidad anterior a petrificación cultural con que se manifiesta, tornavoz involuntario de civilizaciones milenarias, lo conduce, fulgurante y trascendente paradoja, a ser de los primeros del poscubismo.[6]

5. *L'amic de les Arts,* Sitges, 31-7-1927.
6. *Ciutat,* Manresa, julio 1927.

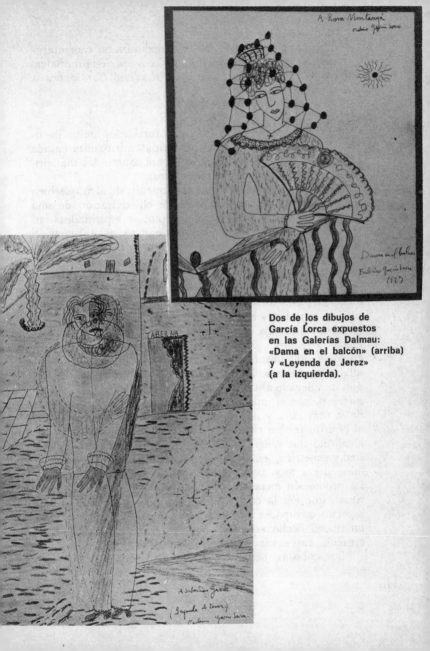

Dos de los dibujos de
García Lorca expuestos
en las Galerías Dalmau:
«Dama en el balcón» (arriba)
y «Leyenda de Jerez»
(a la izquierda).

En la misma revista, Rafael Benet le dedicaba un comentario. Y en el número de setiembre de 1927 de la *Nova Revista,* Salvador Dalí escribía bajo el enunciado de *Frederic García Lorca. Exposició de dibuixos acolorits*:

En 1905, Georges de Chirico alcanzaba los límites poéticos que podían ofrecer toda una teoría espiritualista basada en un principio de la revelación, para asumir las más primarias y sensuales constataciones físicas.

Algunos creyeron adivinar el comienzo de algo que bien hubiera podido ser una especie de objetivización de una metafísica sensual. Sin embargo, la pintura espiritualista entraba de pleno en el campo del misticismo y su prolongación sólo era posible basándola en una gran fe, persistente y creciente. Chirico, no obstante, pintor profundamente erótico, verdaderamente obsesionado, dueño como pocos de los escalofríos más sutiles, de los lirismos más patéticos y de las alucinaciones más turbadoramente concretas, no tenía vocación para la santidad y hoy se ha entregado a la mala vida, a la inocente mala vida que llevan algunos jóvenes en París, llamada *surrealismo.* Mientras tanto, los pintores cubistas, incrédulos al misticismo espiritualista de Italia, ávidos solamente de las posibilidades tangibles inmediatas de sus manos, han llegado al término de sus abstracciones físicas y geométricas, con el milagro en la punta de los dedos y dueños de la más pura y desinfectada poesía. Estos pintores llegan al espíritu por un camino de lógica y de economía idealista; idealismo que quiere decir, en todo punto, figuración sensual-geométrica, en oposición al álgebra desmaterializada inherente a todo principio de cualquier sistema metafísico. La promoción metafísica italiana arrancaba del hecho espiritual, que era la consecuencia del milagro físico, y de los aspectos agrupados en un plano inmaterial, que formaba un nuevo hecho *espectro,* llegando hasta la máxima concreación, casi erótica, el tacto.

Los cubistas, por el contrario, partiendo de este tacto

«Los dibujos de García Lorca se dirigen exclusivamente a los puros, a los sencillos, a los que son capaces de sentir sin comprender», escribía Sebastià Gasch. (Naturaleza muerta.)

idealista-sensual, se han encontrado en una pura y nueva forma de espiritualidad.

Lorca es de los que alcanzó esta nueva forma de milagro por los caminos de la máxima incredulidad, pues él no cree ni en sus propias manos, a menos que no sea para mover las tablas fisiológicas e inconcretas de un solo pie.

Toda esta poesía, encontrada con las manos y no con el corazón, con la paciencia singular de un relojero, ha hecho posible que Lorca arrancara de esta poesía y caminara hasta los límites que, puesto que en él no pueden ser los de las manos, han tenido que ser los de la música.

El instinto afrodisiaco de Lorca precede siempre a su imaginación. Su espíritu juega en todos los casos un papel secundario. Cuando la imaginación precede a sus dibujos, éstos se resienten de ello, quedan limitados a puras ilustraciones, más o menos encantadoras desde el punto de vista popular-infantilista.

El sistema poético de los dibujos de Lorca tiende a una inmaterialidad orgánica, precedida del más fino y fisiológico caligrafismo. Lorca, netamente andaluz, tiene un sentido antiguo de las relaciones colorísticas y arquitectónicas vertidas en un incontrolado asimetrismo armónico que caracteriza toda la plástica más pura de Oriente.

En los mejores dibujos de Lorca, la «Gota de agua» por ejemplo, se han infiltrado los más finos y exquisitos venenos orientales, aquellos venenos sutiles y, sin embargo, mortales, que, en los momentos en que la anemia de la plástica occidental alcanza su mayor gravedad, se han convertido a menudo en elixir de larga vida y de rejuvenecimiento. La plástica de Lorca participa, a veces y en los mejores momentos, en la vida gráfica de algunas líneas dictadas por los surrealistas y del decorativismo tonto e irisado de los interiores coloreados y en espiral de las bolas de cristal.

Toda esta plástica afrodisiaca y poética de los dibujos de Lorca, recientemente, tienen para nosotros, sin embargo, un solo defecto, un defecto en el cual es poco probable que los ampurdaneses caigan nunca: el defecto cada día más irresistible de la extremada exquisitez.[7]

Hasta el 2 de julio permaneció abierta la exposición de dibujos de García Lorca. Ese mismo día la prensa barcelonesa anunciaba una cena que los amigos del «poeta jove y coratjós amic de Catalunya» habían organizado en su honor, para celebrar el éxito de *Mariana Pineda* y la exposición «postcubista».

La cena se celebraría en el restaurante Patria, de la plaza de Sepúlveda, esquina a Muntaner. Las personas que quisieran adherirse al homenaje encontrarían las invitaciones en las Galerías Dalmau, en el Ateneo, en el teatro Goya y en el restaurante Patria, al precio de once pesetas.

Esa velada la ha evocado el poeta Marià Manent. En su memoria hay nebulosas; sin embargo, ha quedado la «huella precisa» de la lectura de poemas de Federico, aquella noche, pero nítidamente, el análisis de la metáfora del *Romance de la Guardia Civil* y el sentido exacto que quiso dar a la expresión «miedos de fina arena». Cuando la Guardia Civil se acercaba a la gente sencilla, aterrada por la leyenda, el miedo les resbalaba frío, áspero, por la espalda, como una fina arena resbaladiza, entre la camisa y la piel.

Presidió Lorca —leemos en *La Gaceta Literaria*—, que tuvo a su derecha a Salvador Vilaregut (¡Oh lejanos tiempos del *Cyrano*!), Tomás Garcés (*Amic de la Poesia*), Juan Gutiérrez Gili, Marià Manent y Jaume Bofill y Ferro (*Revista Catalana de Poesía*); arquitecto Rafols (*Nova Revista*, de Junoy); Muntanyà, Dalí, Font y Gasch (*L'amic de les Arts*, de Sitges); José María de Sucre (*Gaceta Literaria*, *Sagitario*, de Méjico); *Ateneo Enciclopédico Popular*, etc., etcétera. A la izquierda se sentaron el formidable Rafael Barradas, el dibujante Fresno, los actores de la compañía Xirgu, el guitarrista Sainz de la Maza, Rysikoff el músico, el pintor Néstor, el escultor Ángel Ferrant, el poeta Luis Gón-

7. *Nova Revista*, Barcelona, 1927, pp. 84-85.

gora, Martínez Sancho, Joaquim Ventalló, Josep Mullor Creixell y el patriarca del vanguardismo, Josep Dalmau. Se leyeron adhesiones de todos los lorquianos hispánicos. Al escribir así, queremos expresar que estuvieron de corazón en la fiesta cuantos apetecen una renovación espiritual sincera a base de inteligencia, de comprensión esencial y de europeísmo. Rysikoff ofreció el ágape con unas insinuantes y epicurianas palabras muy adecuadas. García Lorca, a la mañana siguiente, seguía contando, con su peculiar desenfado, sus singulares anécdotas granadinas. Se rio mucho y bien.[8]

Otro homenaje que recibió el poeta granadino, por aquellos días, fue una cena con carácter íntimo en un restaurante modesto de la plaza de la Lana. Alrededor de García Lorca se sentaron José María de Sucre, Luis Góngora, Sánchez Juan y unos cuantos amigos más. Aquella noche se habló de poesía y muy especialmente del «desbarajuste poético» que entonces cultivaba André Breton, el papa del surrealismo, y que ya empezaba a influir en la juventud. Federico, para demostrar la incoherencia del sistema, propuso hacer un soneto surrealista al alimón: Sucre, Góngora, Sánchez Juan y él. Dio las consonantes y empezó a escribir uno de ellos. Cuando terminó el primero dobló el papel y lo pasó al siguiente y así sucesivamente. El soneto resultó de lo más «surrealista» y divertido. Entonces Federico propuso un brindis por Zorrilla, para demostrar que el desprecio en que se tenía a los poetas del siglo xix era una deslealtad para la lírica.

En aquel popular local se bebía el vino en porrón, que pasaba de una mano a otra en riguroso turno; García Lorca lo ofreció a Sánchez Juan y solemnemente le dijo: «Señor poeta, levante usted el porrón.»[9]

Federico vendió cuatro de los cuadros expuestos, según una carta que el poeta envió a Manuel de Falla desde Cadaqués:

8. *La Gaceta Literaria,* Madrid, 1-9-1927, p. 2.
9. El poeta catalán Sebastián Sánchez Juan rememoró en un poema esta velada, en un reciente libro titulado *Escaiences.* Barcelona, 1974, p. 69.

Dibujo inédito de Federico García Lorca, propiedad de E. Halffter.

«Tuvo que sentirse muy halagado cuando, dos meses más tarde, el marchante Dalmau, desde Barcelona, le invitó a tomar parte en una exposición colectiva.»

BELLAS ARTES
EXPOSICIONES
MATERIAL PARA DIBUJO
Y PINTURA
MARCOS : MOLDURAS

ANTIGÜEDADES
OBJETOS DE ARTE
CERÁMICAS : BRONCES
CUADROS : MUEBLES
LIBRERÍA

GALERÍAS DALMAU

PASEO DE GRACIA, 62 : TELÉFONO 1172 G.

BARCELONA

23 Septiembre 1927
Sr. D. Federico García Lorca
Granada.

Distinguido amigo: El día 15 de Octubre próximo debe celebrarse la exposición inaugural de la temporada en las Galerías de esta su casa. En esta exposición de conjunto procuro sea lo más modernizante posible como organizada por mí, y cuento en V. El máximum de obras a exponer por cada artista son tres óleos, que deberían estar en mi poder el 12 lo más tarde.

Nuestro entrañable amigo Dalí no podrá tomar parte en ella por coincidir estar comprometido de exponer en la inaugural de la casa Maragall, ignorando si tomará decisión de que no ocurriera caso del año último, de exponer en su mayoría los mismos artistas en dos exposiciones oc°, letradas simultáneamente, cosa que no debe ser por buenas razones que V. comprenderá. Supongo que V. no coincidirá con lo mismo. Lo sentiría.

Escríbame lo antes posible con el fin de saber cuanto antes a que atenerse.

Le saluda cordialmente su buen amigo.

Dalmau

«Hice una exposición de dibujos —dice— obligado por todos.»
Y en el sobre le envía también, como recuerdo, varios catálogos.
El lograr colgar sus dibujos en una galería de arte fue una de las
grandes ilusiones y una deuda de gratitud de García Lorca para
Cataluña. No lo olvidó nunca Federico: «Si no fuera por vosotros, los catalanes, yo no habría seguido dibujando.» Tuvo que
sentirse muy halagado cuando, dos meses más tarde, el marchante
Dalmau, desde Barcelona, le invita a tomar parte en una exposición colectiva.[10]

Se ha considerado esta exposición barcelonesa como la única
en que García Lorca exhibió sus cuadros públicamente. No. En
Huelva, en el verano de 1932, sus dibujos figuraron en una
muestra colectiva, en los salones del Ateneo.

Concurrían al certamen, leemos en el catálogo: «federico garcía lorca, el poeta andaluz poco conocido como dibujante, con
la fácil ingenuidad de sus invenciones; josé de la puente, complicadamente infantil, cultivador del absurdo en la forma de sus
humorísticos dibujos; pepe caballero, de depurada técnica y exquisita sensibilidad, pintor que sin abandonar una única dirección
fundamental ha sido capaz de múltiples cambios; carlos f. valdemoro, que ha llegado a tal exactitud en la forma y en la visión,

10. «Galerías Dalmau. Paseo de Gracia, 62: teléfono 1172 G. Barcelona. / 28 de setiembre de 1927. / S. D. Federico García Lorca. / Granada. / Distinguido amigo: El día 15 de octubre próximo debe celebrarse la
exposición inaugural de la temporada en las Galerías de esta su casa. En
esta exposición de conjunto procuro sea lo más modernizante posible como
organizada por mí, y cuento con V. El máximum de obras a exponer
por cada artista son tres óleos, que deberían estar en mi poder el 12 lo
más tarde. / Nuestro entrañable amigo Dalí no podrá tomar parte en ella
por coincidir estar comprometido a exponer en la inaugural de la casa
Maragall, ignorando mi formal decisión de que no ocurriera como la del
año último, de exponer en su mayoría los mismos artistas en dos exposiciones celebradas simultáneamente, cosa que no debe ser por muchas
razones que V. comprenderá. Supongo que V. no coincidirá con lo
mismo. Lo sentiría. / Escríbame lo antes posible con el fin de saber cuanto
antes a qué atenerme. / Le saluda cordialmente su buen amigo Dalmau.»
Archivo particular de la familia García Lorca.

(*Nota del autor*: No tenemos noticia de que García Lorca participara
en dicha exposición.)

que penetra muy adentro en la esfera de nuestro tema; pablo, el de mayor quietud rectilineidad de la forma, con sus colores fríos, bruñidos, con el encanto de su construcción estereométrica.»

El poeta granadino presentó ocho cuadros: «La luna de los seminaristas», «Asesinato en New-York», «Bailarina española», «Deseos de las ciudades muertas», «San Cristóbal», «Orfeo», «Muerte de santa Radegunda», «Parque». Tan sólo los cuatro primeros estaban en venta, al precio de 500 ptas., los otros eran «propiedad». El valor de las obras de los demás expositores oscilaba desde 25 a 150 ptas.

Esta exposición se inauguró el 26 de junio. Aunque en el catálogo se prevenía que era la primera vez que esta galería «se aventura a exponer y considerar la pintura más reciente como un conjunto, es ésta una presunción permitida al artista que vive envuelto en las nubes de su propio ser; por eso este grupo de expositores se arriesga a dar a conocer las más recientes ondas de la neo-estética del dibujo, deseando simplemente sean recogidas y comprendidas como merecen». Lo cierto es que aquellos dibujos y pinturas provocaron tal escándalo, que la exposición fue clausurada al día siguiente de su apertura. Gran parte de los ateneístas vieron en aquella muestra post-impresionista un intento de «tomadura de pelo». Y como a pesar de cerrada seguía el escándalo temblando «rayado como una cebra», tuvo que aquietarlo la dimisión de la Junta del Ateneo.

El Ateneíllo de Hospitalet

El pintor Barradas, un ser verdaderamente
de genio, «antes de tiempo y casi en flor
cortado», dejó en España, junto con su
imborrable recuerdo, la honda semilla de
su trabajo generoso.

RAFAEL ALBERTI
La arboleda perdida

El pintor uruguayo Rafael Barradas volvió a Barcelona en 1925.
Su primera estancia se sitúa a fines de 1913. Dos años antes había
salido de su Montevideo natal, con una beca para ampliación de
estudios en Europa. Estuvo en Francia e Italia, y en Milán vivió
la euforia futurista y conoció a su caudillo: Marinetti. Cuando
llegó a España no le quedaba el menor rastro de la beca ni tampoco de la ayuda de un familiar de Buenos Aires. Y empezaron
las privaciones que lo acompañarían como una angustiosa sombra a lo largo de toda su vida. En Barcelona, algunas colaboraciones en las revistas *L'Esquella* y *La Revista Popular* atenúan su
penuria. En estas publicaciones tiene como compañeros a Luis
G. Manegat y a los poetas Juan Legina Lliteras y Juan Gutiérrez
Gili. En 1915, Barradas trata de probar fortuna en Madrid, adonde se traslada a pie. Lleva un hatillo al hombro, donde van los
utensilios con que el pintor cuenta para enfrentarse al toro de la

pintura. El escritor uruguayo Raúl Zaffaroni nos precisa que su paisano no pasó de Zaragoza. En un pueblecillo aragonés, Luco de Jiloca, tuvo que ser recogido, enfermo y agotado por el cansancio y el hambre. Lo asistió una familia campesina y el hombre incomparablemente sencillo y bondadoso que era Rafael Barradas vivió entre aquella gente humilde uno de los escasos períodos tranquilos de su vida. Su estancia tendría un final romántico. El pintor se casó con Pilar, la hija del hospitalario matrimonio. Durante ese tiempo Barradas colaboró en *Paraninfo,* revista universitaria y literaria que aparecía en Zaragoza. Al poco tiempo la pareja se va a Barcelona, por el mismo medio en que había llegado él, sólo que ahora el pintor estrena ilusiones compartidas con su compañera, una mujer sencilla, que no entiende muy bien la quimera del hombre al que se ha unido, pero que lo quiere incondicionalmente.

En Barcelona, Barradas se pone en relación con su compatriota Torres García, el cual está muy relacionado en los medios artísticos catalanes, y le presenta a Josep Dalmau. En 1916, exponen juntos en la sala de arte que este prodigioso marchante catalán tiene en Puertaferrisa. Torres García y Barradas representan en aquellos momentos: «...el exponente de la máxima inquietud pictórica en nuestro país, aunados uno y otro en prolongar, por otros caminos, la entonces generalizada corriente del cezannismo», ha escrito Santos Torroella.

La aragonesa y el uruguayo viven un tiempo sin grandes agobios económicos. Están instalados en una casa de huéspedes de la calle de la Diputación, donde él realiza encargos de ilustraciones al mismo tiempo que prepara su primera exposición individual, que se celebra en las Galerías Layetanas. Barradas ha calado hondo en la vida barcelonesa. Desde uno de los cafés de la cercana plaza de la Universidad, a cuya tertulia suele acudir por las tardes, observa y dibuja sobre el velador el ir y venir de las gentes. La vida de la calle le fascina y sobre el papel plasma, incansable, aquel incesante espectáculo.

Rafael Barradas tiene la gracia de atraerse la simpatía y amistad de escritores y poetas, ya que su alma pura, maravillosa, crea alrededor un clima de cordialidad inusitada. Son estas gentes de letras las primeras en prestar su eco al nuevo *ismo* que el pintor uruguayo se acaba de inventar: el «vibracionismo». Guillermo de Torre lo ha descrito como «el afán de representar los objetos en movimiento al modo de los primeros y auténticos futuristas —Boccioni, Russolo, Severini— con la técnica de las descomposiciones en planos peculiares de los orígenes cubistas».

En 1918, Rafael Barradas tiene 28 años y empieza a consumir el último decenio de su vida. Espíritu inquieto, decide trasladarse a Madrid. Al año siguiente expone en el Salón Mateu. Gran parte de la obra son cuadros pintados en Barcelona. En ellos se refleja la vida de la ciudad, de sus gentes, la agitación callejera, las populares tertulias de los cafés, un viaje de Barcelona a Sitges, la vieja diligencia... La crítica es incomprensiva, feroz. José Francés escribe en *El año artístico*: «La mayor parte de la crítica cotidiana le ha saludado con burdas y groseras cuchufletas, o con improcedentes consejos. Barradas no merece estos torpes chistes de la impotencia incomprensiva, ni necesita que se señalen retornos a rutas abandonadas voluntariamente.» Manuel Abril y José Francés son los únicos críticos que comprenden y valoran la pintura de Barradas. Este último lo presenta a Gregorio Martínez Sierra, director de la biblioteca Estrella y del teatro Eslava, y entre ambos se inicia una intensa colaboración que durará cinco años. Ilustra libros y crea carteles, decorados y figurines para la compañía de Martínez Sierra y de Catalina Bárcena. En marzo de 1920 hace los figurines para la obra *El maleficio de la mariposa,* del novel dramaturgo Federico García Lorca. Se inicia entonces una cálida amistad entre el pintor y el poeta, que sobrevivirá más allá de la muerte.

Hacia 1922, Rafael Barradas acudía asiduamente al madrileño café de Atocha. Allí empezó a ver a un muchacho, vecino de mesa, que dibujaba absorto, vehemente, día tras día, aquel espectáculo de vida de la calle y del café. Se trataba de un panadero toledano, afincado no hacía mucho en Madrid, llamado Alberto. Compartía su vida entre su trabajo en la tahona y la pasión del arte que consumía su juventud. Sus manos dejaban los lápices para zambullirse en la artesa, en la alta noche. Durante mucho tiempo durmió tan sólo unas horas. Fue una época alucinante

Rafael Barradas con algunos de sus amigos. De pie, de izquierda a derecha,
Benjamín Jarnés, Huberto Pérez de la Ossa y Luis Buñuel.
Sentados, el pintor junto a García Lorca.

para este gran artista en flor, que no disponía en su pequeña vivienda de la calle de Mirasol, donde vivía con sus padres y hermanos, de espacio suficiente para instalar un caballete. Así que hizo del café su estudio, como tantos artistas y escritores de la época, entre ellos Barradas. En aquel Madrid de vida cafeteril, podía encontrar modelos, movimiento, ambiente, color, elementos tan necesarios para ejercitar su arte.

Entre Rafael Barradas y Alberto se inició una gran amistad que sería decisiva para la formación artística del toledano, que llegaría a ser el gran escultor español de la primera parte de este siglo. De aquel encuentro escribía Alberto: «Para mí ha sido una gran suerte tratar a Barradas, genial pensador en cuestiones plásticas. Sus consejos me han sido muy útiles.» [1]

Cuando Barradas vuelve a Barcelona, en 1925, lo acompañan

---

1. «Barradas inició a Alberto en las corrientes de las artes plásticas contemporáneas, en la intensa y profunda renovación del arte europeo que, en los años veinte, se polarizó en la llamada Escuela de París. Hasta entonces no había tenido Alberto contacto con artistas y escritores. Fue Barradas quien le abrió el amplio panorama de la nueva problemática del arte, quien llamó por su nombre a impulsos, actitudes y soluciones plásticas que en Alberto eran todavía intuiciones, anhelos imprecisos. Barradas, hombre de gran cultura y penetrante sensibilidad, supo apreciar en seguida el gran peso específico de la personalidad de Alberto. Supo también darse cuenta de las grandes lagunas que éste tenía en su formación no sólo general, sino también en la artística. Barradas no se limitó a transmitir a Alberto todo lo que él sabía; además, le puso en contacto con escritores, artistas y críticos, quienes, a su vez, se sintieron atraídos por su original personalidad y fueron ardientes propagadores de su obra.

»La insaciable sed que tenía Alberto de saber, de orientarse en el universo de sus sueños, sus quimeras y sus proyectos, le llevaron a asimilarse rápidamente cuantas enseñanzas le ofrecían Barradas y sus nuevos conocidos.»

Alberto trabajó junto a García Lorca como escenógrafo de *La Barraca*. La obra de este gran artista desapareció durante la guerra civil. En España es el gran desconocido; sin embargo, sus obras se exhiben en los museos del mundo. Alberto murió en 1970, en Moscú, adonde se había conducido su exilio. Estaba casado con Clara, la tercera hija del pintor Francisco Sancha. Clara, aunque con residencia en Moscú, ha organizado en Madrid la *Fundación-Museo Alberto,* inaugurada en Madrid en octubre de 1974. Picasso dijo de Alberto: «Era un hombre muy grande, un hombre muy grande nuestro Alberto.»

tres mujeres: su madre, su hermana Carmen y Pilar. Sus amigos pueden observar en Rafael las huellas evidentes de la enfermedad que ha comenzado a minar su cuerpo, lenta, devastadoramente. Trae también otras heridas invisibles en su alma grande y limpia de niño. Se sabe, aunque él jamás hiciera el menor comentario sobre ello, que Martínez Sierra, bruscamente, decidió prescindir de su colaboración. Al encontrarse desamparado, piensa en las numerosas editoriales barcelonesas y en los lazos de amistad que siempre le han unido a sus amigos catalanes.

En Barcelona, Barradas se instalará esta vez en Hospitalet de Llobregat. El Hospitalet de la época de los veinte ofrecía una estampa pueblerina de calles polvorientas, sin asfalto, por donde rodaban numerosos carros, tartanas y transitaban escasos coches y autobuses renqueantes y lentos. Un Hospitalet tranquilo, de casas con huertas, masías y campos de labor cuidados con primor de jardín. La población, de unos seis mil habitantes (en 1972 pasaba del cuarto de millón), se agrupaba alrededor de su vieja iglesia y de su Ayuntamiento. Allí, en una vieja casa de la calle del Porvenir, hoy de Josep Maria de Sagarra, alquiló un piso Rafael Barradas, y en una de sus habitaciones, triste y de parca claridad, instaló el pintor uruguayo su estudio. Por un balconcillo, abierto siempre de par en par, se filtraba la escasa luz del día y los aún más escasos rayos de sol. Esto, unido a la pobreza del mobiliario, daban al *estudio* un aspecto desolador. Desolación que nunca trataron de dorar con el aire pintoresco de la bohemia, con que se suele disfrazar en estos casos. Las tres mujeres derrochaban estoicismo para hacer frente a la miseria que reinaba en aquella casa, a la sombra de un gran artista que se veía obligado a malvender sus obras. Barradas ganaba cincuenta pesetas semanales como ilustrador del semanario infantil *Alegría,* que confeccionaba con Luis G. Manegat y Juan Gutiérrez Gili.[2] Las estrecheces llegaron

2. *Alegría,* «La revista de los niños», era una publicación que aparecía en Tarrasa en la década de los veinte. Luis G. Manegat narraba cada semana la «Vida y peripecias de Alegría», la heroína de la historia. Los otros personajes principales eran Juanín y Rip. Estas figuras estaban inspiradas en sus hijos: Alegría, su hija, de quien la revista tomó el nombre; Juanín, el hoy periodista y escritor Julio Manegat y Rip, el perro

a ser en la casa de los Barradas el pan nuestro de cada día. Mario Verdaguer cuenta que hubo épocas difíciles en que pasaron muchos días sin comer, pero jamás hablaron de su situación ni tuvieron un momento de flaqueza. La dignidad de esa familia estremecía incluso al señor Bartomeu, el panadero hospitalense que les llevaba el pan todas las mañanas.

La hermana del pintor, Carmen, compositora y pianista de talento, era la que asumía la problemática administración hogareña, hasta que un día se vio obligada a confesarle al panadero que no podía pagarle el pan. El buen hombre se quedó sin saber qué decir, pero tuvo una reacción generosa. Él había oído comentar que don Rafael era un gran pintor y, en varias ocasiones, vio entrar, con sus propios ojos, en la modesta vivienda de los Barradas, a personajes que venían de la capital a visitarlos. Al señor Bartomeu no le cabía en la cabeza que un pintor de fama ganara menos que un panadero. Y que en un hogar donde tenían un piano (al decir de Verdaguer, el único mueble de verdad que había en la casa) y una señora que lo tocaba, señal inequívoca de refinamiento para el artesano hospitalense, no tuvieran unos reales para pagar el pan. Existía una razón poderosa para que el señor Bartomeu dejara aquella mañana el pan a los Barradas y continuara dejándolo siempre: el que un artista hubiera preferido, para vivir, el humilde Hospitalet a la cercana y seductora Barcelona era algo que lo embargaba de admiración y simpatía hacia aquella familia.

La tan frecuente precariedad económica de los Barradas no los aisló nunca, ya que la estrella de Rafael era capaz de iluminar el ambiente más sórdido: alrededor de él se creaba una atmósfera apasionante capaz de captar al espíritu más insensible. En Madrid había sido el eje de la tertulia diaria del café del Prado, frente al Ateneo, integrada en su mayoría por «ultraístas», los colaboradores de la revista *Ultra,* que encabezaba Cansinos Assens; y más tarde en un café de la glorieta de Atocha, sede de los «alfa-

---

de los niños. Las ilustraciones, inefables de gracia e ingenuidad, eran de Rafael Barradas.

reros», los colaboradores madrileños de la revista *Alfar*. Grandes amigos suyos fueron Benjamín Jarnés, Luis Buñuel, Garrán, Pérez de la Ossa, Juan Chabás, Guillermo de Torre, quien nos ha dejado este retrato literario del pintor:

> Barradas era un espíritu inquietísimo, desmesuradamente ávido, nunca satisfecho de sus logros. Antes de alcanzar plenamente una meta determinada, su avidez ya le señalaba otra más distante. Vivía en perpetua ebullición proyectista. Imaginaba por la pura fruición de imaginar. Charlaba aguda, sugestivamente, dándose en él, no obstante, este curioso contraste. Aun siéndole hostil la palabra, aun no dominando el ejército de la frase, aunque su léxico —como de hombre autodidacto, de cultura improvisada, al día— era escaso y aproximativo, Barradas realizaba la magia de hablar seductoramente. Uno quedaba envuelto en la onda brillante de sus piruetismos verbales, de sus arquitecturas aéreas. De ahí que en las tertulias Barradas tuviese frecuentemente un círculo adicto de auditores y aun de antagonistas.[3]

Los dibujos de Barradas ilustraron las revistas *Alfar, Ultra, Grecia, Tableros.* Y cuando Ortega y Gasset proyecta su *Revista de Occidente,* es Barradas el que le hace los titulares y las viñetas, con signos zodiacales de las primeras portadas de la célebre revista.

En Hospitalet su estudio fue pronto lugar de reunión de muchos artistas catalanes. Unos fueron llevando a otros: José María de Sucre al poeta Juan Alsamora. Otros se conocieron allí: Barradas presentó a Sebastià Gasch a Mario Verdaguer. Con Luis Gutiérrez Gili y Luis G. Manegat, los queridos compañeros de antes y de siempre, fueron llegando el escultor Ángel Ferrant, los poetas Sánchez Juan, Enrique de Leguina, Luis Góngora y el joven escritor Guillermo Díaz-Plaja, el crítico literario Lluís Muntanyà, el guitarrista Regino Sainz de la Maza, el escritor Luis

3. *La Gaceta Literaria,* Madrid, 15-5-1929.

Capdevila, el caricaturista Manuel Font, conocido por el seudónimo de *Siau,* el joven escultor Juan Cuyás, el melómano Víctor Sabater, José Balagué Pallarés y Manuel Rodríguez de Llauder, de la Editorial Luz... A esta nutrida tertulia, en la que cada cual, por sí solo, brillaba con luz propia, la llamaron *El Ateneíllo de Hospitalet.* Sánchez Juan nos ha contado que a Barradas se le ocurrió rebautizarlo llamándolo de *Los Catorce,* pero el Ateneíllo tenía ya tanto prestigio, que el nuevo nombre no arraigó. Presidía las sesiones del Ateneíllo un caballito Pegaso, con alas enormes, emblema vanguardista de Barradas, que dejó pintado en una de las paredes de su estudio y que dibujaba en sus escritos a los amigos, a modo de membrete. Lo podemos ver en una carta dirigida a García Lorca, en la que le dice:

Mi querido y admirado Federico: Recibí tu carta y el magnífico, deliciosísimo poema *Herido en el alba.*

Éste me dice tantas cosas, que no sé cómo expresarlas. Es aquello de ponerle a uno carne de gallina.

Por nuestro Dalmau recibirás entre tus obras un dibujo mío que tengo el placer de regalar a tu mamá.

El niño de la tencilla verde.

Pronto nos reuniremos a cenar los 14. A Sebastián Gasch, que le escribí ayer, le hablé de *Herido en el alba,* y lo llevaré para que lo lean el día 1 y luego a ti y a Dalí os pondremos unas líneas.

Mi más puro afecto para tus padres y para tu hermano, que nunca olvido.

Un abrazo fuerte de tu amigo que te quiere tanto como te admira. BARRADAS.[4]

Las reuniones tenían lugar, regularmente, los domingos por la tarde. Los concurrentes llegaban a la cita en un autobús que salía de la plaza de España. Allí los esperaba la incomodidad de permanecer en pie, por falta de asiento, o sentarse en el suelo del terrado, si hacía buen tiempo, pero eso se aceptaba alegremente

4. Archivo particular de la familia García Lorca.

«Barradas ganaba cincuenta pesetas semanales como ilustrador del semanario infantil "Alegría", que confeccionaba con Luis G. Manegat y Juan Gutiérrez Gili.»

ALEGRÍA

SEMANARIO PARA NIÑOS

REDACCIÓN Y ADMINISTRACIÓN:
S. PEDRO, 25 - TELEF. 6389
TARRASA (Barcelona)

DELEGACIÓN ADMINISTRATIVA:
S.JJ PABLO 23, PRAL
BARCELONA

10 céntimos

En esta carta dirigida a García Lorca puede verse el caballito Pegaso, emblema vanguardista de Barradas, que dejó pintado en una de las paredes de su estudio.

de antemano. Se hablaba de todo, especialmente de teatro, de música y de cine, pero las conversaciones favoritas eran sobre literatura y pintura y los últimos *ismos* plásticos: ultraísmo, dadaísmo, surrealismo, cubismo, verticalismo y a veces en torno a vibracionismo, el *ismo* del «apóstol de Hospitalet», como Víctor Sabater llamó a Barradas.

Los años veinte fueron tiempos de plenitud para el movimiento vanguardista. En 1920, J. Salvat-Papasseit publicó el «primer manifest català futurista». Iba dirigido «contra els poetes en minúscula». El movimiento literario se orientaba hacia el «futurismo», de Marinetti. Dos años más tarde, con el seudónimo de *David Cristià,* el poeta Sebastián Sánchez Juan publicó el «segon manifest català futurista», «contra l'extensió del tifisme en literatura, però no a guisa de mestratge, sinó com un gest normalíssim en nostre temps». En 1928, se publicaba el «full groc», que firmaban Dalí, Muntanyà y Gasch, como un *Manifest* donde se afirmaba que «era inútil qualsevol discussió amb els representants de l'actual cultura catalana, negativa, artísticament per bé que eficaç, en d'altres ordres», y acababa reclamando a los grandes artistas de hoy, «dins les més diverses tendències i categories: Picasso, Gris, Miró, Cocteau, etc.».[5]

Recientemente, con motivo de celebrarse en Madrid una exposición sobre *Los orígenes de la vanguardia española 1920-1936,* ha escrito Moreno Galván de aquel movimiento barcelonés:

> Pero era aquí, dentro de España, donde costaba más trabajo que prendieran las primeras semillas de la vanguardia. A esa exposición le falta, lógicamente, lo que fueron los esfuerzos catalanes, y específicamente barceloneses, en aquellos años y en tal sentido. Y es evidente que mucho de lo que pasaba en ese orden en Barcelona influía en tales esfuerzos madrileños. Porque sí, Barcelona había empezado mucho antes. Tenía en su haber toda la tradición «modernista» —de la que la obra de Gaudí había quedado como testi-

5. *L'amic de les Arts,* Sitges, agosto 1927, y traducido al castellano en la revista *Gallo,* Granada, núm. 2.

monio genial y formidable—, más la reacción, «noucentista», que también dejó un poso constructivo, válido para la construcción de una vanguardia —testimonio, Torres García, entre otros—. La prueba de que todos esos fermentos daban fruto fue la actividad de la galería Dalmau, tan primeriza, y, por supuesto, las primeras cosas de Joan Miró. Y algo de todo aquello, que hizo de Barcelona uno de los grandes centros creadores de la vanguardia del arte en Europa, se filtró evidentemente hasta Madrid, aun cuando aquí, como de costumbre, la resistencia solariega siempre fue más cerrada. Por eso a mí me parece sintomático el caso del genial Alberto, que descubría a la vanguardia hurgando en el subterráneo de sus propias tripas.

Una de las primeras visitas que hizo Federico García Lorca en Barcelona fue para Rafael Barradas. Se habían conocido en la Residencia de Estudiantes de Madrid y al poco tiempo Barradas era el encargado de dibujar los figurines para *El maleficio de la mariposa*. En 1927, durante los cuatro meses que Federico vivió entre Barcelona, Figueras y Cadaqués, cuando se encontraba en la capital catalana, los domingos asistía al Ateneíllo. En el Ateneíllo Federico creó esa atmósfera vibrante, vivaz, relajada que provocaba su jovialidad. Su fantasía para tocar los más diversos temas, con un lenguaje deslumbrante y ágil, y esa gracia especial para hacerse simpático y atrayente, fue para los poetas jóvenes, en particular para Tomás Garcés, Juan Alsamora, Sánchez Juan..., un acontecimiento, una experiencia deslumbradora, un momento decisivo en sus vidas y en su obra. Su poesía era la renovación de la lírica, precedida de la de Machado y seguida de la de Alberti. Su voz se alzaba mágica exponiendo incipientes teorías sobre el arte y la literatura, con un criterio personal y novísimo, que nadie osaba interrumpir. ¿Se daba cuenta Federico de este fenómeno? Creemos que no. Estaba acostumbrado a este clima de entusiasmo y jamás ni en su más temprana juventud existió en él la menor inclinación al exhibicionismo. Lo animaba la aquiescencia que advertía incluso en los más improvisados auditorios. De ahí que uno de los mayores entusiasmos de Federico fue el captar a los espectadores de los pueblos de España, en su mayoría iletrados, cuando dirigía la formación teatral de *La Barraca*.

Las visitas de García Lorca al Ateneíllo tenían casi siempre un carácter festivo. Tras la animada conversación, o el recital de sus últimos poemas, se sentaba al piano de Carmen Barradas e interpretaba canciones de su tierra y del folklore catalán.

Los «ateneillistas» solían celebrar el éxito de algunas exposiciones de sus componentes o la publicación de un libro y alguna vez realizaron excursiones. En febrero de 1927, Barradas figuraba ya en *La Historia del Arte* de Woerman como un «talento excepcional». En ese mismo mes se le ofreció al pintor uruguayo un banquete, con motivo de su próximo viaje a París, y a Gutiérrez Gili por la reciente aparición de un libro de poesías. Otro acto importante celebrado por los ateneístas fue la lectura de poemas de Luis Góngora y de José María de Sucre.

Barradas, el esotérico y místico de las delicadezas pictóricas, dio a conocer unas singulares cuartillas, boceto de uno de sus cuadros. Muntanyà, el polemista, leyó la réplica a favor de Dalí. Pero el «héroe de la tarde» fue el poeta Sánchez Juan, con su musical poema *Divagacions,* con efectos de fagot, saxofón y violoncelo. Al final se cursaron telegramas a Ramón Gómez de la Serna y a Giménez Caballero que firmamos todos.[6]

Un homenaje de gran resonancia fue el dedicado a Ángel Ferrant, por el éxito obtenido con su bajo relieve *La escolaritat.* La reunión se celebró en el simpático terrado del hogar hospitalense, escenario de las reuniones primaverales y veraniegas del Ateneíllo. A través de una fotografía podemos hacernos idea de sus dimensiones. Es una imagen alegre de los ateneístas agrupados en torno a Barradas, realizada en una de aquellas tardes amables. La foto la publicó Mario Verdaguer, en diciembre de 1927, en la revista *Mundo Ibérico,* que él dirigía.

6. *Juan Alsamora Fuste nos habla del Ateneíllo de Hospitalet. Diario de Barcelona,* 6-7-1973, p. 4.

138

«Homenaje a Ángel Ferrant en el terrado de los Barradas, donde solían celebrarse las reuniones del Ateneíllo.» (Foto publicada por Mario Verdaguer en diciembre de 1927, en «Mundo Ibérico», la revista que dirigía.)

Carta de Salvador Dalí a Federico García Lorca, en la que expresa su admiración por el poeta.

A media tarde llamaron a la puerta y en ella apareció la bondadosa figura del señor Bartomeu. En sus manos llevaba una bandeja de dulces y dos botellas de jerez. Las mujeres de la casa se miraron sorprendidas. ¿Quién enviaba aquello? Ante la elocuencia de las miradas femeninas, el panadero se apresuró a decir por toda explicación: «¿Tal vez me he retrasado un poco?» Discretamente dejó la bandeja, y un tanto cohibido esbozó una suave sonrisa, como para hacerse perdonar, y se fue; Barradas, tan negado para todo lo material, estaba siempre en las nubes respecto a las piruetas administrativas que tenía que hacer su hermana y creyó que se trataba de un encargo ideado por ella. Con los brindis jerezanos, el homenaje a Ferrant adquirió una brillantez inusitada en aquella casa.

La alegre velada terminó precipitadamente al desencadenarse una aparatosa tormenta veraniega sobre Hospitalet, y los ateneístas tuvieron que abandonar el escenario al aire libre. Cuenta Mario Verdaguer que de pronto estalló un trueno estremecedor, y el poeta Juan Gutiérrez Gili proclamó: «Es el silencio que se derrumba.» [7]

El inesperado convite con que los obsequió el señor Bartomeu estaba inspirado por la gratitud. Aquella mañana, al ir a dejar el pan cotidiano, Carmen Barradas le había entregado un cuadro pintado por su hermano para él. Días antes, Carmen le había dicho a Rafael: «Tienes que hacer una Sagrada Familia para el panadero.» Barradas por entonces pintaba una serie de lienzos que representaban a San José. Eran telas armonizadas en negro, otras en blanco de cal. El pintor al mostrarlas a los amigos iba comentando humorísticamente: Éste es San José Carbonero, éste es San José Albañil...

—Éste debe de ser el de los anarquistas —dijo intencionadamente el caricaturista Siau, al contemplar un lienzo en el que San José tenía en la mano un objeto parecido a una bomba.

El pintor uruguayo creó para el señor Bartomeu un San José panadero. El santo aparecía enharinado, amasando en una artesa.

7. Mario Verdaguer, *Cincuenta años de vida íntima barcelonesa,* Editorial Barna, S. A., Barcelona, 1957, p. 299.

El panadero quedó maravillado, lo contemplaba extasiado, con los ojos brillantes, emocionado. Pero la sorpresa de Carmen fue al oírle decir que él no podía aceptarlo: «Eso es demasiado para mí. Yo no soy más que un panadero. Pero estoy muy agradecido de que don Rafael haya pintado ese cuadro a mi intención.» [8]

Ante esta actitud de descompasada modestia se estrellaron todos los argumentos persuasivos de Carmen Barradas, para que se lo llevara. Y fue aquella misma tarde cuando el Sr. Bartomeu se presentó en la casa de los Barradas con la bandeja de dulces y las botellas de vino generoso, que llegaron tan a punto para el homenaje al escultor Ángel Ferrant.

Uno de los lugares que a García Lorca más le gustaba frecuentar en Barcelona, eran los merenderos de Montjuïc. Al decir de Sebastià Gasch, «los adoraba», eran la estampa novecentista de la montaña, sin mixtificar. El crítico catalán, que muchas noches acompañó al poeta, nos ha dejado esta visión de aquellos parajes: «Los sones del manubrio llevaban la música hasta muy lejos, y los merenderos, con sus reservados, su laberíntica topografía, sus amables trastiendas, los árboles que los cubrían y que aquella primavera tapizaban el suelo de flores, eran lugares desconocidos, impermeables todavía a los asaltos del turismo y, en cambio, muy pintorescos, suaves y deliciosamente acogedores. Permanecíamos allí hasta las tantas y al abandonar aquellas hondonadas con sus callejuelas y sus covachas, y las matas que se comían los caminos, recorríamos de arriba abajo la calle del Conde de Asalto para recalar, a menudo, en la horchatería Valenciana.»

Una noche un grupo formado por García Lorca, Rafael Barradas, Luis Capdevila, el pintor Carlos Abesa y José María de Sucre, después de cenar en el restaurante Cataluña de la misma plaza, que estaba situado frente al teatro Eldorado, decidieron ir a Montjuïc, a oír cantar y ver bailar a los gitanos, que vivían en la falda de la montaña. Los calés los recibieron con esa sobria reverencia con que suelen acoger a sus amigos «letrados» y pintores. Los artistas han sido siempre grandes amigos de estos seres misteriosos y de extraña sabiduría. A Federico le interesaba vivamente la raíz

8. Mario Verdaguer, op. cit., p. 298.

del cante y el baile de los gitanos catalanes. El poeta, amigo de los regionalismos, sabía que no era igual un gitano andaluz que otro catalán o extremeño. Sus costumbres y sus usos tenían rasgos distintivos y características profundamente definidas. Luis Capdevila ha contado en *Unas horas de la vida de Federico* [9] que, de regreso de la juerga flamenca, García Lorca comentó con cierta nostalgia a los amigos que le acompañaban: «Sí, es el baile y el cante como en mi tierra, pero con otro aire y otro matiz que en mi tierra; sin el arrebato y el patetismo de los andaluces. Éstos de hoy son gitanos, pero son *otros* gitanos. Un día, Luis, tienes que llevarme a Lérida para ver cómo bailan allí el garrotín.» La conversación se polarizó acerca del baile y del cante del tablao. Comentaban el arte de Joaquín, «El cojo de Málaga», de la «Niña de los Peines», de la «Macarrona», la «Tanguera», que se maquillaba y perdía toda su esencia cuando aparecía en el escenario del music-hall, y Federico les explicó: «Cuando los gitanos del Sacromonte cantan y bailan para los turistas no son los mismos que cuando cantan y bailan para los amigos.» Y Capdevila sostenía que en Barcelona y en Lérida los gitanos no tenían turistas y que sólo cantaban para los amigos y para ellos, a su aire y con plena espontaneidad.

En enero de 1928 se celebró en las Galerías Dalmau una exposición colectiva: «Muestra selecta de pintura moderna.» El *great event* de la sala lo constituían las obras de Barradas y Dalí. Los otros pintores eran Josep Gausach, Enric C. Ricart, Cassanyes, Güell y los jóvenes escultores Cuyás y Moya Ketterer. Al mismo tiempo se exhibían carteles de Ernesto Giménez Caballero, que el propio autor definía como «ensayos de post-expresionismo embalado, utilizando para la expresión de un objeto su fenomenalidad más cruda y más directa». *Carteles literarios* los titulaba. Eran una «mezcla de literatura y plasticidad, de anuncio y biografía, de banderola y aleluya, de luz y de pregón», según Sebastià Gasch. Cada uno definía a un escritor, poeta o pintor. En ellos se ponía de pie al hombre y a su obra, sus peculiaridades más marcadas y hasta el estilo inconfundible de personajes tan definidos como Azo-

9. *La Vanguardia*, Barcelona, 1-12-1972, p. 55.

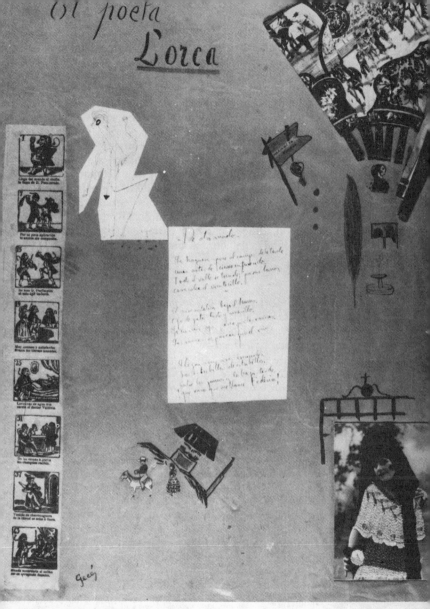

Cartel de Ernesto Giménez Caballero expuesto en 1928 en las Galerías Dalmau, en el que se intentaba definir plásticamente la personalidad de García Lorca.

rín, Unamuno, Ortega, Menéndez Pidal, Gómez de la Serna...
Por poco que el espectador conociera su obra, podía identificar
a cada autor. La evocación y alusiones a la personalidad física,
literaria o artística eran sorprendentes de ingenio. Los carteles
estaban confeccionados con los materiales más elementales: recortes de periódicos, papeles de colores, alambre, cuerda, tarjetas
postales bordadas, abanicos, flores de papel, poesías, naipes... y
lacre. Lacre derretido a modo de brillante esmalte. «Esos man-
chones de lacre, tanto como las alusiones escritas, los recortes de
papel, o los trozos de anuncios o los confetis, nos definían su estado de ánimo ante un autor o un libro criticado», afirmaba Gasch.
El dedicado al *poeta Lorca* era tal vez el más logrado. En él ad-
miramos una tira de aleluya de don Perlimplín. El dibujo del Arlequín del poeta granadino. Centra el cartel el poema lorquiano
autógrafo *De otro modo*, del libro *Canciones*, dedicado a Rafael
Alberti:

> *La hoguera pone al campo de la tarde*
> *unas astas de ciervo enfurecido.*
> *Todo el valle se tiende. Por sus lomos*
> *caracolea el vientecillo.*
> *El aire cristaliza bajo el humo.*
> *—Ojo de gato triste y amarillo—.*
> *Yo, en mis ojos, paseo por las ramas.*
> *Las ramas se pasean por el río.*
> *Llegan mis cosas esenciales.*
> *Son estribillos de estribillos.*
> *Entre los juncos y la baja tarde,*
> *¡qué raro que me llame Federico!*

Al lado derecho hay un abanico de papel muy colorista, pega-
do y semidesplegado, de tema taurino. Una bandera tricolor, en
la que se lee *Marianita Pineda,* clavada con un alfiler y un corazón sangrante. Un ciprés. Una fuente y unos arcos arabescos, sos-
tenidos por un ajimez. Una tarjeta bordada, que representa a una

bella muchacha, con mantilla de madroños, y un guardia civil, con un fusil, junto a unos gitanos.[10]

En el catálogo de la exposición figuraban tres cuadros del pintor uruguayo. Uno se titulaba *Sagrada Familia,* de mística severidad, y otro *Tropical,* una escabrosa escena de burdel, donde una negra conquista a un joven marinero. El tema religioso enfrentado con el vicio en toda su abyecta desnudez. Esta actitud recordaba a Rouault, artista que simultaneaba las evocaciones religiosas con otras de siniestra prostitución, animado por un sentido moralizante. La intención de esta temática nos recuerda la anécdota que presenció Gasch, entre Barradas y Dalí. Un día este último le muestra un cuadro lleno de símbolos sexuales. A Barradas le repugna y le dice humildemente:

—Yo pinto de rodillas.

Barradas y el pintor ampurdanés se habían conocido en la Residencia de Estudiantes, junto al grupo que formaban Bores, Valencia y Vázquez Díaz. Su amistad prosiguió luego en Barcelona y en el Ateneíllo de Hospitalet, donde Dalí encontraba tribuna para sus peroratas, que tanto escandalizaban al espíritu inefable del pintor uruguayo. No obstante, sentía gran admiración por su pintura. La admiración por García Lorca era incondicional. Por una carta de Dalí a Federico tenemos noticia del cuadro que Barradas hizo a Federico, junto a Maroto caracterizado de *clown:* «La otra tarde —escribía Dalí— en Hospitalet, Barradas me enseñó un retrato "clownista" de ti y Maroto; pues casi me puse a llorar, qué japonesito chocolate Sutelrar más estupendo eres.»[11]

Dalí junto a de Sucre y el pintor italiano Marinetti fueron de los más destacados polemistas que pasaron por el Ateneíllo. Salvador todavía no se había zambullido en el «surrealismo», ni convertido en el «alienado profesional y exhibicionista distinguido», como lo define el *Diccionario de los Contemporáneos,* de Crapouillot. Sus controversias sobre arte eran coherentes, agudas y rebosantes de plasticidad. Las discusiones en torno al arte futurista llegaron a convertirse alguna vez en encarnizados debates.

10. Este y los demás carteles pertenecen al archivo de Ana María y Gustavo Gili.

11. Archivo particular de la familia García Lorca.

Sebastià Gasch, que en aquella época acompañaba a García Lorca y a Dalí a todas partes, fue testigo de cómo diferían sus opiniones a la hora de pronunciarse sobre cualquier tema artístico. El crítico catalán los calificó de «perfecta antítesis». El poeta y el pintor eran conscientes de esta insalvable divergencia, y eso era un hecho desde los primeros días de su convivencia en la matritense Residencia. Refiriéndose a aquellos tiempos, Dalí escribió a Gasch: «...comensa la nostra amistat vesada en un total antagonisme.» [12] No obstante, en su actitud no existía ni la sombra de un desafío, ni de un desquite; su admiración era recíproca y a la hora de valorar el talento respectivo sus criterios son absolutamente sinceros: «En este muchacho está, a mi juicio, la mayor gloria de la *Cataluña Eterna*»,[13] pensaba Federico de Salvador.

Y Dalí escribía a García Lorca:

Je vous salue.—He estado toda la tarde del domingo de ayer releyendo todas tus cartas. Fillet, son algo extraordinario, en cada línea hay sugestiones para numerosos libros, obras teatrales, pinturas, etc., etc., etc. ¡Qué japonesito más gordo eres, coño! Si algo he comprendido en poesía es precisamente esto: una *dura* corona de blancos bergantines. Ciñe frentes amargas y *cabellos de arena. Las sirenas convencen, pero no sugestionan, y salen sin mostrarnos un vaso de agua dulce*
—ARITMÉTICA—
No dejes de escribirme, tú, el único hombre interesante que he conocido.

Yo no sé decirte las cosas que tú me dices de mis pinturas... pero ten la seguridad que te creo el único genio actual, ya lo sabes a pesar de lo Burro que soy en literatura; lo poco que cojo de me deja muelto.[14]

12. SEBASTIÀ GASCH, *L'expansiò de l'art català al món,* Barcelona, 1953, p. 146.
13. O. C., p. 1657.
14. Archivo particular de la familia García Lorca.

146

GALERIA PARTICULAR
BARRADAS

JOAQUIN REQUENA 1730

EXPOSICION PERMANENTE

DE

OBRAS DEL PINTOR

RAFAEL P. BARRADAS

ABIERTA AL PUBLICO

JUEVES Y SABADOS

DE LAS 17 A LAS 20 HORAS   MONTEVIDEO

«Para entonces la memoria de Rafael Barradas había sido reivindicada en su país. Sus cuadros se exhibían permanentemente en la Galería Barradas.»

Carta de Carmen Barradas, hermana del pintor, a García Lorca, en la que le invita a un acto organizado en su honor.

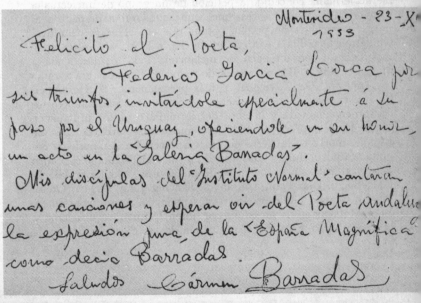

Montevideo - 23 - X
1933

Felicito al Poeta,

Federico García Lorca por
sus triunfos, invitándole especialmente á su
paso por el Uruguay, ofreciéndole en su honor,
un acto en la «Galería Barradas».

Mis discípulas del «Instituto Normal» cantarán
unas canciones y esperan oir del Poeta andaluz
la expresión pura de la «España Magnífica»
como decía Barradas.

Saludos   Carmen Barradas

No obstante, sus discusiones eran interminables, pues los dos tenían opiniones muy personales en cuestiones plásticas y literarias. Cuántas veces el poeta granadino, en la tertulia del Ateneíllo, para que la encrespada polémica no se eternizase, acababa por sentarse al viejo piano alquilado de Carmen Barradas y tocaba y cantaba alguna de sus canciones:

Por aquella ventana
que cae al río,
échame tu pañuelo,
que vengo «herío».
Por aquella ventana
que cae al huerto
échame tu pañuelo,
que vengo muerto.

Rafael Barradas y Federico García Lorca se vieron por última vez, en Barcelona, en el verano de 1927. El pintor uruguayo abandonó la ciudad en los últimos meses de 1928. Iba a ocupar el cargo de Director del Museo Nacional de su país, que el gobierno le había concedido a petición de un grupo de intelectuales uruguayos. Los amigos catalanes que acudieron a despedirlo al muelle barcelonés no podían pensar que era el adiós definitivo. Guillermo Díaz-Plaja escribió en un diario local: «Nosotros veremos siempre con un poco de melancolía todo lo que tienda a afincar a Rafael Barradas lejos de nosotros. Barradas era ya una cosa nuestra. De Barcelona. Y más precisamente, de Hospitalet. En nuestro ambiente —intelectual y social— fue plasmándose sucesivamente la vida y la obra del formidable pintor uruguayo.»

El 12 de febrero de 1929, tres meses más tarde de salir de España, moría en la tierra que lo vio nacer. La desaparición del pintor causó profundo sentimiento en sus amigos catalanes. Cinco días más tarde, un grupo formado por Opisso, Montaner, Gasch, Foix, Sucre, Díaz-Plaja, Cassanyes, Sánchez Juan, Ochoa, Otero, Mateu, Graner, Gutiérrez Larraya, Capdevila, Agustín Bartomeu, Juan Malagarriga... presidido por Josep Dalmau, se dirigieron a la Punta de la Escollera, para tributarle las *Exequias líricas*. El poeta Juan Gutiérrez Gili pronunció la oración fúnebre y ensalzó la pureza de la vida y de la obra del pintor. Después intervinieron el cónsul de Uruguay y Josep Dalmau. Los demás acompañantes arrojaron al mar ramos de flores en memoria del amigo.[15]

García Lorca, en su visita a Sudamérica en 1933, dijo en una entrevista: «¿Sabe usted en lo que pensaba en Montevideo mientras los fotógrafos me enfocaban y los periodistas me hacían preguntas...? Pues en Barradas, el gran pintor uruguayo, a quien uruguayos y españoles hemos dejado morir de hambre... Me dio una gran tristeza el contraste... Lo he de decir en una conferencia en Montevideo. Me lo impuse... Todo eso que me daban a mí se lo negaban a él...»[16]

Para entonces la memoria de Rafael Barradas había sido reivindicada en su país. Sus cuadros se exhibían permanentemente en la «Galería Barradas», situada en la calle de Joaquín Requena, 1730. Carmen, la hermana del pintor, cuidaba de que la sala fuera algo vivo, animado por conferencias y recitales. Federico debió de visitar esa galería a su paso por Montevideo. Entre los papeles lorquianos hemos encontrado una tarjeta dirigida al poeta, de fecha 23 de noviembre de 1933, en la que leemos: «Felicito al poeta Federico García Lorca por sus triunfos, invitándole especialmente a su paso por el Uruguay, ofreciéndole en su honor un acto en la Galería Barradas. Mis discípulas del Instituto Normal cantarán unas canciones y esperan oír del poeta andaluz la expresión pura de la "España Magnífica", como decía Barradas. — Saludos, Carmen Barradas.»[17]

García Lorca, durante su estancia en Montevideo, fue al encuentro del amigo perdido. Un reencuentro de imposible diálogo, pero lleno de muda evocación y fidelidad a su recuerdo. José Mora Guarnido nos ha narrado aquel sencillo homenaje de Federico a Rafael Barradas:

15. *Rafael Barradas, 1890-1929. El Noticiero Universal,* Barcelona, 3 y 10-11-1965.
16. Pablo Suero, *Figuras contemporáneas,* Buenos Aires, 1943, p. 283.
17. Archivo particular de la familia García Lorca.

Fue un triste día lluvioso, como previamente elegido para tal circunstancia: un grupo de amigos, que la muerte posteriormente se ha encargado de ir achicando, acompañamos a Federico al cementerio del Buceo; formamos círculo en torno al trozo de tierra tumba de Barradas, y el poeta, en silencio, fue arrojando un puñado de humildes florecillas. Ninguna solemnidad, ni el menor aparato, sino un sencillo y callado acto de recordación y de meditación. Cada cual con su fe —o con su triste falta de fe—, guardamos durante breves minutos reverente quietud, y cada cual tuvo ocasión de pensar cómo liga la amistad a las almas y las mantiene trabadas por encima de la distancia y por encima de la muerte.[18]

18. *Federico García Lorca y su mundo*, Buenos Aires, 1958, p. 213.

Federico en Cadaqués

Lo he pasado tan bien en Cadaqués, que
me parece un sueño bueno que he tenido.

F. García Lorca

En los primeros días de julio de 1927, Salvador Dalí y García Lorca llegan a Figueras, para reunirse con el resto de la familia y trasladarse a Cadaqués. Acostumbraban a marchar a la costa a primeros de junio, pero ese año la vida de la casa gira en torno al poeta. Padre e hija aguardan la vuelta de Salvador y de Federico, una vez clausurada la exposición de dibujos de García Lorca. Con ellos llega otro invitado, el guitarrista Regino Sainz de la Maza, vinculado a Barcelona desde hacía muchos años. Por aquella época los tres amigos eran inseparables. El ilustre músico nos ha hablado de su nocturno deambular por la ciudad, en el que, con frecuencia, sus conversaciones derivaban hacia la política. Recuerda que una noche Federico se autocalificó como anarco-cristiano. A menudo, la velada terminaba en un cabaret de moda, llamado Excelsior, donde Salvador bailaba el charlestón como un consumado profesional.

El poeta, el pintor y el guitarrista se habían conocido en la Residencia de Estudiantes. Los aplausos de Regino y los de los demás residentes fueron ahogados por los pitos y vocerío de los reventadores, en marzo de 1920, la noche de la *première* y la

151

dernière de *El maleficio de la mariposa*. Dos meses más tarde, Sainz de la Maza daba un concierto en el Palace granadino. Entre los espectadores se encuentra Federico, que transmite su entusiasmo por el arte del joven amigo en las páginas de la prensa local: «Es, como Lloret y Segovia, un caballero andante que con la guitarra a cuestas recorre tierras y tierras bebiéndose los paisajes y dejando los sitios por donde pasa llenos de melancólicas músicas antiguas. (El mástil de la guitarra sirve muy bien de lanza.) Este Regino Sainz de la Maza es ante todo un hombre lleno de inquietud.

»¡Y es también un melancólico!

»Melancólico como todo el que quiere volar y nota que lleva los zapatos de hierro; melancólico, como el que va lleno de ilusión a la gruta de una bruja y se la encuentra decorada con muebles ingleses; melancólico, como todos los que no podemos lucir las espléndidas alas que Dios nos puso sobre los hombros... El ideal de Sainz de la Maza es andar, ver cosas nuevas, mudar de horizontes. Este mismo afán de buscar la vida, de gozar flores nuevas y desconocidas en su camino, lo lleva en el arte a sacar de los arcones viejos, donde cubiertos de telarañas dormían quizá el sueño del olvido, a los vihuelistas españoles del siglo XVI. Y esto es lo que debemos agradecer de todo corazón a Sainz de la Maza. Él nos levanta el papel de la vieja calcomanía y el siglo XVI enseña una viñeta galante... Sainz de la Maza hace el milagro de su arte... A pesar de que este músico no es de la escuela expresionista, su manera de decir conmueve profundamente y sin artificios. Las personas que lo oyeron el jueves en el Palace quedaron encantadas de su técnica y de su sencillez. Se trata de un artista en flor. Su granazón será estupenda.»[1]

Sainz de la Maza nos ha hablado del maravilloso cicerone que tuvo en Federico en esta su primera visita a la ciudad de la Alhambra. Recuerda con nostalgia aquella Granada íntima y musical que le descubrió el poeta y una tasca de la calle de Elvira donde Federico le leyó *El sueño de una noche de verano*.

Más tarde serían vecinos en la madrileña calle de Ayala. Fe-

1. *La Gaceta del Sur,* Granada, 27-5-1920.

En el verano de 1927, con Dalí y Lorca, llegó a Cadaqués un nuevo invitado, el guitarrista Regino Sainz de la Maza.
(En la fotografía aparecen los tres con Ana María Dalí.)

derico vivía allí con su hermano Paco. Regino estaba recién casado con Josefina, la hija de la escritora Concha Espina. La casa de perfiles nuevos de la flamante pareja fue un segundo hogar para los dos hermanos, que a diario recalaban a cualquier hora, sentándose frecuentemente a su mesa. La delicada y bella Josefina era quien le cosía a Federico los botones.

La amistad del poeta y el guitarrista no languideció nunca. Se mantuvo cálida a través del tiempo y aún hoy el fino espíritu del músico guarda culto a su recuerdo: «Federico tuvo decisiva influencia en mi vida —nos confesaría—. Era un estímulo. Un ser privilegiado. No se sabe cómo captaba, cómo estaba sintonizado con todas las corrientes artísticas del momento, sin apenas haber viajado. Era un artista integral, lo captaba todo. Podía haber sido un genio como músico, como pintor; todo lo veía en función de poesía. Esas armonizaciones suyas prodigiosas de las canciones populares, sin haber estudiado armonía, eran una maravilla, eran obra de su puro instinto. Su humanidad era extraordinaria, capaz de sacarle a uno todo lo bueno que pudiera tener, cosas que a uno no se le hubieran ocurrido sin estar frente a él. Cuando ocurrió su muerte, yo estaba en América. Fui uno de tantos que no creímos la noticia. Tenía la seguridad de que, al final, una palabra suya a los asesinos obraría el milagro.»

A lo largo de su vida mantuvieron una entrañable correspondencia, desaparecida casi toda por avatares de todos conocidos. De ella vamos a dar a conocer algunas cartas inéditas de García Lorca, halladas recientemente. En estos escritos se refleja fielmente el clima de su amistad y trasluce el Federico vibrante, comunicativo, lleno de proyectos, de fantasía, de gracia inefable:

Por pereza y nada más que por pereza no he contestado a tu carta; soy, pues, un sinvergüenza y un mal amigo. Yo me levantaba todas las mañanas muy triste y me iba a dar un paseo por esta maravillosa Granada, volvía a comer, me ponía a estudiar y así me sorprendía la tarde. ¿Quién escribe a los amigos por la tarde...? Yo creo que esta disculpa es suficiente para un artista como tú, pero ten la completa seguridad que te recuerdo con mucha alegría y tu fantasma va ligado a tres cosas absurdas, pero que yo me explico subconscientemente, una minúscula, unos tufos débiles, y unos bacilos de Koch en caricatura. Otro día te explicaré esto. Ahora he descubierto una cosa terrible (no se lo digas a nadie). *Yo no he nacido todavía.* El otro día observaba atentamente mi pasado (estaba sentado en la poltrona de mi abuelo) y ninguna de las horas muertas me pertenecía porque no era Yo el que las había vivido, ni las horas de amor, ni las horas de odio, ni las horas de inspiración. Había mil Federicos Garcías Lorcas, tendidos para siempre en el desván del tiempo y en el almacén del porvenir, contemplé otros mil Federicos Garcías Lorcas muy planchaditos, unos sobre otros, esperando que los llenasen de gas para volar sin dirección. Fue este momento un momento terrible de miedo, mi mamá Doña Muerte me había dado la llave del tiempo y por un instante lo comprendí todo. Yo vivo de prestado, lo que tengo dentro no es mío, veremos a ver si nazco. Mi alma está absolutamente sin abrir. ¡Con razón creo algunas veces que tengo el corazón de lata! En resumen, querido Regino, ahora estoy triste y aburrido de mi interior postizo. Yo espero carta tuya en seguida y sin retintines, no te creo vengativo.

Un abrazo efusivo y enorme.

FEDERICO.

Alcalde me dice ahora mismo que recibió carta tuya despidiéndote de los amigos; a mí me da mucha tristeza el ver que no me nombras. Perdóname que no te haya escrito, pero te aseguro que te llevo tendido dentro de mi corazón. Contéstame, pues. No seas vengativo, te vuelvo a repetir. ¡Si vieras cómo está la sierra! Toda roja, y la vega que se divisa desde estos balcones toda en sombra. Que estudies mucho y que no te estés donde la piltra. — Granada, 16. — Mi hermano te da sus cinco dedos de hombre fuerte desde aquí. Adiós, guitarrista. Acuérdate de mí.[2]

2. Carta con membrete del Centro Artístico, de Granada. Sin fecha.

Querido Regino: Soy un sinvergüenza por no haberte contestado antes, pero mis trabajos y mi *especial* situación y estado de ánimo lo han impedido. Perdóname, pero bien sabes que este pobre poeta y soñador empedernido te quiere mucho aunque no tanto como te mereces tú. Este año no he vuelto a Madrid porque he estado haciendo *cosas* que no podía realizar en la Villa del Oso por su entraña andaluza y por su ritmo especial. Y ahora me alegro, pues he terminado un poema que me parecía invocalizable, y además proyectamos Falla y yo *grandes cosas* que ya se verán. Estoy contento. Granada me ha dado visiones nuevas y ha llenado mi corazón (demasiado tierno) de cosas imprevistas. ¡¡Tengo más ganas de verte!! ¿Por qué no vienes? ¡Decídete!

Mi libro ha tenido mucho éxito. Jean Aubry va a traducir al francés muchas de sus poesías y hace días recibí artículos escritos sobre él en Londres y en Milán. ¡Esto es gracioso! ¿Verdad?... Pero estoy perdido... la poesía se ha hecho dueña de mi alma. Como *Perico el de los Palotes,* estoy encerrado en una jaula de metáforas. No puedo mandarte el *Libro de Poemas* porque no tengo ni uno; si voy pronto a Madrid allí te lo entregaré si quedan. Te recuerdo constantemente y te quiero una *jartá.* Escríbeme en seguida más largo, que yo prometo contestarte.

FEDERICO.

Si ves a Roberto Gerahar lo abrazas (no sé cómo se escribe).[3]

Granada. — Acera del Casino, 31, por si te olvidaste.
Querido Regino: Recibí tu carta en Madrid momentos antes de regresar a esta maravillosa ciudad, y ahora te contesto suplicándote con mucha insistencia que no tardes tanto en contestarme. Yo estoy loco de contento por una porción de cosas que te contaré cuando nos veamos (que sea

---

3. Carta con membrete del Centro Artístico, de Granada. Sin fecha.

El Excelsior, un cabaret de moda, donde Lorca, Dalí y Sainz de la Maza solían terminar su deambular nocturno por Barcelona.

Salvador y Ana María Dalí con Regino Sainz de la Maza en la terraza de la casa de Cadaqués.

pronto) y que dan a mi vida un alto sentido artístico, un verdadero y puro sentido espiritual.

Padezco ahora *verdaderos ataques* líricos y trabajo como un niño que pone un nacimiento; tal es mi ilusión.

Te recuerdo con bastante alegría y estoy deseando oírte. ¿Has hecho progresos? Estudia mucho, Regino, y peina con cuidado la invisible cabellera de tu corazón. ¡Ten cuidado que no se te enrede! He hablado de ti y te he propuesto a mis amigos para dar unos conciertos en un salón de independientes que estamos organizando y donde yo daré conferencias. ¡Es una cosa estupenda! Tú tocarás solamente música primitiva, pues yo creo que es lo de más carácter al lado de cuadros de Barradas, etc., etc. ¡Ya verás qué proyectos! Quiero mantener en ti una curiosidad para que te arañe esa alma lírica, turbia hoy por el fango catalán, esa alma tuya con seis cuerdas de miradas.

La curiosidad tiene unas uñas de gato (¿no lo sabías, Regino?). Unas uñitas afiladas que arañan las paredes del pecho y hacen que doña Distracción cierre sus cien ojos vertiginosos y malditos... Por eso te enciendo esta ilusión.

¡Si vieras! ¡Tengo un entusiasmo...! Mis manos están llenas de besos muertos (manzanas de nieve con el surco tembloroso de los labios) y espero lanzarlas al aire roto para coger otros nuevos. Contéstame en seguida. Un abrazo cordial. FEDERICO. — Vela ha muerto. No te quiero hacer ningún comentario. Hoy me dio Ángel Barrios recuerdos para ti. Aquí está Falla y me estoy hartando de oír sus cosas, ¡qué maravilla! Proyectamos los tres un viaje a la Alpujarra. Me voy a Madrid el 8 (¿y tú?).[4]

Queridísimo Regino: Estamos atareadísimos y yo trabajando tanto que apenas si he tenido tiempo de escribirte... Pero ya sabes tú cuánto te quiere este poetilla y guitarrista (sé tocar algo ya). Falla está contentísimo porque han concedido el dinero (en el Ayuntamiento) y vamos a

---

4. Carta con membrete del Centro Artístico, de Granada. Sin fecha.

«Él contribuyó a enriquecer más el ambiente de nuestro hogar», nos dice Ana María de Regino Sainz de la Maza. (En la fotografía, el guitarrista con Dalí y Emilio Sagi.)

Lorca y Sainz de la Maza mantuvieron una entrañable correspondencia, de la que reproducimos una carta de Federico, todavía inédita.

Querido Regino: Soy un sinvergüenza por no haberte contestado antes pero mis trabajos y mi especial situación y estado de ánimo lo han impedido. Perdóname, pero bien sabes que este pobre poeta y soñador empedernido te quiere mucho, aunque no sea como quieres tú. Este año no he vuelto a Madrid porque he estado haciendo cosas que no podía realizar en la villa del oso por mi extraña bandalura y por mi extremo especial, y ahora me alegro pues he terminado un poema que me parece increíble, y además proyectamos Falla y yo grandes cosas que ya se verán. Estoy contento. Granada me ha abierto visiones nuevas y ha llenado mi sin corazón (demasiado tierno) de cosas imprevistas. ¡¡Tengo más gana de verte!! ¿Porque no vienes? ¡Decídete! Mi libro ha tenido mucho éxito. Jean Aubry va a traducir al francés inéditos de mis poesías y hace días recibí artículos escritos sobre él en Londres y Milán. ¿No es gracioso verdad? --- pero estoy perdido --- La Poesía se ha hecho dueña de mi alma, cómo ganas el de los Balseto? estoy encerrado en una jaula de metáforas. No puedo mandarte el Libro de Poemas porque no tengo ni uno. Si voy pronto a Madrid allí te lo entregaré si es que quedan. Te recuerdo constantemente y te quiero una barbaridad. Escríbeme enseguida más largo, que yo prometo contestarte. Federico. Si ves a Roberto (no sé cómo se escribe) lo saludas.

hacer la fiesta más interesante que desde hace años se ha celebrado en Europa. ¡Todos estamos satisfechísimos!

He preguntado en el Centro si podían traerte y me dicen que escribas inmediatamente *poniendo condiciones.* Escribe, pues, en seguida o telegrafía, que todos están dispuestos de la mejor manera. Yo tengo *altos proyectos,* ya te contaré... ¿Sabes que tengo una verdadera alegría al pensar que es probable que te vea? Si vienes lo pasaremos muy bien, pues Falla *(Manué)* como le digo yo, es un elemento de primera fuerza para todo y yo pues soy un *loco* ¿qué más quieres? Me ha dado recuerdos tuyos un pianista llamado Franco.

¿Me contestarás? Adiós, Regino, ven a ver estas *talles* que tanto te entusiasman. — Te quiere. FEDERICO.[5]

Queridísimo Regino: Aunque tú no lo creas, yo siempre te recuerdo con gran cariño y si tardo en contestarte es porque estoy agobiado de trabajo. Voy a hacer mi *primera salida* al extranjero y quiero que sea brillantísima.

En Granada he trabajado mucho y he afianzado mi alma en la naturaleza limpia.

Falla y yo hemos celebrado una fiesta deliciosa en la sala de mi casa y te mando un programa como recuerdo de ella.

¿Cuándo nos veremos? Desearía fuera lo antes posible. Adiós, Regino, un gran abrazo (estilo gitano) de FEDERICO.

Falla te envía sus recuerdos, contéstame diciendo qué te parece el programa.[6]

Queridísimo Regino: Estoy en Madrid y como no te he hallado por ninguna parte, te escribo al *hogar,* donde supongo estarás.

Te recuerdo muchísimo y has tenido sitio en mi corazón, lleno de telarañas durante todo el verano.

5. Carta con membrete del Centro Artístico, de Granada. Sin fecha.
6. Carta sin membrete. Sin fecha. Acompañada del programa a que hace referencia.

Contesta dando señales de vida y en seguida yo te escribiré más extenso. ¿Cuándo vienes?

Tenemos que comunicarnos muchas impresiones; yo he *trabajado* mucho y traigo un gran plan de trabajo. ¿Y tú? Adiós. Un fuerte abrazo de FEDERICO.[7]

García Lorca dedicó y regaló a Regino los originales de los poemas «Adivinanza de la guitarra» y «Guitarra», del libro *Poemas del Cante Jondo,* pero a la hora de su publicación, como le ocurriría en otras ocasiones, varió la dedicatoria y el título de la última. A Sainz de la Maza le consagró, bajo el epígrafe «Seis caprichos»: *Adivinanza de la guitarra, Candil, Crótalo, Chumbera, Pita, Cruz.* Mientras que *Guitarra,* quedó integrada en «Gráfico de la Petenera»: *Campana, Camino, Las seis cuerdas, Danza, Muerte de la Petenera, Falseta, De Profundis, Clamor,* que dedicó a Eugenio Montes. El título de *Guitarra* lo sustituyó el autor por *Las seis cuerdas* y varió el metro del final. El autógrafo que conserva Regino tiene esta composición:

GUITARRA
(Dedicado a Regino Sainz de la Maza)

La guitarra
hace llorar a los sueños.
El sollozo de las almas
perdidas
se escapa por su boca
redonda.
Y como la tarántula
teje una gran estrella para cazar suspiros,
que flotan en su negro aljibe
de madera.

(1923)

7. Carta con membrete de la Residencia de Estudiantes, Pinar, 15, Madrid. Encima escribe Federico sus señas. Sin fecha. Todas estas cartas de Regino Sainz de la Maza pertenecen a su archivo particular.

El poeta granadino cambió el ritmo de este poema, partiendo algunos de sus versos. En las Obras Completas aparece así:

LAS SEIS CUERDAS

La guitarra
hace llorar a los sueños.
El sollozo de las almas
perdidas.
Se escapa por su boca
redonda.
Y como la tarántula
teje una gran estrella
para cazar suspiros,
que flotan en su negro
aljibe de madera.

Ana María Dalí ha relatado la estancia de Sainz de la Maza en Cadaqués:

Aquel año vino a casa otro amigo de Salvador, el guitarrista Sainz de la Maza. Él contribuye a enriquecer más el ambiente de nuestro hogar. Por las noches, en la terraza, nos ofrece magníficos conciertos. El *Tremulo Studi,* de Tárrega, es lo que con más frecuencia le pedimos que toque. No se hace de rogar y mientras su música llena la noche, la playa va llenándose de las sombras de gentes que vienen a escucharlo. Nuestros amigos de la infancia pasan la velada con nosotros. García Lorca recita, canta canciones andaluzas y habaneras. En estas noches cálidas del mes de julio, todo parece vibrar, rebosante de una vitalidad suave, dulce como la de las notas de este Estudio de Tárrega que, como decía Simonne, una francesa amiga nuestra, producen el *cafard...* Por las mañanas había en la casa una gran actividad. Apenas el alba encendía —según solía decir García Lorca— el coral que la Virgen sostenía en su mano, las notas de la guitarra de Sainz de la Maza se esparcían por toda

- Adivinanza de la guitarra -
(dedicada a Regino Sainz de la Maza,

En la redonda
encrucijada,
seis doncellas
bailan.
Tres de carne
y tres de plata.
Los sueños de ayer las buscan
pero las tiene abrazadas
un Polifemo de oro;
¡la guitarra!   1923

- Guitarra -
(dedicada a Regino Sainz de la Maza)

La guitarra
hace llorar a los sueños.
El sollozo de las almas
perdidas,
se escapa por su boca
redonda. Y como la tarántula
teje una gran estrella para cazar suspiros,
que flotan en su negro aljibe
de madera.
                              -1923-

Dos poemas dedicados por García Lorca a Regino Sainz de la Maza.

la casa. El maestro estudiaba. En el taller, Salvador había ya empezado su captación de la luz y Lorca construía con gran pasión su *Sacrificio de Ifigenia*.[8]

De esta obra lorquiana no se sabe nada. Al parecer nadie llegó a conocerla. Cosa extraña en el poeta, que el leer y el recitar sus obras, en cuanto las tenía terminadas e incluso antes, era su tónica. Se sabe que la *terminó* en Málaga, según le anunció a Ana María en una carta: «Así pude terminar mi *Ifigenia,* de la que te enviaré un fragmento.» Fragmento que Ana María no llegó a recibir.

En la primera visita de Federico a Cataluña, en 1925, en una rápida excursión a Gerona, para asistir a los oficios de la Catedral, Salvador llevó a Federico a Ampurias. Allí se conserva un gran mosaico romano que representa *el sacrificio de Ifigenia*. Este tema mitológico impresionó vivamente a García Lorca, y a su vuelta a Cadaqués Ana María oyó los interesantes comentarios que el tema inspiró a Federico.[9] Cree que el proyecto y realización de la obra lorquiana estuvo íntimamente inspirado por aquella visión de Ampurias, al encontrarse de nuevo en estos parajes. Recuerda que, hablando de Ifigenia, Federico le dijo: Será mi alegoría al Mediterráneo. En otro pasaje de su libro, Ana María Dalí escribe: «También García Lorca sentíase influido por el ambiente de este rincón del mundo, y la obra que creaba quedó impregnada de él. Esta obra es *El sacrificio de Ifigenia,* mas no trabaja mucho en ella. Toda su actividad se concentra en observar la Naturaleza hasta en sus más pequeños detalles, en mirar cómo Salvador pinta y en los paseos que damos al anochecer por los olivares o por las playas. Cuando la calma-blanca, borrando las pequeñas ondas, llena el mar y las rocas alargan dentro del agua su estructura, se queda embelesado.»

8. ANA MARÍA DALÍ, op. cit., p. 128.
9. El tema mitológico de Ifigenia ha sido fuente de inspiración para escritores y músicos. Eurípides escribió dos tragedias: *Ifigenia en Áulida* e *Ifigenia en Táurida*. El argumento de las dos obras ha sido utilizado por compositores de óperas de la categoría de Gluck, Scarlatti, Wagner, Traetta, Rossi, Trento, Mayer...

164

Una insólita fotografía de Lorca, a quien Ana María Dalí describe siempre atemorizado ante la idea de ahogarse.

El tiempo no marchita el entusiasmo de Federico por el tema mitológico del *Sacrificio de Ifigenia,* la hija de Agamenón y de Clitemnestra. En 1935 logra interesar a la Xirgu para que represente la tragedia de Ifigenia, de Eurípides, en las ruinas de Ampurias, frente al mar. A la actriz le ilusiona el proyecto y encarga a Ferran i Mayoral una traducción de la obra en catalán. A su vuelta de América Margarita tenía en proyecto. hacer cada año una campaña de teatro en su lengua vernácula; para iniciarla había solicitado a Sagarra una comedia.

Uno de los pasatiempos preferidos de los Dalí eran las excursiones en barca a Cap de Creus y a Tudela. «En aquel tiempo Tudela era un lugar solitario, fuera del mundo —nos cuenta Ana María—. Ahora, desde que han construido un club, no tiene nada que ver con el lugar de ensueño de nuestras excursiones con Federico. Íbamos siempre por mar. Comíamos en un pequeño prado que había al pie del águila. Dormíamos en una especie de cueva formada por unas rocas de contornos suaves, dorados, relucientes de mica, de cara al mar, de un azul lleno de transparencias. Al despertar de la siesta recorríamos estas rocas color naranja, color que el sol acentuaba al atardecer y entonces embarcábamos para Cadaqués, adonde llegábamos ya de noche. Federico, al llegar a casa, acostumbraba decir: "Ir a Tudela es una verdadera expedición, al regresar se pasa mucho miedo con estos temporales ¡pero vale la pena!" Lo cual hacía reír a todos, pues el mar estaba en calma.»

Los Dalí no tomaban muy en serio el miedo de Federico a la muerte. ¡Eran tan jóvenes! Les costaba admitir que el mar, tan importante en sus vidas, le impresionara de tal manera. Ante ello, como a un niño querido y caprichoso, se limitaban a mimarle, a no contradecirle, porque su personalidad los fascinaba y todo aquello les hacía gracia. Ana María lo ha contado así:

La personalidad de Lorca era tan vivaz, tan absorbente y atractiva, que todos nos sentíamos impresionados por él; además, se hacía querer por su carácter espontáneamente infantil. Quería que le cuidasen, que le mimaran constantemente. Iba siempre de nuestra mano. Tenía miedo a morir y le parecía que así, cogido de nuestras manos, se aferraba a la vida.

A veces se aquejaba de dolor de garganta y su voz enronquecía más. Inmediatamente se convencía a sí mismo de que estaba muy enfermo. Quería que le cuidásemos, sin dejarle un instante. Pedía que le hicieran vahos de eucalipto. Su alcoba quedaba llena de ese perfume. Pedía también el termómetro para ponérselo continuamente. Le hubiera gustado que le diésemos muchas medicinas, pero, como no tenía fiebre, nos limitábamos a mimarle mucho.

Le obsesionaba un gran miedo a la muerte. Si íbamos por mar y reinaba calma-blanca, la visión del fondo le daba vértigos; le parecía que volábamos y que teníamos que caernos. Si había oleaje, temía que las olas pasaran por encima de la barca y nos engulleran. Tan sólo no sentía miedo a la muerte los domingos, en misa, cuando presentía la vida eterna.[10]

Otras mañanas, mientras Salvador pintaba en su estudio cuadros de pura fantasía y al mismo tiempo de un gran realismo, que a su hermana le recordaban a Brueghel y al Bosco, Federico y ella se iban a la playa del Sortell. En la arena de esta playa, más amarilla y áspera que la de las demás, encontraban fósiles, piedras y vidrios pulimentados por el mar que Salvador utilizaba para crear objetos en sus cuadros. Quedaban absortos, encantados, cuando en las aguas transparentes veían algún cangrejo o bandada de gambas. Les gustaba observar cómo se desenvolvían. Ana María llamaba la atención de Federico para que se fijara en las balsas: «¡Qué monstruos!», exclamaba al ver la fuerza y la agudeza que concentraban en la tarea de destruirse unos a otros. Horas y horas los contemplaban inclinados sobre las rocas, mientras un sol implacable de lengua ardiente les lamía la espalda. «A la hora del baño, mientras Salvador y yo nos alejábamos un poco, en unión de nuestros amigos —cuenta Ana María—, Lorca se quedaba en la playa aguardándonos. Por nada del mundo

10. Ana María Dalí, op. cit., p. 127.

se metería en el mar no estando nosotros cerca de él. Teme que las pequeñas olas se lo traguen, o bien hundirse en el mar para siempre. Mientras se baña, junto a la playa misma, yo tengo que sostenerle de la mano. Tiene miedo de ahogarse.»

Las comidas las hacían siempre al aire libre, en la terraza, hasta la que se arrastraban las olas, delante mismo de la casa, blanca, sencilla, marinera, bajo la sombra del gran eucalipto, que montaba su guardia en atalaya permanente. Tras la cena, con un fondo de olas, comentan el trabajo del día. Luego Regino, con su guitarra, acompaña a Federico en el *Romance de Antoñito el Camborio*. Cuando Sainz de la Maza nos habla de estos improvisados conciertos termina diciendo: «Quien no ha conocido a Federico, no sabe lo que es el prodigio.»

Ana María nos refiere que en ese verano inolvidable, lo que más solía recitar García Lorca, eran *Canción otoñal, La balada de los tres ríos, Canción sevillana, Arbolé, arbolé, Romance de la luna, luna, Preciosa y el aire, Romance gitano, La monja gitana, Prendimiento y muerte de Antoñito el Camborio, Romance de la Guardia Civil, Poema sonámbulo*... También canturreaba muy a menudo la habanera de la Mulata Trinidad, la de los ojos gachones:

> *Por el puente de la Habana*
> *paseaba una mañana,*
> *paseaba una mañana*
> *la mulata Trinidad...*

Otras coplillas, que recuerdan en boca de Federico, eran:

> *Tanto vestido blanco,*
> *tanta farola,*
> *y el puchero en la lumbre*
> *con agua sola*
>
> .   .   .   .
>
> *Camino de Sevilla,*
> *camino llano,*
> *se enamoró mi niña*
> *de un sevillano.*

Salbador Dalí
Cadaqués Febrero 1926

Salbador amigo: he recibido
la fotografía que se sirbió
mandarme á Salbó muy bien
gracias mil á V. y buena señor
de manos el S.r Xirau,

Estoy contentísima de
V.V. que no hos avergonceis de
estar en medio de las brujas
que muchos se dan verguenza
de tener relaciones con ellas
porque tienen falta de
Cultura por cierto que la
otra mujer tiene la misma
fama pero la tiesa es mas

«Del bolsillo del delantal sacaba unas
viejas gafas de descompuesta montura.
Federico las llamaba «las gafas
maravillosas», por las cosas que Lydia
podía llegar a leer con ellas.»

graciosa que todos,

Si participo que hestaba
en medio de la cultura o sea
la filosofía Catalana á la
derecha tenía la Filo-Sofía
á a la perquierda la mujer
Catalana hestaba V. bien
acompañado;

Leiendo un periodico
que tiene que devolvermela
porque he de entregarlo
otra vez dentro el capazo
pueden poner todas las notisias
que quieren que yo soy á
resibilo ponganme un palo
de Café; soy mujer de
nunca no se lo que pasa

Carta de Lydia a Salvador Dalí
en febrero de 1926.

estoy en medio de la Inquisi-
dile á Rojas y a Fran que
acer un libro que las brujas
tienen que gastar siempre
perras, porque cuando cambian
un billete hes que an
huido á buscarlo en alguna
caja de hierro hes del pueblo
de María Santísima
por lo barbaro judio es

Muchos saludos á su familia
y á todos los amigos y V. man
de su affmo y S.

Lydia Noguer

no puedo hescrebir mas por
no tener pluma

Una de las cosas que más le gustaban a Federico en Cadaqués, era hablar con la gente de la calle, campesinos, pescaderas, mujeres que iban y venían, afanadas en el trajín de la diaria venta del pescado que traían sus maridos o aquellas enlutadas que iban en busca del notario. García Lorca se acodaba en la baranda de la terraza. Muy cerca quedaba el camino, paso obligado en dirección al pueblo, a la Conca o Calanans, a Rosas y a Paní. El poeta saludaba:

«Bon día tingui!»

Esta frase la encontraba llena de musicalidad, como un sonido de campanillas. El hombre o la mujer dejaban en el suelo su carga mientras devolvían el saludo a aquella persona desconocida y forastera, que los saludaba en catalán. Esto suponía una invitación al diálogo y así se enzarzaba la conversación. Federico escuchaba complacido y atento a aquellas gentes sencillas, que, a veces, decían cosas prodigiosas, con una filosofía natural, no aprendida, sino intuida.

Otra persona a quien Federico le gustaba escuchar era Lydia. Cuando el poeta y el pintor llegan a Figueras, encuentran una tarjeta dirigida a: «*Sto.* Salvador Dalí para *Dn.* Federico *Orca.*» Es de Lydia, que los felicita por el triunfo de la obra y por las decoraciones. Para entonces Lydia era un personaje popular del que se comentaban y repetían muchos de sus decires. Lo hemos podido comprobar en cartas de diferentes personas pertenecientes al círculo intelectual de Salvador y de Federico. La frase: «No hay claridad», desde que la acuñaron el poeta y el pintor había alcanzado carta de naturaleza, como *putrefacto,* y se aplicaba en serio y en broma. Y las descripciones y comentarios de Lydia eran objeto de admiración: «Qué bien está la carta de Lydia —escribía Dalí a Federico— cuando dice, comentando la fotografía, que yo estaba en medio de la cultura, o sea a la derecha la filosofía: a la izquierda la mujer. ¡Qué estupenda definición de la cultura!»[11]

Lydia escribió a Salvador Dalí, en febrero de 1926:

11. Carta de Salvador Dalí a Federico García Lorca. Archivo particular de la familia García Lorca.

Salvador, amigo: He recibido la fotografía que se sirvió mandarme, ha salido muy bien, gracias mil a usted y buen apretón de mano al señor Xirau.

Estoy contentísima de ustedes, que no os avergonzáis de estar en medio de las brujas que muchos se dan vergüenza de tener relaciones con ellas porque tienen falta de cultura, por cierto que la otra mujer tiene la misma fama, pero la Teresa es más guapa que todas.

Le participo que estaba en medio de la cultura, o sea de la Filosofía catalana, a la derecha tenía a la Filo-Sofía y a la izquierda la mujer catalana. Estaba usted bien acompañado.

Le mando un periódico que tiene que devolverme porque he de entregarlo otra vez; dentro del capazo puede poner todas las noticias que quiera, que yo voy a recibirlo. Póngame un poco de café, soy mujer de mundo, no sé lo que pasa. Estoy en medio de la Inquisición. Dile a Fojas que tiene que hacer un libro, que las brujas tienen que gastar siempre perras porque cuando cambian un billete es que han ido a buscarlo en alguna caja de hierro. Es el pueblo de María Santísima, pueblo bárbaro, judío, etc.

Muchos saludos a su familia y a todos los amigos y usted, mande su affma. y s.s. Lydia Noguer. — No puedo escribir más porque no tengo pluma.[12]

La fotografía a que alude Lydia la hizo Juan Xirau. Salvador aparecía en medio de Lydia y de dos mujeres del pueblo. Una de ellas se llamaba Filo y la otra Sofía. De lo que el ingenio de la pescadera deduce que está en medio de la Filo-Sofía catalana. Luego ironiza sobre las brujas, ya que ella, como las otras dos mujeres, tenían fama de serlo. El que la calificaran de bruja era algo que la divertía y lo atribuía a la falta de cultura del pueblo de «María Santísima, pueblo bárbaro y judío». Dice que está en medio de la Inquisición, o sea perseguida por bruja. Pide que

12. Ídem.

Fojas escriba sobre las brujas. Se refiere a Carlos Fages de Climent, autor de *Les bruxes de Llers*, libro ilustrado por Salvador Dalí.

Dalí escribió un largo poema en prosa que tituló *Pez perseguido por una uva*. «Dedicado a una conversación de Federico con la Lydia.» [13]

13. «Pez perseguido por una uva. Dedicado a una conversación de Federico García Lorca con la Lydia (tiene que ser leído muy despacio, y con una perfecta monotonía en la voz, más bien hay que gritar. Completa impresión. Leerlo como aquello de los libros de lecciones de cosas; el gallo cacarea, la gallina..., etc., etc.):

> Aquel pez y aquella uva no eran
> más que cositas pequeñas, eran pero
> cositas más redondas que
> las otras y estaban quietas sobre los sitios.
> Aquella cosita era una estrella
> con la cola y estaba quieta sobre la
> mesa.
> Hay cositas planas.
> Hay cositas que se aguantan con una
> pierna.
> Otras son un pelo, otras habían sido
> sal.
> El pez en cuestión había sido peque-
> ña sal, esta pequeña sal brillaba
> y fue traída a Europa entre los
> pelos de un rizado abrigo de esquimal
> arrinconado en la popa de aquel yat·
> que tenía un nombre de isla.
> Aquella pequeña sal era ahora
> un pez gracias a un cheque especialísimo.
>
> En la playa hay ocho piedras, una color
> hígado, seis cubiertas de musgo y una
> muy lisa, hay además un corcho se-
> cándose al sol, en el corcho hay un
> agujero donde las plumas hacen nido.
> Al lado del corcho hay una cañita,
> tierra partida por el vientre y puesta
> sobre la arena. Todo junto no es otra
> cosa que un rápido y veloz racimo de
> uva, las piedras son su dulzura, la
> piedra color hígado la dulzura enve-

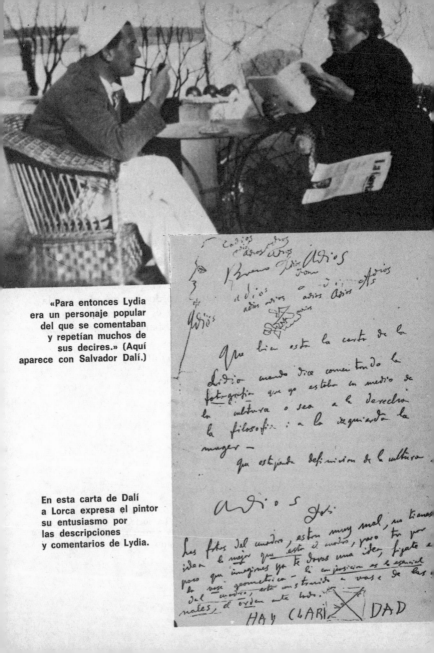

«Para entonces Lydia era un personaje popular del que se comentaban y repetían muchos de sus decires.» (Aquí aparece con Salvador Dalí.)

En esta carta de Dalí a Lorca expresa el pintor su entusiasmo por las descripciones y comentarios de Lydia.

HAY CLARI~~X~~DAD

En 1927, Lydia todavía recorría vigorosa las calles de Cadaqués, con su cesta de pescado debajo del brazo, pregonando: «¡Eh, las mujeres del pescado vivo!», pero cada día metida en la piel de su personaje e identificada con las ideas y conceptos d'orsianos: *La filosofía del hombre que trabaja* y *La oceanografía del tedio*... Ana María Dalí nos ha contado que si el presunto comprador era un forastero, se acercaba a él y con aire misterioso le decía:

—Ya lo está viendo, una mujer que vende pescado, una pobre mujer que vende pescado y... nada más, vale más que callemos. Ahora, viéndome vieja y casi sin dientes, usted dirá: Pero ¿es posible que sea ésta *la bien plantada*? Pues sí, yo soy, ¡soy Teresa!

Una vez enfrascada en esta conversación, levantaba el húmedo saco de algas, donde posaba el pescado fresquísimo, acabado de pescar, y de allí sacaba el libro *La bien plantada,* de Eugenio d'Ors, y leía con énfasis: «Nando, bravo marinero, el de los ojos azules, el de la mirada...» Éste es mi marido, decía: pero este libro contiene un secreto y este secreto es el que hace vibrar la vida del pueblo y parte a sus habitantes en dos bandos. Uno es la Sociedad del Secreto de Xenius y el otro es la Sociedad de las Cabras y los Anarquistas.[14] Y todo este desbarajuste sólo se pue-

---

> nenada las cubiertas del musgo los últimos discos de fonógrafo, el
> corcho su esqueleto, las plumas los
> granos, la cañita tierna partida
> por el vientre las olas, y la piedra
> más lisa será necesario aún decir
> que se trata del blues más de-
> sangrado que me cantó la otra
> tarde mi amiga mirándome
> bizco y arrugando la naricita
> como una pequeña bestia...»

(Archivo particular de la familia García Lorca.)

14. La sociedad del secreto de Xenius eran los buenos: los Dalí, los Pichot, los Bofill y todos los que la escuchaban. La sociedad de las cabras y de los anarquistas la integraban todas aquellas gentes sin fantasía, que no sólo no prestaban atención a sus mensajes, sino que se reían abiertamente.

de arreglar con la «Santa Paciencia»» y con la «Santa Perseverancia».

El comprador quedaba estupefacto ante aquel discurso, y ella, cogiendo de nuevo la cesta debajo del brazo, reemprendía su camino gritando la mercancía: «¡Eh, las mujeres del pescado vivo!» Y... el pescado se removía, mientras dentro del saco el libro de *La bien plantada* se iba remojando con el agua salada que rezumaban las algas.

Lydia iba a ver a los Dalí con frecuencia. Otras veces Ana María, su hermano y Federico aparecían por su casa. Del bolsillo del delantal sacaba unas viejas gafas de descompuesta montura, Federico las llamaba «las gafas maravillosas», por las cosas que Lydia podía llegar a leer con ellas. Si en el diario no había visto nada que hiciera referencia al *Secreto de Xenius,* se desanimaba y se lamentaba: «¡No sé nada, no sé nada, estoy en los limbos. No tengo información y estoy en los limbos. No sé lo que debo hacer ni lo que tengo que aconsejarles. ¡Estoy en los limbos! ¡Todos estamos en los limbos!»

Otras veces llegaba a casa de los Dalí contenta, haciendo revolotear en su mano un pedazo de papel, como si fuese una bandera, tras de haber lanzado su saludo ritual: «¡Eugenio d'Ors!», pronunciado con un gran énfasis. Y luego empezaba a leer el libro a su manera.

Entonces escribía en *La Vanguardia* Enrique Opisso y firmaba E. O. Lydia estaba convencida de que era Eugenio d'Ors, y leía aquellos artículos dándole las interpretaciones más extraordinarias. Muy a menudo de su lectura deducía que D'Ors vendría a Cadaqués, y entonces vendía todo el pescado que sus hijos le traían «vivo», para preparar con aquel dinero un gran banquete y celebrar así la llegada del «Maestro», como ella lo llamaba. Efectuaba gastos enormes, desbordando sus posibilidades, que luego arrastraría durante meses y meses.

«Un día —nos cuenta Ana María—, mi padre escribió a Eugenio d'Ors, pidiéndole por favor que le enviase unas líneas a Lydia, diciéndole que él no escribía en *La Vanguardia* y que los artículos que ella leía eran de Enrique Opisso y que no tenía proyectado ir por Cadaqués. Pero D'Ors no escribió y mi padre de-

175

cidió decírselo a Lydia, con el fin de que no siguiera arruinándose preparando banquetes de bienvenida.

»Así, un día, mientras cenábamos, se abrió la puerta y apareció Lydia. Entró con lentitud y, como de costumbre, antes de sentarse, se detuvo para lanzar a modo de saludo su:

»—"¡Eugenio d'Ors!"

»Este nombre equivalía en sus labios a Ave María.

»Se sentó cerca de nosotros, sacó un diario del cesto, se colocó las gafas "maravillosas" y empezó a leer. Era un artículo de Enrique Opisso que trataba de política. "Así, pues —dijo, resumiéndolo, a medida que lo leía—, mañana iré a Figueras a comprar filetes, dulces y champaña, porque no querría que Xenius llegara y no encontrara algo de comer."

»Mi padre no pudo seguir callado: "Mire, Lydia —le dijo—, ese que escribe en *La Vanguardia* es Enrique Opisso y no sabe nada ni de Xenius ni de usted, ni de los secretos. ¿Cómo quiere entonces que en este artículo le diga que Xenius llegará pasado mañana?"

»Lydia quedó pálida, desencajada. De pronto vi en su cara el aspecto de anciana que después, cuando fue vieja, tenía. Se quitó, con gesto abatido, las gafas, que dejó primero, como arrugadas, encima de su delantal y luego las puso en el cesto, junto con el diario, plegado con tristeza.

»—Si es así como usted dice —respondió—, ¿qué habrá pensado Xenius de las cartas que le he escrito, contestando a esos artículos? Y muy abatida se fue. Sus faldas, en aquella noche oscura, no tuvieron el airoso movimiento de otras veces.

»Mi padre quedó consternado al ver el efecto que habían producido sus palabras, pero pensaba que quizá la hubiera hecho volver a la realidad.

»Lydia estuvo varios días sin aparecer por la casa, hasta que una noche la puerta se abrió de par en par y Lydia, la Lydia animada, irónica y fantasiosa, apareció en el umbral y saludó con sus palabras rituales:

»—"¡Eugenio d'Ors!"

»Quedamos todos suspensos. Lydia había recuperado su qui-

La postal que Lydia envía a Federico felicitándole
por el triunfo de su obra y de las «decoraciones».

Por el lado de la vista de Cadaqués, Lydia escribe sus mensajes
cifrados que sabe que sólo sus amigos comprenderán.

mera, que tan necesaria le era para su vida, y vimos claramente que sin ella Lydia se apagaría.

»—Hoy —dijo con aire triunfal— hay un artículo en el que Xenius me lo explica todo. Yo soy la fuente y él es el agua, y el artículo empieza así: "La fuente está seca…"»

Esta locura «plástica» de Lydia fascinaba a Federico, y era capaz de permanecer horas escuchando sus singulares lecturas interpretadas. Desde Granada recordará: «Aquí existe una cantidad increíble de *melancolía histórica* que me hace recordar esa atmósfera justa y neutral de tu terraza, en donde a veces la Lydia pone un chorro de pimienta fuerte que hace resaltar más todavía la gracia visible del aire.» En la postal que Lydia le envía felicitándolo, estaba a su juicio definida su personalidad. Para la gente extraña a su secreto la mujer podía desdoblarse y ser normal, como lo demuestra cuando escribe el texto de la postal y le espera para hacer una excursión al Cabo de Creus. La tarjeta presenta una vista de Cadaqués y, por este lado, escribe sus mensajes cifrados que sabe que sólo sus amigos, que están en el secreto de Xenius, podrán interpretar: «Dispensad al hijo del bravo pescador al que nunca se le han oído siete palabras seguidas; se parece a él.»

—«Estoy en el limbo, no sé nada de nadie.»
—«Coged una margarita.»
—«Escribir y explicar algo muy irónico.»
—«Todo el mundo es un fandango.»

Ana María nos lo ha descifrado así: La postal representa «Es Portal» y no otro lugar de Cadaqués, porque en ese momento algo debía de pasar en ese sitio y porque en ella hay una mata de margaritas, y como *está en el limbo* y *no sabe nada* nos sugiere que cojamos una margarita y la deshojemos. Debido a la falta de «información» y a que está en el limbo, deduce que *todo el mundo es un fandango*. Dispensad del hijo *del bravo pescador al que nunca se le oyeron siete palabras seguidas*. Lo subrayado es una frase de D'Ors al describir a *Nandu, brau mariner,* marido de Lydia, y así ella lo disculpa diciendo que sus hijos se parecen al padre, quizá porque éstos no quisieran firmar la postal.

Cuando estalla la guerra civil, Lydia se pasea por Cadaqués

Dalí en la barca «SON», que los llevaba a Tudel
y al cabo de Creus a través de grandes «temporales» imaginarios

vestida de cura. Es la única persona que lleva ese traje. Alguien —en aquellos días irían tiradas— le ha regalado una sotana, o acaso se la ha encontrado abandonada y ella se la pone y es su vestido durante toda la contienda. Por entonces se ha quedado sola, no tiene nada ni a nadie. Tampoco son tiempos de sobrado buen humor para pararse a escucharla. Pero ella, más que comer, lo que necesita es que oigan su historia. Se acerca a los lugares donde hay milicianos y enciende un fuego. Así los atrae. A la hora de comer éstos le piden que los deje calentar o cocer su comida: Si queréis yo os la puedo preparar —les dice—. Y, luego, mientras come con ellos, explica: «Yo soy Teresa», les dice. Pero sus palabras no despiertan eco alguno. Para aquellos milicianos, Teresa es un nombre de mujer a secas y creen que se llama así. Mientras tanto, ella, vestida con aquella sotana que se ha ido volviendo de un negro verdoso, como de musgo, ríe tristemente y se lamenta con cierta ironía. «Lo ve, me llaman Teresa, porque piensan que me llamo así y no es que yo me llame así, sino que soy Teresa.»

Lydia, en aquella época, vivía en una barraca de piedra seca, en medio de una viña que bordea la cala de Sa Conca. La barraca era oscura y sólo tenía una pequeña puerta. Un montón de paja le servía de cama. Se calentaba con un fuego que mantenía con ceporros. En un rincón conservaba la obra literaria de Eugenio d'Ors, humedecida y oscurecida por el humo, pero que tanta compañía le ofrecía. En los momentos de duda, Lydia hojea al azar uno de los libros y en él encuentra la respuesta a todas sus inquietudes morales, como si aquellas obras fueran un oráculo siempre dispuesto a responder a sus preguntas.

El final de la historia de Lydia no es triste, no podía ser. Ella se había creado un mundo irreal de imágenes amadas, entrevistas un día lejano, con toda la fuerza de la juventud y de la belleza. Sus últimos tiempos los vivió en el asilo de Gomiz de Agullana,[15] «limpia como un lirio del valle», según su propia definición.

15. «Ayuntamiento de Cadaqués (Gerona). Núm. 189: Por el presente cúmpleme comunicarle que este Ayuntamiento en sesión del día 30 de junio adoptó el siguiente acuerdo: En virtud de la solicitud verbal presentada por la vecina doña Ana María Dalí Doménech, interesando la

Y, feliz, ya que estaba persuadida de que: «Esto no es un asilo, esto es un palacio», como le escribió a Ana María. Allí murió, sin haberse separado nunca de sus amados libros, ni de sus «maravillosas gafas» que un día le permitieron leer aquella frase del propio Eugenio d'Ors: «Nos encontraremos en la Gloria.»

La barca, la pequeña *Kodak,* el fonógrafo, el osito —muñeco de Ana María al que Federico le encontraba cierto aire con Eduardo Marquina—, en el alegre hogar de los Dalí de la playa de Es Llanés, eran objetos entrañablemente ligados a las horas felices y reuniones joviales de los amigos que acudían a aquella hospitalaria casa. Recién terminada la guerra del 14, el notario figuerense hizo construir una barca para sus hijos, que bautizó con el nombre de *Wilson,* en honor del presidente americano. En 1921 descargó sobre Cadaqués un gran aguacero y la barca fue arrastrada hacia el mar por el torrente que pasaba junto a la casa de los Dalí. Al cabo de unos días apareció en la bahía de Rosas. No había sufrido grandes desperfectos, sólo había perdido las tres primeras letras del nombre, que eran de metal. Ana María y Salvador la encontraron rebautizada por las olas con el suave nombre de *SON,* que en catalán significa sueño. Así aceptaron los dos hermanos a este juguete grande y querido. Desde entonces se convirtió en himno de *SON,* la popular nana catalana:

> *Son, son vine, vine, vine.*
> *Son, son vine, vine, vine son.*

---

recogida en un establecimiento benéfico a la anciana Lydia Noguer Sava y en atención a su ofrecimiento por parte de ella en sufragar los gastos que se ocasionen, después de agotadas las estancias anuales que facilita la Diputación Provincial al Ayuntamiento, o sea sobre el coste de 596 pesetas a los 159 días a 4 pesetas que señala la ordenanza, se acuerda por unanimidad aprobar la petición solicitada por dicha vecina abonando mensualmente 5 pesetas en ayuda a las estancias que se ocasionen después de agotadas las gratuitas. Trasladar el presente acuerdo a la interesada señorita doña Ana María Dalí para su cumplimiento y demás efectos procedentes. Dios guarde a Vd. mucho años. Cadaqués a 3 de julio de 1944. El alcalde interino, Ulises Ballesta.»

A Federico le gustó oír la historia de la barca. La *SON* de horas alegres y temidas para el poeta, que los llevaba a Tudela y al cabo de Creus a través de grandes «temporales» imaginarios. El poeta aprendió pronto el pegadizo estribillo. Cuando fondeaban cantaban a coro:

Son, son vine, vine, vine
Son, son vine, vine, vine
Si la son venia jo m'adormiria
Si la son no vé, jo no dormiré
Son, son vine, vine, vine...

Sueño, sueño ven, ven, ven.
Sueño, sueño ven, ven, ven.
Si el sueño viniese yo me dormiría.
Si el sueño no viene yo no dormiré.
Sueño, sueño, ven, ven, ven...

Gracias a la afición que los hermanos Dalí sentían por la fotografía tenemos hoy una visión de la atmósfera desenfadada y divertida, captada por la rudimentaria *Kodak*. No siempre impresionaba momentos alegres. Algunas veces el entretenimiento revestía carácter de experiencia y estudio, que todos se tomaban muy en serio. Por ejemplo, la composición que Federico ideó un día. Sacaron los discos de *La Voz de su Amo* a la terraza y los esparcieron por el suelo, encima de los guijarros. El sol se reflejaba en ellos transformándolos en negra luna de brillante eje. Ana María, sentada en el suelo, sostenía encima de sus piernas el fonógrafo con un disco. Previamente hizo que su joven amiga se mojara el pelo y lo peinara muy tirante; la cabeza agachada ofrecía a la luz del sol otro radio brillante como el de los discos. Y él mismo disparó la foto, que podemos admirar.

Por entonces el delirio de los *blues* lo constituían Los Revellers y la orquesta de Paul Whiteman. Los preferidos de Salvador, que sonaban a todas horas, eran: *Dinah, Breezing along with the breeze, Moonligth on the Ganges,* por Revellers, acompañado al piano por la orquesta de Paul Whiteman: *Paradise Alley, Where*

«Gracias a la afición que los hermanos Dalí sentían por la fotografía tenemos una visión de la atmósfera desenfadada y divertida, captada por la rudimentaria Kodak.»

the rainbow ends, Somebody loves me, Ukele lady... También se oían las sardanas de Pep Ventura: *La capritxosa, El toc d'oraciò, Per tu ploro.*

La fiesta mayor de Cadaqués era del 25 al 27 de julio. Empezaba el día de San Jaime, seguía el de Santa Ana y acababa al siguiente. El 26, onomástica de Ana María, acudieron a felicitarla muchos amigos. Después de la animada comida se fueron a la plaza a oír sardanas. Una de las notas más simpáticas de las ferias eran los fotógrafos callejeros. Disponían de un telón decorativo, donde había un idílico jardín, un castillo o un palacio de cuento de hadas. Los Dalí, con sus amigos, eligieron la entrada de un palacio, improvisado en la plaza, para retratarse. Federico se sentó en medio del grupo y dio las manos a Ana María y a una amiga; un niño sentado en sus piernas cruzaba sus manos delante, como si fueran las del poeta. En el grupo se encontraban también Salvador, Regino Sainz de la Maza y Víctor Sabater.

Un juego de aquel inolvidable verano de 1927 era el premio del sombrero de copa. Lo obtenía, durante todo el día a modo de decoración, el que hubiera tenido la ocurrencia más inteligente o divertida o ingeniosa. Así en varias fotos lo vemos en la cabeza o en las manos de García Lorca, de Ana María o de su hermano, a quien le gustaba ponérselo vistiendo una camiseta o un albornoz.

Otro entretenimiento era la pantomima del *babouet*. Más tarde Federico se lo recordaría a Ana María en una carta: «Da recuerdos a tu hermano y *Babouet*.» Salvador era el *Babouet*, es decir, el niño pequeño, consentido y antojadizo, que no quiere comer, y se niega a andar. Se tiraba al suelo fingiendo una gran verraquera, imitando voz de niño, se negaba a andar, y tenían que cogerlo cada uno de una mano, y así llevarlo a paseo. Ana María le daba con gran paciencia de comer, mientras Federico le contaba cuentos. Esta tontería era una de tantas bromas como vivían al cabo del día. El *babouet* de Federico tenía otra modalidad. Ana María nos lo ha explicado así: Empezaba a contarle un cuento. El comienzo debía ser muy bonito, atrayente, extraordinario, capaz de captar su atención. Después tenía que asustarlo con algo terrible, para poder consolarlo con un final sorprendente. Co-

«Algunas veces el entretenimiento revestía carácter de experiencia y estudio, que todos se tomaban muy en serio.»

nocemos una carta de Ana María a Federico que sucintamente puede ilustrar esta descripción:

> Querido Federico: Mi hermano está en Figueras muy tranquilo. Tú ya sabes que después de la pintura no se mete en nada.
>
> ¿No has recibido una carta suya en la que te decía le mandaras las letras que tiene que hacer en la portada? Sólo espera esto para mandarte los dibujos.
>
> Ahora está pintando una barbaridad, hace unos cuadros que a mí me gustan muchísimo, a los que llamamos *macatrefos;* no sé si esto quiere decir algo en castellano.
>
> Adiós, babouet, mira... mira qué despacio caminan las estrellas por el cielo y los autos por los bulevares, pero también caminaaaaaaaan ¡las focas! en el Polo Norte y en el fondo del mar nadan las ¡BALLENAAAAAAS!
>
> ¡No llores hombre!, mira a tu derecha, ¿ves? ¿No ves el ángel de la Guarda!
>
> ¿Lloras más? Claro, como le miras entre lágrimas te parece que baila y se burla de ti, pero sécate los ojos... etc.
>
> Adiós, Federico, muy contenta con la canción que me dedicas. ANA MARIE.[16]

Los domingos, Ana María y Federico iban a misa. Salvador no los acompañaba porque decía muy serio: «Yo ya lo he visto.» A García Lorca le entusiasmaba asistir al solemne oficio cantado que tenía lugar los días festivos por la mañana en la hermosa iglesia barroca de Cadaqués. La joya dorada de su altar mayor, las volutas de sus columnas, los altares, el resplandor de los cirios matizaba la gran nave de un tono aurífero. Los cánticos, las casullas de los sacerdotes, de brillantes colores, la música del órgano, el incienso, la luz tamizada creaban una atmósfera que a Federico lo transportaba a un mundo irreal. El altísimo poeta, tan obsesionado siempre por la idea de la muerte, se sentía confiado,

16. García Lorca la llamaba Ana Marie. Archivo particular de la familia García Lorca.

limpio de miedo en aquel clima. «De pie, a mi lado —ha escrito Ana María—, García Lorca parecía en éxtasis. No temía a la muerte entreviendo el esplendor de vida que de ella nacía.»[17] Cuando terminaba el oficio, después de haber permanecido una hora en esa penumbra dorada, entre la luz de los cirios y el oro de los altares, y el sacerdote cantaba el «Ite Misa est», empezaba lo que Federico, de alma andaluza, llamaba el repiqueteo de castañuelas: entonces, en la iglesia, no había bancos, cada cual poseía una silla, cuyo asiento de paja podía levantarse y transformarse en un reclinatorio, y quien no tenía la alquilaba al entrar. Al terminarse la misa, los feligreses empezaban a cerrar los reclinatorios, sillas de tijeras, y éste era el sonido que al poeta le parecían castañuelas. Mientras tanto los monaguillos abrían el gran portal de la iglesia y García Lorca decía: «Ahora abren las puertas para que entre el mar.» El ruido de las olas se hacía más próximo y desde aquella altura el panorama era espléndido.

A la salida Ana María y Federico, que se preocupaba de ella de un modo juvenil, caballeresco y galante, descendían por las empinadas y estrechas calles blancas, hasta la plaza donde estaba la confitería La Mallorquina. Allí compraban los típicos peces de hojaldre de Cadaqués. Estos dulces, en forma de pez, tenían por ojo una guinda. Los había de todos los tamaños, desde un palmo a un metro. También los hacían de mazapán y de cabello de ángel.

A García Lorca no le fue fácil marcharse de Cadaqués. El poeta consideraba «una verdadera delicia vivir aquí», pero sus padres lo reclamaban urgentemente. Cuando decide irse tiene que librar «una verdadera batalla con la familia Dalí», según sus propias palabras, ya que por todos los medios intentaban retenerlo. El sentimiento de tener que alejarse de Cadaqués lo manifiesta en la correspondencia de estos últimos días de su estancia en la playa de Es Llanés. Antes de partir moviliza y alerta a sus amigos. A Melchor Fernández Almagro le pregunta si podía cobrar en la Sociedad de Autores, para que él se encargara de la gestión y enviarle el importe. En otro pasaje de la carta le infor-

17. ANA MARÍA DALÍ, op. cit., p. 128.

ma: «He trabajado bastante en nuevos y *originales* poemas, pertenecientes, ya una vez terminado el *Romancero gitano,* a otra *clase de cosas.*» [18]

A Sebastià Gasch le anuncia su llegada a Barcelona: «El jueves llegaré probablemente a Barcelona y estaré un día. Espero verlo. Seguiré en el hotel Condal. Avise a Muntanyà, si le es posible. Ya tengo que dejar por muchas circunstancias este maravilloso Cadaqués y este amigo tan querido. Y lo hago con verdadero sentimiento.» [19] Firman también Salvador y Regino.

A Manuel de Falla le anuncia su llegada a Granada:

> Mi querido don Manuel: Cuando reciba usted esta carta ya estaré camino de Granada después de dejar con cierta pena esta hermosísima tierra catalana donde tan bien lo he pasado. No se puede usted imaginar lo mucho que lo quieren aquí y cuántas atenciones tengo recibidas por el solo hecho de ser amigo de usted.
>
> Yo le he recordado constantemente mientras se realizaba el decorado de *Mariana Pineda,* lleno de un maravilloso andalucismo intuido sagazmente por Dalí a través de fotografías genuinas y de conversaciones mías exaltadas horas y horas y sin nada de *tipismo.* Ya hablaremos de todo esto y de varios proyectos que tengo y quizá logren interesarle.
>
> Lo de los «autos sacramentales» ha sido por fin un gran éxito en *toda España* y un éxito de nuestro amigo Laroz, que día tras día y modestamente consigue ganar nuestra máxima admiración. Esto me produce una extraordinaria alegría y me demuestra las muchas cosas que se pueden hacer y *que debemos* hacer en Granada. Salude a María del Carmen de mi parte, dele gracias por su tarjeta y reciba usted un abrazo de respetuoso cariño y admiración. FEDERICO.
>
> Hice una exposición de dibujos *obligado* por todos. ¡Y he vendido cuatro! Le envío catálogos de recuerdo. Mil

18. A. GALLEGO MORELL, op. cit., p. 69.
19. O. C., p. 1642.

«Ana María, sentada en el suelo, sostenía encima de sus piernas el fonógrafo con un disco.» (La fotografía la hizo García Lorca.)

Fotografía que se hicieron los Dalí y sus amigos en un fotógrafo callejero. En el grupo están también Regino Sainz de la Maza y Víctor Sabater.

gracias por todo y por su felicitación. Le saluda cordialmente.[20]

Cuando llega a Barcelona se apresura a citarse con Gasch: «Acabo de llegar. Dejo con sentimiento Cadaqués. Le espero a las seis y media en el café de la Rambla. Nos veremos. ¿Podrá ver a Muntanyà?»[21]

El 2 de agosto envía a Madrid un telegrama a Fernández Almagro: «Llegaré mañana expreso.» [22]

Don Salvador Dalí, Regino, Ana María y su hermano compartían la tristeza del amigo «mágico» que se iba, pero Federico dejaba en la casa «algo de la calidad» de su amistad, como le escribiría Salvador a Federico.[23]

Ana María, como Regino Sainz de la Maza, también ha levantado en su espíritu un altar al culto del amigo, y en su casa, donde vivió el poeta, un museo de íntimas evocaciones: cartas, dibujos, fotos..., de Federico, que la virgencilla barroca, la del coral, sigue mirando sonriente. Esta Ana María de fiel recuerdo, una de las primeras cosas que me dijo cuando la conocí, fue: «Federico no ha muerto. Yo, cuando quiero, oigo su risa fresca de niño y su voz me recita, me canta y me acompaña aquella música con que nos deleitaba sentado al piano de mi casa en Fi-

20. MANUEL OROZCO, *Falla*, biografía ilustrada, Destino, Barcelona, 1968, p. 111.

21. O. C., p. 1643.

22. A. GALLEGO MORELL, op. cit., p. 96.

23. «Querido amigo: Estoy hace unas semanas en Cadaqués. Aquí hay una gran tranquilidad y trabajo mucho; el haber vuelto cerca de mis olivares me ha hecho un gran bien; después de todo ha sido un retorno al natural.

»Ahora me preocupa mucho la construcción y arquitectura del paisaje, creo que la pintura tiene aún mucho que ambicionar de la gran ambición de Cézanne "faire du Pounin d'après nature".

»Nuestra casa tiene ya algo de calidad de tu amistad; en la pared blanqueada ha florecido este año la Divina Pastora de Cadaqués; cada mañana este "rincón andaluz" me alegra y hace recordar nuestros cuartos y nuestros chopos de la Residencia de Estudiantes.

»Desearía la dirección de Guillermo de Torre y de Halffter. Tu amigo Salvador Dalí. Mi dirección c. Llané, núm. 1, Cadaqués.» (Archivo particular de la familia García Lorca.)

190

gueras.» A Ana María «sirena y pastora al mismo tiempo, morena de aceitunas y blanca de espuma fría. ¡Hijita de los olivos y sobrina del mar!», como la cantó el poeta, le hemos pedido una semblanza de ese Federico vivo, que ella guarda. Ana María, que conserva intacto el más cálido de los afectos, evoca a un Federico entrañable, emotivo, humano, grande, niño, inmortal:

No conocí a Federico en su ambiente intelectual de conferenciante, en sus brillantes tertulias, ni en sus viajes por España dirigiendo la Barraca...

Le conocí de forma íntima y sencilla porque era amigo de mi hermano y estuvo en casa algunas temporadas.

Mi hermano se pasaba el día pintando en su estudio y Federico, cuando no le miraba pintar, no buscaba más compañía que la mía.

Amigo incondicional, espontánea simpatía, conversación interesante sin proponérselo, a su lado todo parecía vibrar en un mundo mágico.

La cultura de Federico no era de archivo sino muy viva, y con gran inteligencia la aireaba de modo oportuno, convincente y lleno de sugerencias. Se hallaba tan lejos de toda pedantería, que muchas conversaciones serias terminaban en broma por su sentido del humor y su forma de explicar las cosas.

Como es sabido, le gustaba tocar el piano y la guitarra, y cantaba acompañándose de alguno de estos instrumentos, pero Federico no cantaba en el propio sentido de esta palabra. Si bien entonaba perfectamente, su voz afónica no se lo permitía y esta manera de cantar era de un atractivo incomparable, igual que el de su sonrisa, que daba a su rostro, que no era bello, una gran belleza.

Le gustaba decir tonterías, inventar palabras, poner motes y gastar bromas. Bromas de una increíble y sorprendente ingenuidad. Su risa era abierta, franca, contagiosa y su alegría muy infantil.

Sin embargo, Federico pasaba por momentos de profunda tristeza. En esos momentos su rostro, de sonrisa luminosa y de mirada atenta, como si intentara averiguar el verdadero sentido de las palabras y de las cosas, se desvanecía, y parecía un rostro duro y preocupado y unos ojos sin expresión porque miraba hacia dentro.

Alguien que no le conociera bien podía suponer que tenía dos personalidades. No era así. No se trataba de dos personalidades, sino de dos facetas de la misma personalidad. No era cara y cruz, sino luz y sombra.

¡Al evocarle, su recuerdo se me aparece vivo irradiando con gran fuerza simpatía y ternura!

Recitaba sin la menor afectación, pero insinuante como si contara algo mágico y debía de serlo porque los que le escuchaban quedaban hechizados aun sin entender el sentido de sus versos.

Su voz era afónica, pero muy matizada, y todos cuantos tuvimos la suerte de oírle podemos escucharla todavía.

Su voz era algo muy especial, muy bello y totalmente inolvidable. Tan inolvidable como la genial y extraordinaria personalidad que bajo el nombre de «Federico» vivió entre nosotros con la mayor sencillez.

A los pocos días de llegar a Granada, Federico escribe a Ana María Su recuerdo le obsesiona. Le pide perdón «rodilla en tierra» por su *grave* enfermedad de garganta, para la cual su joven amiga desplegó tanta solicitud y ternura:

> *Ecos de manos blancas*
> *sobre su frente fría...*

García Lorca recuerda todos los detalles de la casa de Es Llanés y siente la añoranza del despertar por la mañana y encontrarse con «aquello». Aquello era una visión espléndida del mar, que veía desde la ventana de su cuarto, con unas aguas teñidas de tiernos amarillos y naranjas, de un sol recién nacido:

Querida Ana María: Llevo ya varios días en Granada y cada momento tengo necesidad de hacer un retrato tuyo a

mis hermanas, que constantemente me preguntan por ti.

Lo he pasado tan bien en Cadaqués, que me parece un sueño bueno que he tenido. Sobre todo al despertar y encontrarse «con aquello» que se ve desde la *ventana.* Mis ángeles buenos eran el precioso beato Salvador de Horta y Puig i Pujades, que lo regaló. Ahora recuerdo hasta el menor detalle de mi estancia en tu casa. Y te pido perdones, rodilla en tierra, por algunas cosillas en que sin querer no haya estado completamente bien, como ha sido mi *grave* enfermedad de garganta que tantos latazos te ha dado.

Aquí me ha visto el médico y dijo que era una pequeña faringitis y que no ha tenido importancia aunque es molesto. Ya me lo había dicho Enriquet.[24] Ahora, estoy, como sabes, en la Huerta de San Vicente, junto a Granada, y dentro de varios días marchamos a la sierra de Lanjarón y después a Málaga a terminar el verano. Aquí estoy bien. La casa es muy grande y está rodeada de agua y árboles corpulentos, pero *esto no es verdad.* Aquí existe una cantidad increíble de *melancolía histórica* que me hace recordar esa atmósfera justa y neutral de tu terraza, en donde a veces la Lydia pone un chorro de pimienta fuerte que hace resaltar más todavía la gracia visible del aire. He recibido *L'amic de les Arts* y he visto el prodigioso poema de tu hermano. Aquí en Granada lo hemos traducido y ha causado una impresión extraordinaria. Sobre todo a mi hermano, *que no se lo esperaba,* a pesar de lo que le decía. Se trata sencillamente de una prosa nueva llena de relaciones insospechables y sutilísimos *puntos de vista.*

Ahora, desde aquí, adquiere para mí un encanto y una luz inteligentísima que hace redoblar mi admiración.

Yo empiezo a trabajar (en cosas muy malas, naturalmente), pero que me distraen y hacen alegre esta monotonía subrayada en que estoy. Espero que me escribirás y darás noticias de todo lo que pase en Cadaqués y cómo

24. *Enriquet* era el jardinero de la casa de los Dalí, que también hacía de marinero, y llevaba la barca cuando salían de excursión.

sigue el mar y cómo están de salud María, Eduard y la Margarita petita. Le darás recuerdos a Rosita muy cariñosos y cantaréis en mi recuerdo «una vez un choralindo»... etcétera. ¡Échale maíz a las ocas!

Saluda a Raimunda.

Adiós, Ana María: el osito me ha puesto una postal contándome no sé qué cosa de Marquina y diciéndome que casi me habéis olvidado, pero que él no puede olvidarme por la admiración que me tiene y por lo bien que lo he tratado.

Dentro de varios días le mandaré un bastón. Te ruego se lo digas.

Saluda a tu hermano el tontito (¿sabes?) ¿chaves?

Recuerdos a tu padre y tú recibe el mejor recuerdo y el cariño de tu amigo FEDERICO.

Escríbeme y cuéntame lo que pinta tu hermano.

¡Envíame las fotos! ¿No quieres?

Cuando García Lorca recibe las fotos, le escribe:

Querida Ana Patera y Seachera de Cuca: Recibo tus preciosísimas fotos y tus lindos dibujos en cama.

He estado cuatro días malísimo con *cuarenta grados*. He tenido una grave intoxicación y gracias a Dios que no me he muerto, pero he estado muy mal. Hoy, sentado en la cama, te escribo para darte las gracias, gracias monísimas, pitíticas, y mandarte estas fotos de mis hermanas. No están muy bien, pero se conoce que son ellas. Te las han firmado.

Yo no puedo escribir mucho porque tengo la cabeza mareada. Pero lo hago en prueba de cariño y amistad, pirulita.

A don Osito Marquina le contestaré muy pronto.

Es mono y remono.

Adiós, hasta que esté mejor, que te escribiré. Recibe mil afectos de tu amigo tan seachero, FEDERICO.

Querida Ana María: No te he contestado antes porque he representado durante varios días un magnífico *ataque* de fiebre, y lo he tenido que atender como realmente se merecía.

Me empezó con un temblor delicadísimo parecido a un *tempo rubato* de Chopin, que yo convertí en un ritmo serio y acusado con objeto de gustar a la familia y hacerles subir y bajar las escaleras con gran confusión. Salía muy bien.

Pero yo tengo un sentimiento grande de que el ataque no haya sido de *caries,* que son los más suntuosos, los mejor organizados y los más alarmantes sin consecuencia. Éste ha sido intenso y me ha dejado amarillo, con las orejas de papel. Ya se ha pasado.

Como hace buen tiempo, las señoritas de Granada se suben a los miradores encalados para ver las montañas y no ver el mar. Las rubias se ponen al sol y las morenas a la sombra. Las de pelo castaño están en el primer piso mirándose en los espejos y poniéndose peinillas de celuloide.

Por las tardes se visten con trajes de gasas y sedalinas vaporosas y van al paseo, donde corren las fuentes de diamantes y hay viejos suplicios de rosas y melancolías de amor. Luego se hartan de pasteles y bombones de chocolate en una tienda que se debía llamar París de Francia, pero que se llama La Pajarera. La vida social de Granada es prodigiosa de poesía y putrefacción lírica.

La flora mediterránea brilla aquí con toda la delicadeza de sus grises maravillosos. Pitas y olivos. Pero las señoritas de Granada no quieren al mar. Tienen grandes conchas de nácar con marinas pintadas y así lo ven; tienen grandes caracolas en sus *alas de estrado,* y así lo oyen. Dichosa tú, Ana María, sirena y pastora al mismo tiempo, morena de aceitunas y blanca de espuma fría. ¡Hijita de los olivos y sobrina del mar!

Ya estoy un poco fastidiado en Granada. Quiero marcharme de aquí. Alguna vez, y quizá sea pronto, tendré el gusto de saludarte.

Hasta entonces recibe la *millor* amistad de FEDERICO.

¡Ya vienen las bestias! [25]

¿Has visto cuántas bestias han ido al homenaje de Rusiñol?

Sí.

Querida Ana María: Recibo en Granada tu carta deliciosa. Nunca te he olvidado, y si no te he escrito antes no ha sido por culpa mía, sino por culpa de mis días un poco tontos de Madrid. Ahora en Andalucía soy otro. El mismo que estuvo en Cadaqués. ¡Cuántas veces me he recordado de aquel verdadero conato de naufragio que tuvimos en Cap de Creus! ¡Y qué rico aquel conejillo que nos comimos con sal y *arena* al pie del águila naranja! Aquel mar es mi mar, Ana María.

Es muy bonito lo que me dices de mis pobrecitos guantes... (que eran prestados para poder presumir en tu casa), muy bonitos.

En los guantes y en los sombreros está toda la personalidad cuando se ha usado y *empapado*. Dame un guante y diré el carácter de su dueño... En los desvanes de la casa Pichot debe haber guantes de todos ellos, negros, de cabritilla, blancos pequeñitos de primera comunión, de punto..., debe ser impresionante verlos en el cesto de mimbre..., sobre todo los de la madre, ¡y el ruido del mar! No quiero pensar en este tema de Ibsen. Pensemos en la *Niní* que viene vestida de Orfeo cantando como un marinero borracho sobre una concha de hojalata.

25. En Barcelona existe una asociación que se llama El Arca de Noé. Cada uno de sus miembros tiene por nombre señor Gallo, señor Lobo, señor Conejo... Su fundador fue Santiago Rusiñol. Un grupo de amigos de Josep Maria de Sagarra, pertenecientes al Arca, estuvieron en el verano de 1927 en Port de la Selva, después anunciaron que irían a visitar a García Lorca, a Cadaqués. El día de su llegada la familia Dalí y sus invitados los esperaban. Federico estaba en su habitación cuando Ana María los vio llegar por el camino, y empezó a llamar a Federico a grandes gritos para anunciarle que llegaban, pero en aquel momento no recordaba el nombre de la asociación y le dijo: «¡Federico, baja que ya vienen las bestias!» Al poeta andaluz le hizo tanta gracia, que la frase se quedó de muletilla.

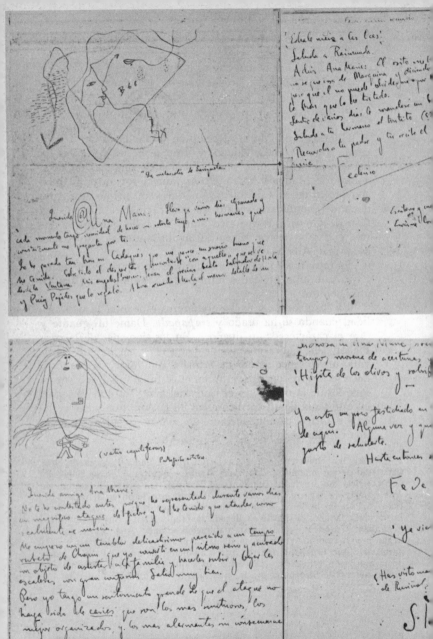

Las hermanas de García Lorca en una foto
firmada por ambas para Ana María Dalí.

Cartas de García Lorca a Ana María Dalí, en las que el poeta
recuerda con nostalgia su reciente estancia en Cadaqués.

Me dices que has pasado un verano delicioso, y me alegro mucho. Un verano de canoas y gestos clásicos. Yo, en cambio, lo he pasado bastante mal. He trabajado mucho, pero tenía una ansiedad enorme por estar en el mar. Luego estuve y me he curado completamente. Puedo decir que Málaga me ha dado la vida. Así pude terminar mi *Ifigenia*, de la que te enviaré un fragmento...

¿No conocías a Halffter? ¿Verdad que es un tonto muy interesante? Tiene la *bobería* suficiente para llegar a ser un gran artista. ¿Por qué no vienes tú y tu hermano a Granada? Mis hermanas te escribirán invitándote. Saluda a tu tieta y a tu padre, a quienes agradezco tantos favores y cordialidades; recuerdos a Salvador, y sabes que no te olvida tu amigo FEDERICO.

Y amigo de Cataluña entera, ¡eso siempre! Visca!

¿Qué te parece, Ana María, el retrato de tu señorito hermano? Escríbeme diciéndolo. No te olvides de este pobre *náufrago* andaluz.[26]

A la reiterada invitación de Federico a los hermanos Dalí para que vayan a Granada, Salvador le escribe en un tono afectuoso y con una sensatez y equilibrio desacostumbrado:

Querido Federico: Te escribo lleno de una gran serenidad y de una santa calma; verás: ya hace un poco de mal tiempo en este bendito setiembre, llueve, hace viento, ancla con barco en el puerto; eso hace sentir más el interior, y los ruidos suaves de los trabajos, suaves y quietos en los interiores... Mi hermana cose ropa blanca a mi lado, cerca de la ventana, en la cocina se hacen confituras y se habla de poner uvas a secar, yo he pintado toda la tarde 7 olas duras y frías como son las del mar... mañana pintaré 7 más; estoy tranquilo porque las he pintado bien; además, el mar cada vez se parece más al que yo pinto.

26. Las cartas de Federico a Ana María Dalí están recogidas en las Obras Completas del poeta.

Resulta también que San Sebastián es el patrón de Cadaqués, ¿te acuerdas de la ermita de San Sebastián en la montaña del Poni?

Pues bien hay una historia que me la ha contado la Lydia, una historia de San Sebastián que prueba lo atado que está a la columna, la seguridad de lo intacto de su espalda.

¿No habías pensado en lo *sin* herir del culo de San Sebastián?

Pero dejo eso; voy a contestarte a tu carta de situaciones, *como viejos* amigos que ya somos.

Tú no vas a hacer oposiciones a *nada,* convence a tu padre de que te deje vivir tranquilamente sin esas preocupaciones de aseguramientos de porvenir de trabajo, esfuerzo personal y demás cosas... publica tus libros, eso te puede dar fama... América, etc., con un nombre irreal y no legendario como ahora, todo Dios te estrenará lo que hagas, etcétera, etcétera.

Yo sueño en irme a Bruselas para copiar a los holandeses en el museo, mi padre está contento del proyecto... ¿Venir a Granada? No te quiero engañar, no puedo, por Navidad pienso hacer una exposición en Barcelona que sea algo gordo, hijo, tengo que trabajar esos meses como ahora, todo el santo día sin pensar en nada más. ¡Tú no puedes darte cuenta cómo me he entregado a mis cuadros, con qué cariño pinto mis ventanas abiertas al mar con rocas, mis cestas con pan, mis niñas cosiendo, mis peces, mis cielos como esculturas!

Adiós, te quiero mucho, algún día volveremos a vernos, qué bien lo pasaremos.

Escribe, adiós, adiós, me voy a mis cuadros de mi corazón.[27]

Poco tiempo después Salvador continúa embriagado con su pintura y le confía a su amigo:

27. Archivo particular de la familia García Lorca.

Federico: Estoy pintando unos cuadros que me hacen morir de alegría, estoy creando con una pura naturalidad sin la más mínima preocupación artística, estoy hallando cosas que me dejan una profundísima emoción, y procuro pintarlas honestamente, o sea exactamente, en este sentido estoy llegando a una total comprensión de los sentidos. A veces me parece hallar de nuevo y con una intensidad imprevista las ilusiones y alegrías de mi infancia... tengo un gran amor a las hierbas y a las espinas de la palma de la mano, a las orejas rojas al contra sol y a las plumitas de las botellas; no sólo me alegra todo esto sino también las vides y los burros que pueblan el cielo.

Ahora pinto una mujer muy hermosa, sonriendo, crispada de *plumas de todos los colores,* sostenida por un pequeñito dado de mármol *incendiado*; el lado del mármol es sostenido a su vez por un humito abatidito y quieto, en el cielo hay burros con cabezas de loritos, hierbas y arena de la playa.[28]

Salvador era todavía el gran amigo de Federico y también el muchacho de fondo tierno, humano, poético y sensible, que conocimos en 1925.[29] Pero «su punto de extravagancia, que no

28. Archivo particular de la familia García Lorca.
29. Para quien interese conocer el Dalí que mereció la amistad y admiración de García Lorca, transcribimos unos fragmentos de las críticas que inspiraban sus exposiciones en aquellos años:
«A los veinte y un años lo que hace este hombre es sorprendente y tenemos la seguridad de que a través de todas las rebuscas, se hallará al fin a sí mismo que, de toda la exposición, es lo que más nos interesa, él, queremos decir ese fondo tierno, humanísimo, poético y romántico que se trasluce en su pintura, en la que una vez más repite el tema de un perfil de muchacha que mira al mar por una ventana.» *Gaceta de les Arts,* diciembre de 1925.
«Recuerdo una de sus telas memorables, una tez femenina en escorzo con jóvenes trenzas, unas paredes blancas con ventanas y un lejano paisaje con olivos, por las colinas, precisos, evocando cosas imprecisas, pero transformados todos los elementos, humanizados por el espíritu de la figura contemplativa al contraluz de una ventana, imagen elocuente y sencilla de una filosofía, alma considerativa de la realidad viva e indiferente. Salvador Dalí por esta sola obra merece que se le conceda un lugar entre los

era tal sino espontaneidad, humorismo y necesidad de proyectar en todos sentidos su fecundo pensamiento, se transformó al contacto con las gentes surrealistas de París en insinceridad, agresividad y despotismo», dice Ana María, la hermana del pintor.

---

espíritus selectos de nuestra época que son el mayor orgullo de nuestra cultura.» *Gaceta de les Arts*, Barcelona, 1-11-1926.

«Tenemos la absoluta seguridad de que si el joven artista no divaga será uno de los que darán más gloria a la pintura catalana de nuestro siglo...: Así tanto las muchachas catalanas que ha interpretado con una comprensión absoluta, como el mar que ellas contemplan de espaldas al público, o los mansos que les pone el pintor en la lejanía, contienen una serenidad de arte que ha alcanzado un vibrante y casi sutil idealismo de tan intensamente como ha sabido entrar en las entrañas de la tierra y en las profundidades del mar y de tan espiritualmente como ha sabido esculpir los cuerpos virginales que loa con una nobleza soberana.» *D'ací i d'allà*, Barcelona, enero de 1926.

«Este Dalí es un virtuoso de lo esencial, casi un enfermo del virtuosismo. Es él quien debe gobernar este don de Dios que son sus facultades, espíritu lleno, verdadero jardín de inquietudes... Un gran ideal, una gran ambición de ideal únicamente puede encauzarlos. Atar el carro a una estrella es esto lo que deben hacer estos potros con demasiada sangre en las venas. Esto es lo que hace falta, una alta misión, tan alta como sus facultades, más alta aún si es posible que ciertamente en Cataluña un Rafael no nos estorbaría y ningún profeta ha anunciado que algún día no lo tuviéramos.» *Gaceta de les Arts*, Barcelona, 1-2-1927.

García Lorca y las tertulias catalanas

«Quien apetezca embriagarse de sabrosa espontaneidad y de multiforme comprensión, acuda al peripatético cónclave lorquiano, que diariamente inicia sus crónicos viajes en *Tostadero*[1] o en las galerías del mago manresano Dalmau. Camaradería: Barradas, Góngora, los Sainz de la Maza, Gutiérrez Gili, Sucre, Sánchez Juan, Dalí...»[2] Esto pertenece a la sección de «Postales Ibéricas de Cataluña» que, con el seudónimo de Peer Gynt, firmaban en 1927 José María de Sucre y Juan Alsamora, en la madrileña *Gaceta Literaria.*

¿Cómo era este Federico barcelonés que presidía tan nutrida asamblea artística? Lluís Muntanyà nos ha descrito su recia estampa andaluza en la revista *L'amic de les Arts,* que dirigía Josep Carbonell, en Sitges. En el número del 16 de junio de 1927, el escritor vanguardista catalán le dedica una extensa y vibrante crítica al recién aparecido libro *Canciones,* del poeta granadino, y nos lo pinta así: «... de piel morena, ojos brillantes y vivísimos, cabello negro y espeso; ademán cordial, vehemente y enérgico, con intermitencias lánguidas; carácter apasionado, joven, impulsivo —ampuloso y conciso a la vez—, de una imaginación velocísima; un clavel rojo en el ojal del terno gris; exaltador nobi-

1. El Tostadero era un café muy popular, situado en la plaza de la Universidad barcelonesa.
2. *La Gaceta Literaria,* Madrid, 1-17-1927.

lísimo de todas las amistades; cada frase contiene una idea y cada palabra un verso.»

El entusiasmo de Lluís Muntanyà por la poesía de Federico, que le dedicará «La degollación del Bautista», fue fulminante. Su admiración y su amistad crecieron juntas desde la tarde del domingo en que Gasch los presentara en la tertulia del café Oro del Rhin.

Un vivo interés por el poeta dominó en seguida las íntimas preocupaciones que aquel día eran álgidas —escribe Muntanyà—. Apenas recitados —admirablemente recitados— los primeros versos, nuestra admiración adquirió forma tangible y comprendimos que nos encontrábamos ante un auténtico poeta. Y, al hablar de admiración, no nos referimos a aquella que consiste en quedarse boquiabiertos —cómoda postura irresponsable— sino, ante todo, al reconocimiento de un vibrante temperamento poético, de una pasmosa aptitud para la imagen rápida y modernísima y un sentido formidable del ritmo y de la lírica. Nuestra simpatía por Federico García Lorca, rápidamente mudada en una buena amistad, nos ha dado ocasión de conocer la mayor parte de su obra. Obra poco copiosa, por la intensa disciplina y la exigencia del autor consigo mismo, pero que posee una fuerza de atracción poderosísima. Así, nosotros, que sin la coincidencia de su llegada a Barcelona, para asistir al estreno de *Mariana Pineda,* y la trayectoria de Dalí-Barradas-Gasch, es muy probable que no hubiésemos conocido nunca al poeta andaluz, nos encontramos hoy haciendo su elogio sincero y apasionado... con muchas pruebas de admiración y grandes gesticulaciones de entusiasmo... Los versos de Federico García Lorca son una cantera inagotable de elementos novísimos. Todo su libro hierve (bulle) de imágenes audaces, entrelazadas, como en la armadura simbolista de las esquinas sensoriales, que esmaltan brillantemente su poesía, austera por vocación, como amapolas que irrumpen con violencia inusitada en medio de la plácida superficie isocroma de un campo de trigo:

El escándalo temblaba —rayado como una cebra.
La noche espolea —sus negros ijares— clavándose estrellas.
Largo espectro de plata conmovida
el viento de la noche suspirando...

Y así hasta el infinito. Es el triunfo de la nueva estética, de la sensibilidad moderna.[3]

La integración de García Lorca en el mundo intelectual barcelonés tuvo como signo particular la espontaneidad. En Madrid había vivido en una atmósfera más hermética y desfavorable al arte moderno. De ahí el deslumbramiento del poeta, en 1925, cuando estableció contacto con la cultura catalana. De entrada no encontró la menor dificultad, ni siquiera la de la lengua. El grupo de intelectuales de *L'amic de les Arts* acogió por vez primera versos castellanos en sus páginas. En ellas estrenó letra impresa el poema de García Lorca *Reyerta de gitanos,* el mismo que, más tarde, envió a Jorge Guillén con el nombre de *Reyerta de mozos.* En la revista catalana apareció así:

A la mitad del barranco
las navajas de Albacete,
bellas de sangre contraria,
relucen como los peces.

Una dura luz de naipe
recorta en el agrio verde,
caballos enfurecidos
y perfiles de jinetes.

En la copa de un olivo
lloran dos viejas mujeres.
El toro de la reyerta
se sube por las paredes.

3. *L'amic de les Arts,* Sitges, julio 1927.

**García Lorca y Dalí en una instantánea
tomada por un fotógrafo callejero, cuando
el artista catalán hacía el servicio militar**

Ángeles negros traían
pañuelos y agua de nieve.
Ángeles con grandes alas
de navajas de Albacete.

Juan Antonio, el de Montilla,
rueda muerto la pendiente,
su cuerpo lleno de lirios
y una granada en las sienes.
Ahora monta cruz de fuego
carretera de la muerte.

El juez con guardia civil,
por los olivares viene.
Sangre resbalada gime
muda canción de serpiente.

Señores guardias civiles,
aquí pasó lo de siempre.
Han muerto cuatro romanos
y cinco cartagineses.

La tarde loca de higueras
y de rumores calientes,
cae desmayada en los muslos
heridos de los jinetes.

Y ángeles negros volaban
por el aire de Poniente.
Ángeles de largas trenzas
y corazones de aceite.

Lanjarón (Granada), 1926

El poema sufrirá posteriormente alguna modificación. En la
edición definitiva suprimió «de gitanos» y quedó en «Reyerta».
El poema presenta también dos variantes más: En la primera es-

trofa decía: «A la mitad del barranco.» La preposición inicial *A* la sustituyó por *En,* y el antepenúltimo verso: «por el aire de Poniente», lo modificaría así: «por el aire del poniente». También serían alterados el ritmo y la puntuación. La primera versión el poeta la dedicó «A mis amigos de L'amic de les Arts», mientras que en la edición definitiva, lo hizo «A Rafael Méndez». El poema está ilustrado por un dibujo de Dalí a García Lorca, fechado en 1927. El poeta figura de cuerpo entero, con las manos cruzadas. El pintor ampurdanés lo tituló: «Federico en la playa de Ampurias.» Dalí plasmó a Federico en la misma actitud en que el poeta posó, al lado del pintor vestido de soldado, ante un fotógrafo callejero, con un telón forestal por fondo, cuando el artista catalán prestaba servicio militar. El poeta debió de conocer el dibujo antes de llegar a Barcelona, en 1927, ya que, nada más desembarcar en la Ciudad Condal, se apresura a hacerse una fotografía en la plaza de Urquinaona, en la misma pose en que lo ha dibujado Salvador. En la postal escribe *Urquinaona,* que era una de esas palabras que le caían en gracia al poeta, y en el lado derecho de la foto, saliendo de su boca, a guisa de saludo pone *¡Hola, hijo! ¡Ya estoy aquí!* Encima de su cabeza dibuja dos arcos, a modo de corona celestial, a sus pies traza una especie de plinto y *anima* la postal con otros dibujos, enviándola a Figueras.

Después de Salvador Dalí, Sebastià Gasch fue, en aquella época, el más íntimo amigo de Federico en Cataluña. Amistad que el granadino cultivó con auténtico interés y afecto:

27 de noviembre 1927. — ¡Querido Gasch! ¡Querido! No se justifica mi silencio. Muchos días de trabajo y muchos días de conflictos. Pero siempre tu recuerdo a mi lado. Y tu recuerdo es de mis mejores cosas. No achaques a *disgusto* mi silencio estúpido, ni lo achaques a olvido. La culpa la tienen el aire, el tiempo, las cosas exteriores. Tú lo sabes bien. He hablado de ti en todas partes y te he recordado más que si te hubiera escrito. En el próximo número de la *Revista de Occidente* te dedico un ensayo en prosa que ya

verás. Vivo en la Residencia. Abraza a los amigos y recibe el más entusiasta abrazo de tu amigo pródigo, FEDERICO.[4]

Algunas de las tertulias, a las que acudían a diario, tenían días señalados: La del Ateneíllo de Hospitalet, los domingos; la del Gran Café Colón, la de los superrealistas, en la plaza de Cataluña esquina al paseo de Gracia, los lunes. La peña del café Colón la habían fundado Lluís Muntanyà, Manuel Font, Víctor Sabater y Sebastià Gasch. Al decir de este último, la tertulia del Colón «daba más que ninguna otra la impresión de la vida verdadera, real, vibrante, de la ciudad».[5] Sus componentes eran jóvenes de gran vitalidad espiritual, alegres, agudos, burlones. Su actitud crítica y sus despiadados ataques a lo que a sus ojos no eran sino seudovalores, podían disculparse habida cuenta la intención que los guiaba: la búsqueda de lo auténtico. Asistían con asiduidad a ella Arturo Perucho, Juan Chabás, Ángel Ferrant, Guillermo Díaz-Plaja, José Luis Sert, Juan Prats, Manuel Font. A veces recalaban allí Josep Maria de Sagarra, Rosendo Llates, José M. Planas, Mauricio Serrahima, Salvador Dalí, y también Max Aub, García Lorca... cuando estaban en Barcelona.

El hotel Colón, derribado en beneficio de una empresa bancaria, había visto nacer en sus salones otras manifestaciones artísticas y culturales de muy singular impronta: el GATCPAC (Grupo de Artistas y Técnicos Catalanes para el Progreso de la Arquitectura Contemporánea), fundado por José Luis Sert, José Torres Clavé, Germán Rodríguez Arias, Antonio Bonet y Sixto Illescas, entre otros. El crítico de arte Cesáreo Rodríguez Aguilera ha señalado que: «... una de las actividades que revelan bien claramente el propósito y la finalidad del GATCPAC es "la ciudad del descanso y de las vacaciones", proyectada para ser realizada entre Gavá y Castelldefels, como un desarrollo natural de Barcelona, como una proyección social y humana hacia la naturaleza y el campo.» Uno de los más fervientes colaboradores del

4. Cartas de Federico a Sebastià Gasch. Obras Completas.
5. SEBASTIÀ GASCH, «A la luz del recuerdo», *Diario de Barcelona*, 25-7-1972.

GATCPAC, en el terreno cultural, fue el poeta Carles Sindreu, «un hombre que admiraba sinceramente a sus amigos —ha escrito Gasch— y que se sentía feliz siendo espectador de la felicidad de los demás». Nos consta que éste era también el talante espiritual colectivo de los hombres del GATCPAC. En 1932, como consecuencia natural de las actividades del GATCPAC, nace el grupo ADLAN (Amigos del Arte Nuevo), bajo la dirección de José Luis Sert, de Joan Prats, de Joaquín Gomis y de Carles Sindreu, cuyo objetivo esencial era el de divulgar en nuestro país lo que acontecía por otras latitudes, poner en onda a una sociedad, la nuestra, arrellanada de ordinario en el más beato de los conformismos, y rescatar, de la indiferencia unas veces y del ostracismo, cuando no del desprecio, otras, a artistas ibéricos de positivo valor. En su manifiesto, el llamamiento se centraba en la necesidad de «proteger y de dar calor a toda manifestación arriesgada que comporte un deseo de superación». Una de las más importantes manifestaciones realizadas por ADLAN fue la primera exposición de Picasso en Barcelona, mediada la República. A las generaciones futuras ADLAN legaría, entre otros valiosos testimonios, un número extraordinario de la revista *D'ací i d'allà*, dedicado a la exaltación del arte moderno, publicado a fines de 1934, cuya cubierta fue dibujada por Joan Miró.

Carles Sindreu, poeta y escritor catalán, y deportista, en el más noble sentido de la palabra, fue «el espíritu entusiasta de ADLAN». Su amistad con García Lorca no enmudeció nunca y cuando hablaba de él lo hacía con acentos de amistad viva, emocionadamente a flor de piel. Carles acaba de dejarnos, sin el previo aviso de su tierna sonrisa que ni los años ni los tiempos habían conseguido apagar. Me dejó plantada un domingo por la mañana. Pero, antes de emprender el largo camino ordenó material para este libro, que veía nacer con tanta ilusión. Y también redactó unas cuartillas dedicadas al poeta granadino: un ramillete de recuerdos que me ofreció, con el frescor y el aroma de lo auténtico. Las escribió cuando faltaban minutos para que su navegar por el río claro de su vida se interrumpiera. Filo, mujer excepcional, dulce, sencilla, inteligente, la compañera de Carles, me llamó aquel domingo que iba a pasar con ellos en La Garriga, y con una voz marchita pronunció unas palabras increíbles: «Antonina, Carles se ha ido.»

Algunas tertulias barcelonesas eran frecuentadas por un mundillo heterogéneo, pero otras estaban constituidas por grupos afines de escritores, poetas, músicos y pintores, como la del Lyon d'Or. La sala de este local era inmensa, algo destartalada, con una decoración pintoresca, casi como de viejo castillo, con panoplias de flechas, dagas, espadas y sables, banderas y armaduras. A ella acudían Xavier de Salas, Luis Santa Marina, Xavier Regás, José Jurado Morales, Díaz-Plaja y los pintores Grau Sala, José María Prim, José Miguel Serrano... Tenía un portavoz: la revista *Azor,* en cuyas páginas se podía leer a clásicos olvidados al lado de la producción lírica moderna. *Ágora* y la *Hoja Literaria* eran publicaciones hermanas de *Azor.* Otra tertulia literaria que también gozaba de mucho prestigio era la del café de la Rambla, propiedad de Miguel Regás, situado en la Rambla, esquina a la calle de Canuda, cuyos principales animadores eran los poetas Carles Riba y López Picó. Con todo, el conclave intelectual más «acreditado y temido», era el del Ateneo, llamado «peña del doctor Borralleras». Alrededor de Joaquín Borralleras se congregaban las personalidades preeminentes en los ámbitos políticos y en los medios culturales de Cataluña, de España e incluso extranjeras, a su paso por Barcelona.[6]

6. La Peña del Ateneo barcelonés, famosa en su tiempo, porque la vida política y literaria catalana se amasaba allí, estaba compuesta por:

El doctor Joaquín Borralleras, de quien la peña tomaba el nombre.
El abogado y gran jurista Enric Jardí, padre del actual crítico de arte del mismo nombre.
El abogado y diputado a Cortes por la Lliga Pere Rahola.
El abogado, poeta, novelista y crítico literario Alexandre Plana.
El abogado y jurista de Derecho marítimo, poeta en su juventud, Vicens Solé de Sojo.
El poeta Josep Maria de Sagarra.
El director de *El Día Gráfico* y *La Noche,* escritor Marius Aguilar.
El periodista, director de *Mirador,* Just Cabot.
El director de *La Publicitat,* Carles Capdevila.
El pintor Domènec Carles.

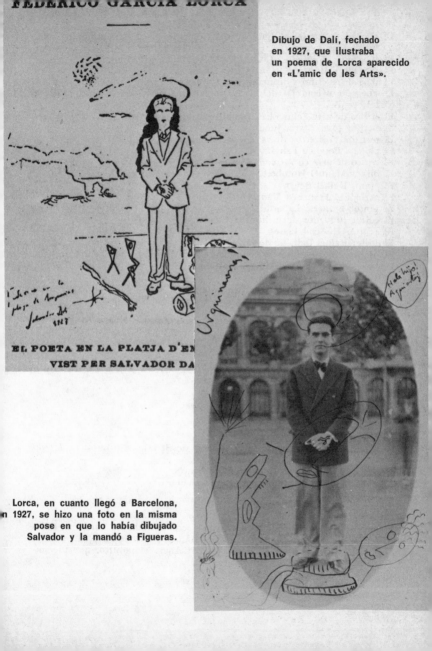

Dibujo de Dalí, fechado
en 1927, que ilustraba
un poema de Lorca aparecido
en «L'amic de les Arts».

EL POETA EN LA PLATJA D'EN
VIST PER SALVADOR DA

Lorca, en cuanto llegó a Barcelona,
en 1927, se hizo una foto en la misma
pose en que lo había dibujado
Salvador y la mandó a Figueras.

El abogado y consejero que fue del Gobierno de la Generalitat de Catalunya Pere Comas.

El abogado y diputado a Cortes por la República Joan Lluhí.

El abogado y diputado a Cortes Joan Casanelles.

El abogado, escritor y diputado Pere Coromines.

El abogado y concejal del Ayuntamiento de Barcelona Estanislau Duran i Reynals.

El crítico de arte Felíu Elías, como dibujante *Apa* y como crítico *Joan Sacs*.

El escritor Josep Maria Junoy.

El escritor y director de la Fundació Bernat Metge, Joan Estelrich.

El filólogo Pompeu Fabra.

El crítico de arte en *Mirador* Màrius Gifreda.

El pintor Manuel Humbert.

El pintor Rafael Benet.

El periodista Francisco Madrid.

El pintor Francesc Labarta.

El editor fundador de la librería Catalonia Antoni López Llausàs.

El escritor Rossend Llates.

El doctor Rafael Dalí, tío de Salvador Dalí.

El escritor August Matons, presidente que fue del INLE en Barcelona.

El crítico musical Rafael Moragas «Moraguetes».

El escritor Josep Pla.

El poeta Josep Selva, hoy secretario de la Junta de Museos de Barcelona.

El periodista, director de *El be negre,* Josep Maria Planas.

El comediógrafo Josep Pous i Pagés.

El escritor y filósofo Francesc Pujols.

El poeta Carles Riba.

El periodista Carles Sentís.

El pintor Pere Inglada.

El pintor Lluís Mercader.

El marchante Josep Dalmau.

El periodista Xavier Regás.

El escritor Carles Soldevila.

El escritor Joan Baptista Solervicens.

El periodista Joan Tomás.

El periodista Eugeni Xammar.

El periodista y concejal del Ayuntamiento de Barcelona, director de *L'Opinió* y de *La Rambla,* Joaquim Ventalló.

El abogado y catedrático Josep Quero Molares.

El abogado Eduard Ragasol, que fue diputado.

El abogado Eduard Sagarra.

El periodista Manuel Brunet.

El pintor Xavier Nogués *Babel.*

Por esta peña, a la que acudía cuando se encontraba en Barcelona Federico García Lorca, desfilaron también Miguel de Unamuno, Pío Baroja, el notario Salvador Dalí, el poeta Josep Carner; el político, que fue mi-

Cuenta Gasch que una tarde tenía que entrevistarse allí con un amigo y García Lorca lo acompañó. En el jardín de la ilustre entidad lo presentó a unos insignes ateneístas. Tras las palabras de rigor, uno de los presentes, con mirada capciosa, cargada de sobreentendidos, preguntó a Federico, en un tono de superioridad parecido al que hubiese empleado para dirigirse a un provinciano:

—¿Y usted de dónde es, joven?

El poeta, que captó en el acto la atmósfera discriminatoria que destilaba el seudocatalanista, alzando el brazo con teatral solemnidad, como solía hacer cuando mimaba alguna declaración trascendente, contestó a su interlocutor:

—¡Soy del reino de Granada!

En 1927, García Lorca estuvo en Sitges por primera vez. Josep Carbonell, director de *L'amic de les Arts,* lo invitó junto al grupo de colaboradores de su revista. Federico tenía verdadero interés por conocer «la blanca Subur», bello rincón mediterráneo de acrisoladas inquietudes artísticas y culturales. Su ilustre paisano Ángel Ganivet había estado en Sitges en 1897 y quedó vinculado al Cau Ferrat, auténtico santuario del modernismo ibérico. La primera manifestación de arte modernista había tenido ocasión en Sitges en 1892. Por aquellas fechas, 1892-1897, llegaba Picasso a Barcelona y se inauguraba una cervecería que se haría famosa: la de los Quatre Gats. La amistad de Ganivet con Santiago Rusiñol, Enric Morera, Miguel Utrillo y los recuerdos intensos de Manuel de Falla, tendieron un puente entre Sitges y Granada, por el que se paseó una cordialísima relación entre la Cofradía del Avellano, que presidía el propio Ganivet, y luego la tertulia de El Polinario y el Cau Ferrat.

De la primera estancia de García Lorca en Sitges, en casa de los Carbonell, sobrevive un recuerdo indeleble en la memoria de los asistentes. Carbonell, Foix y Gasch me han hablado de aquel día en términos entrañablemente afectuosos y nostálgicos. Por la

---

nistro de la República, Marcelino Domingo, y cuantas personalidades tenían puesto preeminente en el mundo de la política y de la cultura en España, en Cataluña y en el extranjero.

mañana, temprano, salió de Barcelona un grupo formado por Font, J. V. Foix, Gasch, Muntanyà, García Lorca, Víctor Sabater, Salvador Dalí y M. A. Cassanyes. Todos eran invitados de Carbonell, recién casado con Rosa Muntanyà, a quien Federico le regaló y dedicó un cuadro de la exposición, hermana del crítico Lluís Muntanyà. Joan V. Foix nos ha contado su descubrimiento del García Lorca, juglar del que tanto le habían hablado. Hasta entonces su relación había sido esporádica y superficial. Conceptuaba al poeta andaluz como un hombre jovial, de palabra fácil y franca, pero le encontraba un lado un tanto vulgar. Era natural, pues, que formulara algunas reservas en torno a los elogios y entusiasmos que en sus amigos había despertado el autor granadino. Y es que, en realidad, Foix no había tenido ocasión de conocer las múltiples facetas de aquel hombre excepcional: oírlo recitar, tocar el piano, hablar de música, de poesía, de teatro, de arte, con un concepto novísimo, personal y revolucionario. Expuesto con un lenguaje sorprendente de imágenes y metáforas con la belleza sublime de la sencillez.

«Durante la mañana —nos contó Foix—, Federico monopolizó la conversación y consiguió mantenernos suspendidos de su palabra. Evidentemente, el poeta andaluz tenía gusto, cultura e inteligencia... Pero lo que constituyó el colofón de mi deslumbramiento fue su erudición excepcional de música y folklore. Después de una copiosa y alegre comida, surgió en García Lorca ese ser mágico que todos reverenciaban. Se sentó al piano de Rosa Muntanyà y con asombrosa naturalidad, como mana una fuente, empezó a tocar composiciones de Chopin, de Mozart, de Debussy, de Falla, de Schubert, de Ravel... El silencio era absoluto; yo creo que debido a la fascinación que aquella persona, ahora totalmente transformada, ejercía sobre nosotros. Nuestra admiración se desbordó cuando nos habló del folklore popular de nuestro país. Tocaba una tonadilla y, girando sobre la banqueta, se volvía hacia el auditorio y nos explicaba sus orígenes con toda clase de detalles. Recuerdo que nos explicó la honda influencia de la música árabe en la andaluza, alternando sus palabras con pasajes o variantes musicales, que ilustraban sus palabras.»

Escuchando a Foix se nos venía a las mientes el juicio de otro

El Gran Café Colón, donde se reunía
una animada tertulia de
intelectuales catalanes.

«Uno de los más fervientes
colaboradores del GATPAC,
en el terreno cultural,
fue el poeta Carles Sindreu.»

poeta andaluz, Moreno Villa, muerto en el exilio: «Tal vez la fascinación que producía Federico venía de la conjunción feliz de lo culto y lo popular, lo primero, infantil y fresco enredado con lo reflexivo y riguroso.» [7]

Jorge Guillén, espectador en tantas ocasiones de las espontáneas veladas musicales de García Lorca, nos dice cómo el poeta-músico captaba el interés de quienes lo rodeaban, hasta lograr que todos participaran: se sentaba al piano y tocaba unos compases.

—A ver, ¿de qué lugar es esto? A ver si alguien lo sabe —preguntaba Federico, cantándolo y acompañándose—:

> *Los mozos de Monleón*
> *se fueron a arar temprano*
> *—¡ay, ay!—*
> *se fueron a arar temprano.*

—Eso se canta en la región de Salamanca —respondía, apenas iniciado el trágico romance de capea, cualquiera de los que escuchábamos.

—Sí, señor, muy bien —asentía Federico, entre serio y burlesco, añadiendo al instante con un canturreo docente:

—Y lo recogió en su cancionero el presbítero don Dámaso Ledesma.

La cultura se aliaba, pues, al entusiasmo. Total: una delicia.[8]

«Luego —prosigue Foix— cantó e interpretó una serie de canciones que él había recogido y armonizado: *Anda jaleo, Los cuatro muleros, Las tres hojas, Las morillas de Jaén, El café de Chinitas, Los peregrinitos...* Verdaderamente era extraordinario. Después pasó a ilustrarnos sobre el cancionero castellano. Del cancionero salmantino de Ledesma, recuerdo *Los mozos de Monleón,* por su recio dramatismo rural. Pasó revista también al folklore

---

7. *Los autores como actores,* p. 65.
8. O. C., p. XLIII.

gallego, pero la sorpresa fue cuando empezó a hablarnos del nuestro, del catalán...»

Moreno Villa, compañero de Federico en la Residencia, ha escrito que el poeta granadino era un alma musical de nacimiento, de raíz, de herencia milenaria: «... lo llevaba en la sangre, como lo llevaban *la Argentina,* Juan Breva y Chacón. Su amor al folklore, *folklorquismo* lo llamó Ramón Sender, fue después de la poesía su gran pasión y, por orden cronológico, la primera. De ahí su profunda y amorosa entrega a nuestra música popular, comprendida, como nadie, en todos sus alcances, por su amigo Manuel de Falla.»

Josep Carbonell nos ha confiado asimismo la increíble sensación que le causó la improvisada conferencia que Federico dio en su casa:

«Todos estábamos emocionados. Aquel ser era una maravilla de talento y de sensibilidad. Ninguna imagen mejor para ilustrar su gracia que la de comparar a Lorca con un cisne. Sí, al deslizarse por el lago de su mundo, se transformaba.

»Ana María Dalí, su gran amiga catalana, lo ha sabido describir desde ángulos inéditos, en toda su esencia:

> Fuera de su ambiente, que era recitar, tocar la guitarra o el piano, y hablar de cosas que le interesaran, su rostro, duro y preocupado, tenía una expresión inteligente, rebosante de vitalidad, pero no eran muy atractivos ni su figura, poco esbelta y cuadrada, ni sus movimientos, más bien pesados. Sin embargo, apenas se encontraba en su ambiente, adquiría movimiento y todo él aparecía de una elegancia perfecta. La boca y los ojos armonizaban de modo tan admirable que no se podía permanecer insensible al gran atractivo que se desprendía de su persona. Las palabras fluían entonces agudas y penetrantes, y la entonación de su voz, más bien ronca, era de una belleza única. Todo quedaba transformado a su alrededor. Efectivamente, su presencia embellecía cuanto le rodeaba, como el cisne embellece el lago en que, al deslizarse, se refleja.[9]

9. Ana María Dalí, op. cit., pp. 102-3.

»Para asombro y vergüenza nuestra —prosigue Carbonell—, ninguno de nosotros conocía enteras las letras de las canciones catalanas. Nos arrancábamos todos, coreando las primeras estrofas, pero al final Federico se quedaba solo. Se sabía todo el cancionero de Pedrell. Seguramente a través de Falla, que había sido discípulo del compositor catalán. La canción *El Desembre congelat* era una de las que más le gustaban. Decía que era un canto de ángeles:

> *El desembre congelat*
> *confús es retira.*
> *Abril, de flors coronat,*
> *tot el món admira,*
> *quan en un jardí d'amor*
> *neix una divina flor*
> *d'una rosa bella,*
> *feconda i poncella...*

»Otras canciones que cantó Federico fueron *La Pastoreta, El cant dels ocells, La Filadora, Muntanyes regalades.* Con la que más nos divertimos, coreando como niños el ram, ram, rataplam, fue con *Els tres tambors:*

> *Si n'eren tres tambors,*
> *venien de la guerra,*
> *i el més petit de tots*
> *portava un ram de roses,*
> *ram, ram, rataplam.*
> *La filla del bon rei*
> *ha sortit a la finestra:*
> *—Vine, vine, tamboret*
> *i dona'm aquestes rosetes.*
> *—No us el donaré jo el ram*
> *si no em doneu l'amoreta.*
> *—La tindreu que demanar*
> *al meu pare y a la mare...*

La tertulia del Lyon d'Or estaba formada por grupos afines de escritores, poetas, músicos y pintores.

De izquierda a derecha: Font, J. V. Foix, Sebastià Gasch, Lluís Muntanyà, Carbonell, García Lorca, Dalí y M. A. Cassanyes, en Sitges, 1927.

»Por entonces —sigue explicándonos Carbonell— Manuel de Falla estaba en Barcelona. Nos había prometido reunirse con nosotros en Sitges; estuvimos esperándolo todo el día inútilmente. De aquella primera visita de Federico a Sitges quedó una fotografía en la que estamos casi todo el cuadro de *L'amic de les Arts*. Está tomada con el último sol, ante la valla de la estación, mientras esperaban el tren para regresar a Barcelona. Yo los había acompañado y aparezco con mi primer hijo en brazos. El fotógrafo fue Sabartés, que retrató su sombra reflejada en las piernas de Dalí. Federico inclina la cabeza, tratando de evitar el sol, y en sus manos tiene un sombrero.»

En una entrevista concedida en Buenos Aires, en 1933, en la presentación de tres canciones populares escenificadas, a modo de fin de fiesta, García Lorca contó a un periodista el origen de su inclinación al estudio del cancionero español como reacción ante la insensatez de los autores de zarzuela que lo desvirtuaban arruinándolo. Merece ser reproducido lo que dijo, porque, tras dejar bien sentado que no hay cultura auténtica más que cuando está entroncada con las tradiciones populares, demuestra que como mejor se enriquece el acervo cultural colectivo es con la plenitud de los particularismos.

—Sí, he ido a él —el cancionero— con la misma curiosidad con que han ido otros a estudiarlo científicamente, y me he enamorado de las canciones. Durante diez años he penetrado en el folklore, pero con sentido de poeta, no sólo de estudioso. Por eso me jacto de conocer mucho y de ser capaz de lo que no han sido capaces todavía en España: de poner en escena y hacer gustar este cancionero de la misma manera que lo han conseguido los rusos. Rusia y España tienen, en la rica vena de su inmenso folklore, idénticas posibilidades, que no son las mismas, por cierto, en otros pueblos del mundo. Desgraciadamente en España se ha hurgado en el cancionero para desnaturalizarlo, para asesinarlo, como lo han hecho tantos autores de zarzuela que, a pesar de ello, gozan de boga y consideración popular. Es que han ido al cancionero como quien va a copiar a un museo, y ya lo dijo Falla: No es posible copiar las canciones en papeles pentagramados; es menester recogerlas en gramófonos para que no pierdan ese elemento ponderable que hace más que otra cosa su belleza.

Ustedes acaban de verme cuidando el ritmo y los menudos detalles y, en verdad, no puede procederse de otro modo: las canciones son criaturas a las que hay que cuidar para que no se altere en nada su ritmo. Cada canción es una maravilla de equilibrio, que puede romperse con facilidad; es como una onza que se mantiene sobre la punta de una aguja. Las canciones son como las personas. Viven, se perfeccionan y algunas degeneran, se deshacen, hasta que sólo nos quedan esos palimpsestos llenos de lagunas y de contrasentido. Yo presento en el primer «fin de fiesta» tres canciones que están en su momento de perfección. *Los peregrinitos* se canta todavía en Granada. Hay diversas variantes, de las cuales yo he desarrollado dos en esta escenificación: una tiene el ritmo alegre y es propia de las vegas granadinas; la otra es melancólica y proviene de la Sierra. Con la variante de las vegas comienzo y termino la canción. Otra de las escenificaciones primeras es la de la *Canción de otoño en Castilla,* llena de belleza y de melancolía. Se canta en Burgos y es como la región misma: cosa de llanura con chopos dorados:

> *A los árboles altos*
> *los lleva el viento.*
> *Y a los enamorados*
> *el pensamiento.*

—Digan ustedes si no es eso de una gran belleza. ¿Qué más poesía? Ya podemos callarnos todos los que escribimos y pensamos poesía ante esa magnífica poesía que han «hecho» los campesinos.

—Es, sin embargo, de forma culta...

—Culta, sí, en su origen desconocido. Pero luego ¿no les dije que las canciones viven? Pues ésta ha vivido en los labios del pueblo y el pueblo la ha embellecido, la ha completado, la ha depurado hasta esa belleza que hoy tenemos ante nosotros. Porque esto lo cantan en Burgos los campesinos. ¡Ni un señorito! En las casas de la ciudad no se canta eso...

—¿Y la canción de *Los cuatro muleros*?

—Es la canción típica de Navidad en el Albaicín. Se canta únicamente por esta fecha, cuando hace frío. Es un villancico pagano, como son paganos casi todos los villancicos que canta el pueblo. Los villancicos religiosos sólo los cantan en las iglesias y las niñeras para adormecer a los niños. Es curioso este pagano villancico de Navidad, que denuncia el sentido báquico de la Navidad en Andalucía. El cancionero tiene estas sorpresas. Hay algunas canciones de profunda emoción y contenido social. Ésta, por ejemplo:

> *El gañán en los campos*
> *de estrella a estrella.*
> *Mientras los amos pasan*
> *la vida buena.*

O este otro, fiero, como de Andalucía, que pudo servir de panfleto, de manifiesto y de estandarte a la reciente revuelta:

> *Qué ganas tengo*
> *de que la tortilla se dé vuelta:*
> *que los «probes» coman pan*
> *y los ricos coman mierda.*[10]

El primer número de *L'amic de les Arts* apareció en abril de 1926. Esta revista pretendía asumir una labor «de intensa crítica vigilante y de creación personal». En ella colaboraban hombres jóvenes representantes de las distintas tendencias vanguardistas catalanas, que eran, en línea directa, fiel reflejo de las que imperaban en Europa y muy particularmente en Francia y en Italia.

10. O. C., pp. 1744-46.

En su segunda estancia en Barcelona, García Lorca entabló contactos fugaces y marcó hondas amistades. El poeta quedaría íntimamente vinculado a la revista catalana de Sitges, en la que publicaría poemas, dibujos y trabajos en prosa. Su correspondencia con varios miembros de *L'amic de les Arts* nos revela la ilusión del poeta granadino por lograr un intercambio de colaboraciones, un trabajo en común entre el grupo que él animaba en su tierra y el de la revista catalana. Fue esta la tónica lorquiana: la de hacer partícipes a sus amigos y paisanos de sus anhelos, de sus esperanzas, hermanándolos en sus ilusionados proyectos.

«L'amic de les Arts» y «Gallo»

En el verano de 1926, García Lorca proyecta hacer una revista en Granada. Con su vehemencia característica el poeta se apresura a escribir a sus amigos para darles a conocer su proyecto y de paso les pide que contribuyan al éxito de la publicación con sus colaboraciones. Uno de los primeros en enterarse es Fernández Almagro, al que informa:

> Los muchachos *novísimos* de Granada van a hacer una revista. La llaman *Granada* porque no tienen más remedio. Se llama *Granada,* pero en cambio se subllama «Revista de alegría y juego literario», con lo cual ya no tendremos que explicar más. Yo pienso colaborar en todos los números, pues *puede quedar* una cosa simpatiquísima. Llevará cosas de Dalí. Y publicarán reproducciones de Manuel Ángeles. Y fotos graciosísimas de poetas y amigos. Espero que en seguida enviarás un artículo muy bello…[1]

A Jorge Guillén:

> Los muchachos de Granada van a hacer un suplemento literario del periódico *El Defensor de Granada* con el título de *El Gallo del Defensor.* Va ilustrado por Dalí. Falla pu-

1. A. Gallego Morell, op. cit., p. 83.

blica un artículo magnífico. Manda algo. Lo que quieras. Para el primer número...[2]

Y a Guillermo de Torre:

Los muchachos de Granada (entre los que hay varias sorpresas)... Va decorado por Dalí de una manera atrevidísima y su formato es en forma de biombo y papel amarillo intenso. Falla publica cosas muy interesantes de música y todo lo demás. Venga en seguida una cosa tuya. ¡En seguida! Lo que quieras. Cuanto más *epatante y alegre* mejor. Te esperamos. En nombre de todos estos jóvenes te envío otro abrazo.[3]

Mientras tanto, por otro lado, Dalí le escribe:

Querido Federico: Te haré todas las portadas que quieras, para las revistas que me digas, pero tienes que precisar más. Dame los datos de tamaño, negro-color, etc..., grado de putrefacción de la revista.

Veo tristemente que no llega la foto y el prólogo. ¡Serás capaz de no hacerlo! ¡Qué señorito mono eres! No te enternecen ya mis señores. Tan exquisita que quedará la edición tirada sobre papel japón. ¡Ay! No tienes siquiera que hablar de mis dibujos, dar solamente una idea de la putrefacción, cinco notillas... Por Dios, por la Madre de Dios, hazlo, no me escribas sin mandármelo. ¡Parece mentira que no te guste sentarte a escribir sobre esto y para mí!

Todo lo que me dices me parece extraordinario, lo del tranvía (trenvía) sin ruedas y lo de la exacerbada sensibilidad de Braque me parece indiscutible e incomentarista. ¡Ay! quien dice estas cosas que dices tú. ¡Nadie!

Créame Señor, el pintor más grande que ha habido es Vermeer de Delft, no sé si ya te lo había dicho en otra car-

2. Cartas a Jorge Guillén. O. C. de F. García Lorca.
3. Cartas a Guillermo de Torre. O. C. de F. García Lorca.

ta: estoy pintando una «niña de Figueras». Hace cinco días que pinto pacientemente y devotamente su pescuezo acabado de afeitar; me sale muy bien, tanto que casi no *parece* moderno (pero que lo es) ni antiguo.

¿Te acuerdas de mi *Sauri*? Se murió. Tengo sueño. Lo de la dama me parece demasiado cerebral. Mi Sauri y Pepil, Adolf Menjou es un gran actor de cine aquel que es psicológicamente como tocaba el saxofón cuando su mujer estaba encolerizada. ¿Te acuerdas?

Yo no tengo ataques de nada.

Mándame el prólogo. La foto tuya para pegar detrás de mí en el aeroplano. Soy más hijito que nunca.

Eres un espíritu religioso y extraño. Eres extraño tú. No te puedo relacionar con nada de dimensiones conocidas, reririri ccc cc c c.

Y también me molestan los libros de insectos de Fabre.[4]

Y en otra carta que confirma con creces su desequilibrada inclinación a la originalidad que cultivaría con mayor intensidad al paso de los años, Dalí le dice a Federico:

Carísimo amigo: Por fin he encontrado el verdadero papel de escribir. Me pides cosas absurdas, qué título más gordo, *El Gallo del Defensor*, cojo la pluma y te mando el gallo, te mando todo lo que me dices ya ves… seguramente no servirá de nada lo que te mando porque al llegar a tus manos empezará a perderse, a diluirse por los poros de la maravillosa disociación —Ah!!!

Tú no te imaginas. ¡Soy soldado hace un mes! No te he hablado porque es muy largo de contar y además me gusta por lo extraño del caso. ¡Nada de viajar por ahora! pero este verano 3 MESES TENEMOS QUE PASAR JUNTOS EN CADAQUÉS ESTO ES FATAL, no fatal pero seguro.

Dime qué te parece mi literatura, digo cosas que se me ocurren, producto de mi física y de mi metafísica. Adiós,

4. Archivo particular de la familia García Lorca.

DALÍ. ¿Cómo puedes pensar que no me gustan tanto los holandeses? Cuando veas lo que estoy haciendo te convencerás... pero...[5]

Salvador Dalí, a pesar de encontrar *gordo* el título de la publicación en cierne que proyecta su amigo, queda interesado en el programa que se propone llevar a cabo Federico. Y no sólo se presta a colaborar como dibujante, sino que le envía un poema para el primer número precisando toda suerte de detalles para su composición y lo que se ha propuesto al escribirlo:

Querido Federico: Te mando mi poema con fotos para *Gallo*. Es preciso cuidarlo mucho tipográficamente siguiendo mis instrucciones; donde van los números, corresponde a las fotos que llevarán los siguientes títulos: 1 Mariposa — 2 gallina — 3 rostro especial. Si es difícil el fotograbado de dichas fotos por estar pegadas, será necesario que hagáis otra foto de esas fotos, esto es fácil, pero sin ellas el poema pierde muchísimo porque se trata de algo muy orgánico y homogéneo. Creo haber logrado algo, aunque sea un poco de realidad, fuera del convencionalismo y estilización de la poesía corriente, es un poema meditadísimo y hecho con doble decímetro (y claro muy inspirado). Deseo que te guste —tenemos que desprendernos de la carroña poética histórica, antirreal, decorativa que hemos heredado, y evadirnos de nuestra confusión inventada, con el máximo aplomo y la máxima ligereza—. Por fin parece posible la poesía.

Te abrazo mucho, contesta qué te ha parecido. DALÍ.

Te ruego no publiques nada mío que yo no sepa, cada vez soy más exigente y no puedo resistir lo hecho antes de ayer.

Saluda a tus amigos de mi parte.

Como puedes ver, se trata de una sola foto tomada de maneras distintas; creo que esto da una gran homogeneidad.[6]

5. Archivo particular de la familia García Lorca.
6. Ídem.

Sebastià Gasch y Lluís Muntanyà son de los primeros en responder a la llamada de Federico. El segundo le escribe:

...No tengo que decirte con qué júbilo y reconocimiento acojo tu proyecto de revista. Y con qué alegría aportaré mi humilde, pero estremecido grano de arena. Estremecido y con pugna de exactitud. Torturado: como de reloj de arena. Emocionado, de veras, he recibido una amabilísima postal de esos amigos granadinos. Te mando cuatro rayas para ellos. Explícales las causas de mi tardanza. Y, por todo, gratitud. El abrazo penetrante y hondo. El teu amic... Vía Láctea infiniteva.

Señores F. Campos, J. Navarro, A. G. Cobo, J. Amigo, E. Oriol, M. Banús, Cirre, Cienfuegos, J. Giménez, Arboleya. Amigos granadinos: Habían de ser los jóvenes, los últimos, los que tendieran el puente a lo largo del Mediterráneo eterno. Y un puente ya no levadizo. Firme e inconmovible. Para siempre. El trazado, con pulso enérgico y voluntad emocionada, lo ha hecho un lírico dibujante. Vuestro, *nuestro* García Lorca. Debe haberos hablado de nosotros. De nuestras ansias enormes de confraternidad con vosotros. *Élite* de la última promoción española. ¿Española? ¿Catalana? ¿Andaluza? ¿Mediterránea? Muchas gracias por vuestra postal, amigos (¿permitís?). Que recibo hoy emocionado, aunque no sorprendido. Federico nos ha hablado mucho de vosotros y os apreciamos ya de veras.

En Gerona, 26, tenéis *todos* vuestra casa. En *L'amic de les Arts* vuestra Revista. ¿Puedo deciros más? Pedid.

Para cuanto podáis precisar en Barcelona, disponed. Pensar que pedirme un favor será hacérmelo. Y nada más. Un fuerte abrazo, fuerte y cariñoso, LUIS MUNTANYÀ.[7]

Tan pronto como el sueño va tomando forma, Federico se apresura a exteriorizar su alegría. El destinatario de la carta es su amigo Gasch:

7. Archivo particular de la familia García Lorca.

Querido Sebastián: Ya está en vías la revista. *Hasta ahora* tiene este título: *Gallo Sultán.* Dime si te gusta.

El formato será parecido a *L'amic de les Arts* y será a base de fotos. Envíame tu artículo cuando quieras. Puedes mandar también las fotos que quieras publicar. Yo creo que deben ser dos. Y si fueran de Picasso o Chirico, o alguien *muy concreto,* mejor. Tu artículo es esperado con alegría.

Ya estamos seguros que enviarás algo muy bueno.

Hemos preferido un formato grande porque, aunque es incómodo, siempre es alegre.

Y además siempre se está a tiempo de variarlo. Hasta pronto. Supongo habrás recibido los dibujos. Un abrazo de Federico.[8]

Por aquellos años, los vientos literarios catalanes y no catalanes eran propicios y en cierto sentido convergentes. Se establece una relación cordial, sin precedentes, entre las dos culturas más importantes del país: la castellana y la catalana. A últimos de febrero de 1927, un grupo de intelectuales barceloneses son invitados a exponer en Madrid una amplia muestra del momento actual de las letras catalanas. La iniciativa ha surgido del grupo de *La Gaceta Literaria,* el cual, desde su número fundacional, lanzado en enero de 1927, reserva parte de su espacio semanal a la cultura catalana, cosa que se considera «como uno de los más tenaces ideales de la publicación», según ha escrito su director, Ernesto Giménez Caballero, en el «Saludo a Cataluña», del número extraordinario que se dedicó, con tal motivo, a las tierras de Cataluña, con versos y prosa de Josep Carner y Bernat Metge.

El 5 de diciembre, en la Biblioteca Nacional, se inauguró una exposición del Libro Catalán, con seis mil títulos remitidos por las más prestigiosas editoriales y las más importantes librerías de Barcelona. En el programa, con el tema «El movimiento cultural de Cataluña en los últimos veinticinco años», figuraban Tomás Garcés, que hablaría sobre *La lírica;* Miguel Ferra, sobre *La aportación mallorquina y valenciana;* Carles Riba, de *La evolución*

8. Cartas a Sebastià Gasch. O. C. de F. García Lorca.

de la lengua literaria, y Carles Soldevila de *La prosa y el teatro*; mientras que Felíu Elías habla de *El movimiento artístico y el* doctor Bellido de *El movimiento científico.* Para principios de enero de 1928 se proyectaba la visita a Barcelona del grupo de escritores de *La Gaceta Literaria,* invitados por sus compañeros catalanes. Con ellos llegaría también García Lorca.

El día 8 se inauguró, en las Galerías Dalmau, una *Exposición de Carteles Literarios,* de Ernesto Giménez Caballero, que se firmaba *Gece.* La embajada castellana la componían Jarnés, Francisco Ayala, Juan Chabás, Arconada y Antonio Espina. Esta visita de hombres de letras, por lo visto, no sentó muy bien en los medios oficiales, según la vigilancia y persecución de que fueron objeto.

De Barcelona a Granada, y de Andalucía a Cataluña tienden un puente de inusitada actividad cultural los hombres de *L'amic de les Arts* y de *Gallo.* Cartas, artículos, dibujos, bocetos, mensajes, proyectos, ideas de honda renovación surcan los cielos ibéricos. La revista catalana se dispone a publicar un número extraordinario dedicado a Andalucía y la granadina acaricia la idea de dedicar otro a Cataluña. García Lorca está ilusionadísimo con el proyecto de publicar sus dibujos en Barcelona, con un prólogo de Sebastià Gasch y poemas y dibujos de Dalí. Federico promete al *Amic* un original escrito en catalán, lo cual causará gran sensación. Muntanyà es el primero que se hace eco del sentir de sus compañeros:

Querido Federico: Tu carta me ha dado un alegrón. Nunca noticia alguna de amigo pródigo fue con tanto júbilo recibida. Tu sabes lo mucho que se te quiere en Barcelona y con qué profunda añoranza se recuerdan aquellos memorables paseos nocturnos por los suburbios ciudadanos de piano de manubrio, de organillero rojo a organillero pálido, contigo y con Dalí. La sola idea de que puedan renovarse nos tiene ilusionadísimos, sobre todo a los que como Gasch y yo —contra viento y marea— hemos hecho pública profesión de amistad con vosotros. ¿Supiste algo de la polémica sobre la sinceridad artística de Dalí? Fue intere-

gallo

revista de granada

«La aparición de ''Gallo'', de inspiración surrealista,
constituyó un escandalazo.»

santísima. Podremos darte detalles regocijantes en extremo.

Tus excusas no eran precisas. Las agradezco. Me hago cargo de todo. Y quedo reconocidísimo por lo que supongo reanudación de nuestra correspondencia ya que no de nuestra nunca interrumpida amistad.

Voy a comunicar en seguida a *L'amic de les Arts* la grata nueva. Un inédito de Lorca en catalán. Gracias, Federico.

No perdiste nada en no venir con los de la Gaceta. La policía —tú sabes el encarnizamiento de nuestras cuestiones seudopolíticas— les pisó continuamente los talones. Los valientes histriones de la putrefacción huyeron en seguida. Aunque lejos de identificarse con ellos —Chabás, que nos habló mucho de ti, es el más simpático— no cesamos de acompañarles ante lo hostil de las circunstancias durante los días que pasaron en Barcelona.

A otra cosa. Para el mes próximo, así que termine el servicio Dalí, proyectamos una visita a Figueras los *cuatro*: Gasch, yo, Font y Sabater. (El orden te parecerá bizarro, pero es lógico.) Iremos a comer todos a Cadaqués y no tengo que decir cuánto te encontraremos a faltar.

¿Qué esperan a establecer el servicio aéreo Granada-Barcelona-Figueras? Nosotros ya hace tiempo lo tenemos en nuestros corazones.

El teu català esplèndid. La teva generositat incomparable. Les teves afectuoses salutacions han despertat entusiasme i simpatia sense límits. — Te abraza fuerte, Luis. — Escribe pronto y largo. Gracias.[9]

Queridísimo Federico: la carta que he estado esperando hace tantísimo tiempo, ha llegado al fin. ¡Dios te lo pague!

Ya suponía que en Granada, libre al fin del trajín y de las preocupaciones de Madrid, nuestra correspondencia volvería a conocer la frecuencia de antaño. He hablado mucho de ti esos días: con Chabás, el simpático y culto amigo común, y con Ayala, tan buen chico e inteligente. Con Cha-

9. Archivo particular de la familia García Lorca.

234

bás, sobre todo, hemos pasado largo rato recordándote y añorándote. Ya debes saber que junto con Chabás y Ayala ha venido Giménez Caballero, Jarnés y Espina. Por cierto que su breve estancia en ésta no habrá sido muy grata para ellos. La policía los ha perseguido continuamente, impidiendo banquetes, reuniones, etc. Qué le vamos a hacer, la confusión impera. El famoso ¡no hay claridad! reina como amo y señor.

Me hablas mucho en tu carta de Dalí. Mi amistad con él se afianza cada día más a pesar de las diferencias que nos separan. Es un equivocado, como dices, pero un equivocado genial. Hemos polemizado largamente por carta. Él, materialista, irreligioso, objetivo, no cree sino en la pura objetividad, en las cosas en sí. Yo, en cambio, creo en las resonancias de esas cosas en nuestro interior, creo en el choque del mundo exterior, y de nuestro mundo interior, creo que el lirismo estriba, como dijo un poeta francés, en el choque de una sensibilidad sólida al contacto con la realidad. Dalí lo niega. Y, sin embargo, en sus cuadros se ve siempre a Dalí, se ve siempre el alma de Dalí, se ve siempre la sensibilidad de Dalí.

Él se nos está revelando, además de gran pintor, como un formidable literato. ¿Lees sus poemas de *L'amic de les Arts*? Es algo insólito y de una intensidad patética e imponente.

Tu deseo de venir a Barcelona en breve me ha llenado de íntima satisfacción. Te necesitamos, es preciso hablar largamente contigo, tus palabras y tu sola presencia son para mí un estimulante formidable. Ya sabes que te dije cuán importante había sido para mí el conocerte. Metido de lleno en este mundillo irrespirable, encontrarse con un temperamento auténtico, de una pieza, ha de influir necesariamente a toda persona sensible.

¿Lees mis artículos en *La Gaceta Literaria*? Tengo una serie de escrúpulos acerca de ellos que me torturan hace tiempo. Soy muy maniático y temo que queden ridículos, mal hechos. No domino el castellano como el catalán y deben quedar traducidos, duros, poco dúctiles. Sin embargo, los que tenemos algo que decir, creo debemos decirlo aun expresándonos mal. Y en Madrid las teorías pictóricas nuevas hacen tanta falta como aquí.

Sigo creyendo en la necesidad de editar tus dibujos. Los admiro profundísimamente. Estos días he hecho encuadrar algunos que tengo de ti y los he puesto en mi despacho junto a la *Leyenda de Jerez,* y la emoción que me producen me reconforta en todo momento. Son *vivos,* querido Federico, y hay que levantarlos como bandera ante el realismo mágico de Franz Roh, que es de cartón piedra, muertos!!!

¿Por qué no me mandas algún dibujo para *L'amic de les Arts?*

Sobre todo, queridísimo Federico, que tu carta no sea la última, y que tus noticias me lleguen rigurosamente a vuelta de correo.

Te lo manda tu amigo que te abraza muy fuerte, S. GASCH.[10]

Queridísimo Gasch; Es en Granada donde verdaderamente estoy tranquilo y apto para la deliciosa conciencia de la amistad. He acertado en no ir a Barcelona verdaderamente. Lo habría pasado mal y además no hubiésemos *estado juntos.* Ahora si voy por fin, yo solo, estaremos mejor.

No sabes con qué gana iría y, desde luego, si no voy no será por mi culpa, sino por culpa del Destino, o de un viento contrario del que nadie está libre.

Si Dalí termina pronto el servicio, será delicioso estar juntos. Yo hago mis cuentas y, si Dios quiere, lograré ir a Barcelona. Como sabes, mi *Romancero* está en puertas. Si puedo, os llevaré yo mismo los ejemplares.

Barcelona me atrae por vosotros.

Tú sabes perfectamente que coincidimos y que nuestras

10. Archivo particular de la familia García Lorca.

236

conversaciones nos aprovechan a los dos de igual manera. Yo siempre digo que tú eres el único crítico y la única persona sagaz que he conocido y que no hay en Madrid un joven de tu categoría y de tu ciencia artística, ni tampoco, es natural, de tu sensibilidad. Por eso no debes tener ningún reparo con tus artículos (siempre preciosos y utilísimos) en *La Gaceta Literaria*.

Tú haces mucha falta y debías publicar todavía mucho más. En cuanto a tu castellano, te aseguro que es noble y correcto y llena el fin para lo que lo utilizas. Pero mucho más importante que el idioma que usas son tus ideas, tu manera de exponer y tu segurísima técnica de juicios. No debes abrigar esta idea jamás. Tu castellano es bueno y será cada vez mejor en cuanto vayas teniendo más colaboración. Yo creo que te convendría publicar un libro sobre pintura moderna. Esto te abrirá un gran campo en España y América, campo hacia el cual debes tender y en el que te esperan éxitos seguros.

Yo me equivoco difícilmente en estas cosas de intuición.

Y en Madrid, querido Sebastián, haces mucha más falta que en Barcelona, porque Madrid pictóricamente es la sede de todo lo podrido y abominable, aunque ahora literariamente sea muy bueno y muy tenido ya en cuenta en Europa, como sabes bien.

En cuanto a editar mis dibujos, estoy muy decidido. En Barcelona quizá lo editara más barato. Yo te rogaría que te enteraras sobre poco más o menos cuánto me costaría. Publicaría sobre todos los que te envié y algunos más. Pondría poemas intercalados, y Dalí, además, pondría dibujos suyos y algunos poemas también.

Tú harás un prólogo o estudio, y procuraríamos que el libro circulase. Dime si te parece bien este proyecto que podríamos hacer todavía mejor.

Me gustaría extraordinariamente hacer esto porque será un precioso libro de poemas.

Ya te enviaré algún dibujo para la revista.

Aquí en Granada se publica por fin la revista de jóvenes con el título de *Gallo*. Creo que estos muchachos valen mucho. Desde luego, yo soy partidario de que la hagan exclusivamente ellos para hacer una cosa en la que no salgan nuestras firmas, que ya están en todas partes. Envíanos un artículo *valiente* y nuevo sobre arte nuevo, que podrá llevar dos o tres fotos o dibujos. Tenemos grandes apuros de dinero y no te podremos pagar más que con cariño, gratitud y buena voluntad. Adiós. Recibe un abrazo fuerte de FEDERICO.

Recuerdos a los amigos.[11]

Mi querido Federico: Acabo de leer, fuertemente emocionado, tu formidable ensayo de la *Revista de Occidente*. No puedes imaginarte cuánto te agradezco el haberme dedicado un trabajo de esa intensidad. Eres el Gran Poeta (con mayúscula). El poeta por excelencia. El poeta máximo. No el Poeta andaluz, no el poeta español, sino el poeta universal. Te has apoderado de la poesía, te la has hecho tuya sin permitir ya que nadie disponga de ella. Y a todo lo que tocas le das algo de su divina esencia. Todo lo que tocas lo transformas en poesía: tus poemas, tus dibujos —¡inolvidables dibujos!—, ese formidable ensayo de la *Revista de Occidente*, que es lo más emocionante que he leído hace muchísimo tiempo. Gracias, muchas gracias, querido Federico, por tu dedicatoria.

Pero dudo que en Madrid te comprendan íntegramente, vean claramente la cantidad exorbitante de Poeta que hay en ti. He leído algunas críticas de tu libro y no se fijan más que en la parte externa. NO HAY CLARIDAD, como dice la Lydia. Quiero dominar el castellano para predicar en Madrid la Santa Verdad, como hago en Barcelona. Para decir que ese libro de Franz Roh que tanto alaban, escrito en 1925 en defensa de la Nueva Objetividad, no representa, no puede representar el momento plástico actual. Representa únicamente una cosa que ya pasó. La verdad actual está

---

11. Cartas a Sebastià Gasch. O. C. de F. García Lorca.

en Picasso, en Dalí, en Miró, en tus dibujos, en Ángeles Ortiz, en la Serna, en Bores, etc., etc. Pero no sé escribir el castellano y los pocos artículos míos que salen en Madrid quedan traducidos híbridos, malos.

Sucre me dijo que también vendrás en enero con Giménez Caballero, Espina, etc. La noticia me alegró extraordinariamente. Podré vivir aquellos intensos momentos del verano pasado.

Pero antes de enero escríbeme, contéstame esta carta. ¿Por qué no me escribes? ¿No podré lograr que tus cartas lleguen a mí con la regularidad de hace unos meses?

Escríbeme una carta larga, que la leeré emocionado a todos los amigos. La espero a vuelta de correo. Te abraza fuertemente S. GASCH.[12]

Querido Federico: Recibo tu esperada carta, que como todas las tuyas me llena de optimismo.

¡Delicioso el membrete de *Gallo*! Extraordinaria la caligrafía y muy logradas tus letras. Siento un interés vivísimo por esa revista, que ya quiero como cosa mía. Magnífica tu idea de que haga un artículo sobre Picasso. Lo estoy haciendo con gran entusiasmo y os lo mandaré en breve acompañado de tres reproducciones de ese gran artista que darán clara idea de su evolución: un cuadro de 1914, otro de 1920 y otro de 1927. Gracias, muchas gracias, muchísimas gracias, querido Federico, por tus amables palabras que dedicas a mis artículos. Lleno de dudas, rodeado de un ambiente hostil capaz de desanimar a cualquiera, tus palabras de estímulo, por venir de ti, el único poeta español que existe en la actualidad y al que yo quiero y admiro con entusiasmo, me dan nuevos alientos y me impulsan a trabajar con gran intensidad.

Me divierte la opinión tan pesimista que tienes de tus dibujos. Felizmente, te equivocas. Tus dibujos tienen la buena calidad y la intención de los mejores dibujos que se

---

12. Archivo particular de la familia García Lorca.

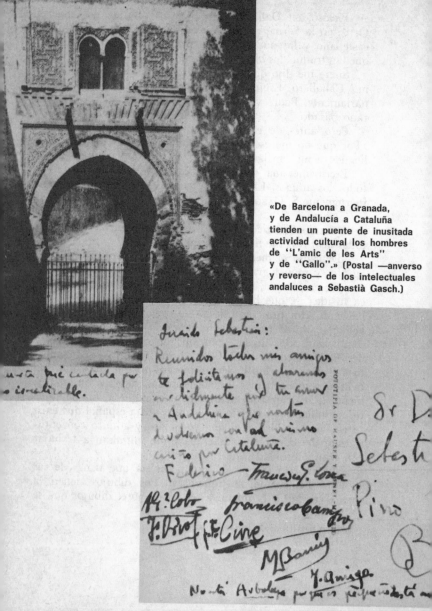

«De Barcelona a Granada, y de Andalucía a Cataluña tienden un puente de inusitada actividad cultural los hombres de ''L'amic de les Arts'' y de ''Gallo''.» (Postal —anverso y reverso— de los intelectuales andaluces a Sebastià Gasch.)

**Carta de Sebastià Gasch a García Lorca,
en donde le anuncia un número de «L'amic
de les Arts» dedicado a la «joven Andalucía».**

producen actualmente y no harían ningún mal papel al lado de Picasso, por ejemplo. Te lo digo yo, que no acostumbro a equivocarme. Y no es orgullo: yo fui el primero en dedicar en Barcelona un artículo a Miró. Hoy, Miró triunfa en toda la línea. Yo fui el primero en hablar con elogio de Dalí en Barcelona. Y Dalí tiene hoy un gran prestigio.

Como tú dices muy bien, si yo pudiera abandonar el despacho, donde me hallo aprisionado, podría trabajar con tranquilidad que ahora estoy extraordinariamente lejos de disfrutar. Ocho horas de embrutecimiento son muchas horas y además tengo un dueño idiota y mala persona que ni sabe que escribo y que me trata como a un mozo o a un aprendiz.

No sabes cuánto te agradezco tu interés y no dudo que las gestiones que piensas hacer en Madrid para lograrme colaboraciones se verán coronadas de éxito. Tengo buenas impresiones de América y si Dios quiere de aquí unos meses espero tenerlo todo resuelto.

A mediados de marzo saldrá un manifiesto firmado por Dalí, Muntanyà y yo, dirigido a los jóvenes de Cataluña y en el que denunciamos el estado de putrefacción de la cultura catalana, señalando los focos de infección y enseñando el remedio a los jóvenes no contaminados todavía. El domingo día 26 pasaremos el día en Cadaqués con Dalí y después de redactar definitivamente el manifiesto, cuyo borrador está ya hecho, lo firmaremos y será dado a la imprenta inmediatamente. Hará sensación, te lo aseguro.

Escríbeme en seguida. Un abrazo más fuerte que nunca de tu amigo SEBASTIÁN.[13]

Querido Sebastián: Recibí tu carta con una gran alegría. Mis dibujos gustan a un grupo de gente muy sensible, pero es que se conocen poco. Yo no me he preocupado de reproducirlos y son en mí una cosa privada. Si no fuera por vosotros, los catalanes, yo no habría seguido dibujando. Pienso hacer una exposición en Madrid, ¿qué te parece? ¿Y si hiciera un libro?

13. Archivo particular de la familia García Lorca.

Quiero mandarte para *L'amic* unos dibujos y un poema inédito. ¿Te parece?

. . . .

El *Gallo* apenas he llegado yo a Granada quiero que salga inmediatamente. Envíame el artículo sobre Ángeles Ortiz.

Y otra vez, ¡viva el gallo! Queremos hacer un número dedicado todo a Dalí. Éste va a venir a Granada y le debemos este homenaje...

Mi silencio, querido Gasch, no me brota del corazón.

Yo no te olvido nunca. Ya sabes que en todas las cosas que hago te tengo presente.

Mi querido Gasch: Un abrazo muy fuerte. Estoy trabajando mucho.

Te envío este programa de una fiesta que celebramos en el Ateneo y que fue un escandalazo.

Cuando yo proyecté y elogié los cuadros de Miró, se armó una cosa gorda, pero yo *dominé* al público y hasta los hice aplaudir.

El *Gallo* se está retrasando por muchas cosas.

También proyecté cosas de Dalí, del que hice un gran elogio.

Espero que pronto podré ir a Barcelona. Tengo ya verdaderos deseos de verte y de ver a los amigos.

Saluda a todos con gran cariño. Para ti un gran abrazo de FEDERICO.[14]

Hasta febrero de 1928 no aparece el primer número de *Gallo. Revista granadina.* Su portada es moderna, sobria, agradable, editada en papel cuché, de veintitantas páginas y gran formato. Al lector le salía al paso la prosa de García Lorca explicando *La historia de este gallo.* Luego, un poema de Jorge Guillén y el *Brindis de cualquier día,* de Fernández Almagro; *El grito en el cielo,* de José Bergamín; el *San Sebastián,* de Dalí; *Lucía de Sex-*

---

14.   Cartas a Sebastià Gasch. O. C. de F. García Lorca.

quilandia, de M. López Banús, y el *Cuaderno de Eugenio Rivas,* de E. Gómez Arboleya. En sus páginas se anunciaba la próxima publicación en Ediciones Gallo de una colección de clásicos granadinos: *Paraíso cerrado para muchos, jardines abiertos para pocos,* de Soto de Rojas, con un prólogo de García Lorca y fotografías de Fernando Vilchez; *Fábula de Actón y Diana,* de Antonio Mira de Amescua, edición de Dámaso Alonso, con fotografías de Hermenegildo Lanz; *Antología de los poetas árabes de la Alhambra,* en traducción de José Navarro Pardo; *Selección de poemas líricos,* de Pedro de Espinosa; *Cancionero Popular de Granada,* dirigido por Manuel de Falla.

La aparición de *Gallo,* de inspiración surrealista, constituyó un *escandalazo.* A los granadinos, acostumbrados a las revistas conservadoras, con sus ecos de sociedad, los manidos artículos sobre la Alhambra y los cuentos «donde pasaban cosas», les daba la impresión de que los jóvenes colaboradores de *Gallo* pretendían tomarles el pelo. Su grado de familiaridad con los temas tratados no eran, en el fondo, el obstáculo principal. Lo grave era que la mayoría de ellos se negaba a hacer el menor esfuerzo no ya para intentar asimilar las sugestiones del juvenil movimiento estético granadino sino para tratar de comprenderlos.

En el segundo número, que sería el último, se comentaba la «Recepción de Gallo», es decir, la manifiesta hostilidad, la indignación e incluso las bromas de mal gusto con que se acogió a la recién nacida publicación. «Un joven médico —leemos— muy bien reputado por su ciencia y su arte», tomó como ofensa personal el hecho de que le enviaran la revista. Un maestro nacional puso, a su manera, un dedo en la llaga: «*Gallo,* estoy convencido, está escrito en clave; pero a mí esos niños no me la dan y he descubierto que la clave está en el lema, latino al parecer, de la página amarilla. Descubriendo lo que quiere eso decir, se entera uno de todo el contenido, que será probablemente social o político; a lo mejor comunista, pues a mí no hay quien me quite de la cabeza que eso del punto rojo significa algo.» El punto tuvo la virtud de llegar a ser una obsesión para algunos. Sobre él abundaron las cábalas, sin que una sola diera en el blanco, ya que aquello no podía ser más inocente. En el segundo número, este punto o lunar era verde y no sabemos cuál hubiera sido su color en el tercero. Lo cierto es que las opiniones positivas y las críticas constructivas que registraron los «gallos» llegaron casi todas de fuera.[15]

Federico sentía por la revista la ternura y·el secreto orgullo de un «padre». *Fríamente* le encontraba defectos, pero confiaba en que se arreglarían. Su estado de ánimo es radiante y en seguida planea el segundo número:

Mi queridísimo Sebastián: Ya habrás recibido el *Gallo*. No te he escrito antes porque he trabajado mucho hasta

15. «*Gallo*, una revista de Granada. Es un quiquiriquí alegre y jovial, el que lanza, desde la Alhambra, la revista *Gallo*, de Federico García Lorca, el joven poeta andaluz, el cual ya no necesita adjetivización de ninguna especie y está muy por encima de cualquier ataque encubierto y de cualquier ponderación interesada. Se trata de una revista de una pulcritud reconfortante y de una sorprendente homogeneidad. Respira un amor apasionadísimo a su tierra, un afecto entrañable por sus cosas, al mismo tiempo que odio hacia lo típico, a lo que es pintoresco y todo lo que trasciende a marca castiza o costumbrismo local. (Con lo cual, es obvio señalarlo, coincide plenamente, a estas alturas, con nosotros.) Las páginas de esta revista, amplias y sobrias, son un goce para los ojos y un placer para el espíritu. Abre el primer número a la historia del *Gallo*, escrita por su director —una prosa de un metaforismo intenso y expresivo, como todas las de García Lorca— y le sigue una poesía de Jorge Guillén, el magnífico *San Sebastián*, de nuestro Dalí —toda una teoría estética—, ya conocido por los lectores de esta gaceta, artículos y prosas de Fernández Almagro, de Bergamín, y de dos novísimas firmas granadinas: Manuel López Banús y Enrique Gómez Arboleya, grávidas de promesas y jugosas ya de realidades.

»Correspondemos con pleno afecto al saludo cordial de esta simpática revista. Y no nos excedemos en los elogios porque la consideramos un poco como cosa nuestra. Aparte Salvador Dalí, ya mencionado, colaborarán en el *Gallo*, a partir del segundo número, Sebastià Gasch, el que firma estas notas, y todos hablaremos, sobre todo, de temas catalanes. *Gallo*, en correspondencia al extraordinario que *L'amic de les Arts* dedicará pronto a la joven Andalucía, piensa dedicar un número a la joven Cataluña.

»Deseamos que *Gallo* pueda seguir lanzando a los aires, durante muchos años, su grito estridente y jovial —en estos tiempos de pretenciosos y hueros seudotrascendentalismos—, y, aunque modesto en sus propósitos y espléndido en realizaciones, pueda seguir cantando, con claridades y con nitidez, sin ninguna clase de simbolismo, *bajo su sombrerito de llamas*.» LUIS MUNTANYÀ, *L'amic de les Arts*, Sitges, 31-3-1928, p. 174.

ver andando esta revista. Como soy su padre, no puedo opinar sobre ella. Me enternece. Y, desde luego, creo que es la revista más *viva* de los jóvenes. Tiene, creo, *unidad* y personalidad. Dime qué te parece. Estamos recibiendo infinidad de opiniones muy buenas, gracias a Dios. Yo, *fríamente,* le encuentro defectos, pero ya se arreglarán. Te agradecemos en el alma tu artículo sobre Picasso. ¡Gracias, Sebastián! Haces un bien con esta alocución admirable de nuestro gran artista.

El *Gallo* en Granada ha sido un verdadero escandalazo. Granada es una ciudad literaria y nunca había pasado nada *nuevo* en ella. Así es que *Gallo* ha producido un ruido que no tienes idea. Se agotó la edición a los dos días y hoy se pagan los números a doble precio. En la Universidad hubo ayer una gran pelea entre gallistas y no gallistas, y en cafés, peñas y casas no se habla de otra cosa. Ya te contaré más cosas. Ahora preparamos el segundo número. Abre marcha tu artículo, como es natural. Tú siempre tendrás el puesto de honor dondequiera que yo esté. Y ahora... ¡un abrazo por el manifiesto! *Gallo* se adhiere en el segundo número y hacemos un trabajo comentándolo... Abraza a mi querido Muntanyà y dile que he perdido sus señas. Que me las mande. A ti te digo que el manifiesto es alegrísimo, bravo, *vivo,* lleno de gracia y *verdad.*

Constantemente te tengo que dar las gracias. Gracias por tu artículo primoroso de la *Gaceta.* Me estás abrumando. Y no sé cómo te podré pagar nunca ni tu cariño ni tu bondad conmigo. Es demasiado. Yo sólo podré pagarte poniendo todo lo poco de mi talento a tu disposición. Gracias. No hay derecho, querido, a poner mi nombre absurdo en medio de tantos luminosos. Esto no debías haberlo hecho.

Definitivamente, publico mis dibujos. Haz el prólogo para ellos. Recibe un abrazo entrañable de FEDERICO.

A todos los amigos, mis afectos. Y un viva a *L'amic de les Arts* por su maravilloso número de Oc. ¡Viva! [16]

16. Cartas a Gasch. O. C. de F. García Lorca.

Queridísimo Federico: Recibo en este momento tu carta y, aunque esta mañana te he escrito, la contesto inmediatamente; tantas son las cosas que tengo continuamente para decirte.

Te agradezco en el alma tu aprobación a mi deseo de que colabore regularmente en *Gallo*. Como te dije, preparo un artículo sobre Domingo, admirable pintor catalán, que será como quieres extenso, denso y más completo que el de Picasso, que hice sin saber si disponíais de espacio y que resultó fragmentario e incompleto. He releído el borrador y no me gusta nada, lo encuentro horroroso y sin haber dicho todo lo que había que decir del malagueño genial. Pero, en fin, en artículos sucesivos ya me enmendaré.

No puedo concebir la actitud de Dalí frente a *Gallo*. No sé qué quiere más. La presentación es noble, plástica, clara, y el contenido excelente. No adivino a comprender por qué no le gusta. En cuanto al *San Sebastián,* releído ahora en castellano, me parece de lo mejor que ha hecho Dalí.

Espero ansiosamente el artículo de tu hermano. Ese deseo de vuestra revista de dar a conocer gente nueva me parece excelente. ¡Está todo tan gastado! Precisamente yo, en el próximo número de *L'amic de les Arts,* empiezo una sección en que, bajo el título «Los pintores nuevos», me ocuparé de chicos completamente inéditos.

Y ahora vamos a un asunto muy importante, importantísimo, para el cual necesitamos imprescindiblemente, absolutamente, rotundamente, tu ayuda. La necesitamos como el agua que bebemos y el pan que comemos. Y espero que, a pesar de tu apatía, del trabajo que te dé *Gallo* y de todo lo que tú quieras, nos ayudarás. Se trata del número de *L'amic de les Arts* dedicado a la joven Andalucía, que con cubierta amarilla y azul y parecido al N. de Oc saldrá de aquí a tres o cuatro meses. He aquí el plan que tenemos trazado:

1.º Boletín del director Carbonell.

2.º Un artículo que presente a Andalucía como un todo compacto, como una entidad, como una región y desde

247

el punto de vista étnico y cultural, hablando además de la relación que existe, si la hay, con el Norte de África. Un artículo, en fin, que presente a Andalucía con un criterio elevadísimo y de manera completa. Este artículo te lo encargamos a ti como supremo representante de la Andalucía actual. y ni decir tiene que esperamos tu aprobación: tu país lo exige.

3.º La joven poesía andaluza presentada por Muntanyà (presentada o mejor dicho comentada) con una selección de poesías de los que tú creas mejores poetas andaluces.

4.ª La joven pintura andaluza por un servidor y a base de reproducciones de La Serna, Ortiz, Peinado, etc., etc. (Y dibujos tuyos, naturalmente, abriendo el camino.)

5.º Trabajos de prosa de algunos andaluces designados por ti, entre los cuales no ha de faltar un artículo de Falla, si es posible, tratando del cancionero popular.

Ya ves, querido Federico, que los propósitos son buenos y que puede resultar una magnífica cosa. Pero para lograr todo eso son precisos anuncios. Yo creo que más que dirigirse a casas pequeñas será preferible solicitar el anuncio de casas importantísimas, por el estilo de Domecq que, con algunos anuncios de página, bastarían para lanzar el número.

Si tú, sin que te cause molestia, conoces alguna casa importante y puedes dirigirte a ella, te lo agradeceremos en el alma.

Para esa cuestión de anuncios me dirigiré también a Emilio Prados, a R. Buendía (a quienes he hablado ya del asunto sin darles todavía detalles concretos), a Llosent, etc., etc.

Ya me dirás, querido amigo, francamente lo que te parece.

Y sin otro particular, por hoy recibe un abrazo cariñoso de GASCH.[17]

Federico, contentísimo, le escribió a Gasch:

17.   Archivo particular de la familia García Lorca.

248

noche de gallo
noche de gallo
noche de gallo
noche de gallo
noche de gallo

ATENEO D GRANAD

Programa de la «Noche de Gallo», velada cultural organizada
para celebrar la salida de la revista «Gallo», que tuvo
lugar en el Ateneo granadino la noche del 27 de noviembre de 1928.

A Sebastián
Recuerdo de
Federico

INTERVIENEN:

Joaquín Amigo Aguado.
Arco.
■

Manuel López Banús.
Invitación al optimismo.
■

Carlos Fernández Casado.
Ingeniería: maquinismo y arquitectura.
■

Enrique Gómez Arboleya.
Modos de ausencia.
■

Francisco Menoyo.
Nueva arquitectura.
■

Federico García Lorca.
Sketch de la pintura moderna.
■

La idea del número dedicado a Andalucía te la agradecemos en el alma. Toda Andalucía lo agradecerá, y, desde luego, cuenta conmigo. Yo buscaré anuncios y todo lo que sea preciso en Granada y donde pueda. Como ves, cada día Andalucía y Cataluña se unen más gracias a nosotros. Esto es muy importante y no se dan cuenta, pero más tarde se darán. Todavía no ha venido Falla, pero está al llegar y se entusiasmará con la idea tanto como nosotros. Falla es amante de Cataluña y colaborará con verdadera fe. El número puede ser un *escandalazo*. No te he escrito antes por culpa de *Gallo* y de la divina Semana Santa andaluza. *Gallo* está al salir y no ha salido por culpa de los clichés. Abre marcha tu artículo. Va creo muy bonito y muy valiente. En este número *reproducimos* íntegro el manifiesto, y Joaquín Amigo Aguado, uno de los jóvenes de más valía de Granada y de más entusiasmo y pureza, lo comenta con un elogio a vosotros tres.

Como verás, vuestro manifiesto ha tenido aquí la acogida que se merece.

Esperamos de ti un favor. Recibirás seis o siete reproducciones de Manuel Ángeles Ortiz, y tú harás un ensayo sobre este pintor para el próximo número. Sobre Manolo *¡no se ha hablado nunca en Granada!* y se le ha despreciado. Es nuestro deber hablar de este gran amigo y pintor. Como tú vas a escribir constantemente, te ruego esto. Espero seré atendido. Tú verás que esto es justo. El artículo de Domingo lo daremos en otro número. Esto es cumplir un *deber* para la revista.

Creo que harás esto con el amor literario que nosotros ponemos en nuestras cosas. Tú sabes ya la historia de Manolo. Yo te la conté. Cómo salió de Granada y del ansia de pureza y horizonte nuevo que siempre tuvo este muchacho.

Un ensayo más bien largo. Él es un discípulo de Picasso. Quizá el primero y al que, desde luego, Picasso quiere más. Puedes hablar, de rechazo, del arte de Picasso. En fin, querido Sebastián, lo que tú quieras.

Pronto recibirás *Gallo*. Mientras tanto, un abrazo cariñoso de FEDERICO.

Muntanyà me manda un ensayo sobre la joven poesía catalana, que publicaremos íntegro en el tercer número. Es muy bonito.

Saludos a Sabater y a Font. ¡Escríbeme! Espero que harás el artículo con la prisa debida.[18]

El segundo número de *Gallo* apareció en abril. Abría fuego el artículo de Gasch dedicado a Picasso. Francisco García Lorca presentó un fragmento de una novela en preparación: *Encuentro;* Manuel López Banús estrenó su poema modernista *Novillada poética;* Enrique Gómez Arboleya sus versos: *Flechas con vistas al blanco* y la segunda parte del *Cuaderno de Eugenio Rivas*; de Francisco Cirre, el poema *Barco Pirata;* José Navarro Pardo publicó un trabajo en prosa sobre temas arábigos; Francisco Ayala, una narración: *Susana saliendo del baño,* y Federico sus diálogos *La doncella, el marinero y el estudiante* y *El paseo de Buster Keaton.* En este número, traducido al castellano, se reproducía el *Manifiesto Antiartístico Catalán,* que presentaba y comentaba el granadino Joaquín Amigo. El documento, que debía *épater* a la *intelligentsia* granadina, advertía: «Del presente manifiesto hemos eliminado toda cortesía en nuestra actitud. Inútil toda discusión con los representantes de la actual cultura catalana, artísticamente negativa, aunque eficaz en otros órdenes. La transigencia o la corrección conducen a delicuescencias y lamentables confusiones de todos los valores, a la más irrespirable atmósfera espiritual, a las más perniciosas influencias. Ejemplo: *La Nova Revista.* La violenta hostilidad, por el contrario, sitúa netamente los valores y las posiciones y crea un estado de espíritu higiénico.»

En marzo, entre los dos quiquiriquíes, nació la revista *Pavo,* impresa por Ventura Traveset, en cuyo taller se imprimía también el *Gallo.* Estaba compuesta de cuatro páginas grisáceas de tosco papel de estraza. En la cabecera aparecía un butacón como

18. Cartas a Gasch. O. C. de F. García Lorca.

símbolo de inmovilismo. La nota de presentación señalaba bien claramente las razones de su publicación: «Este periódico nace como una réplica a cierta revista que se dice ella misma de Granada, pero no crean estos jóvenes que su sola importancia determina la aparición de este pavo... La citada revista saluda a imaginarios colegas lanzando unos quiquiriquíes... Nosotros no podemos contestar con el mismo canto, pues la naturaleza nos impuso otro bien distinto; así, pues, nos metemos el dedo en la boca y hacemos glo-glo.» La revista *Pavo* la realizaba el mismo equipo que hacía *Gallo,* y estaba inspirado por el espíritu festivo que animaba a Gerardo Diego, director de la revista *Carmen,* a editar el suplemento *Lola.*

Pavo reproducía un fragmento de un poema «tradicional»: *El Cruzado,* en el que, como tela de fondo, aparecía la no menos tradicional Granada de esencias moriscas. En la nota previa se leía: «Y ahora, en cambio, he aquí una poesía de las despreciadas por estos pueblos vanguardistas, que tiene todo el aliciente y el tono de la gran poesía tradicional española. Si Federico García Lorca y Antonio Gallego Burín descubren poetas o artistas que los entienden ellos únicamente en su casa, nosotros exaltamos aquellos valores granadinos que siguen la vieja y honrada tradición española.»

Tanto el gallo como el pavo son aves de corral de vuelo corto. El jaranero *Gallo,* de los novísimos granadinos, no llegó a dar por tercera vez su estentóreo quiquiriquí. En Granada, donde los aires parecen funestos para las publicaciones culturales, éstas suelen morir en su más tierna infancia. Para celebrar la experiencia directorial, una noche, en torno a Federico, en la Venta Eritaña, se reúnen los redactores y simpatizantes de la revista para cenar y enterrar a *Gallo* y a *Pavo,* sin un ápice de dramatismo, con el humor e ingenio propios del poeta granadino. «Siempre con su séquito —explica Pedro Salinas—. Le seguíamos todos, porque él era la fiesta, la alegría que se nos plantaba allí, de sopetón, y no había más remedio que seguirle.» Uno de los platos tenía que ser forzosamente pollo. La decoración del comedor: cubista, surrealista, a tono con las ideas estéticas que preconizaba el difunto *Gallo.* A la noche de *Gallo* le sigue la noche de *Pavo,* con pavo como plato fuerte, naturalmente. Pero esta vez en la Venta de la Lata. La decoración tiene un sello romántico. En una mesa dorada redonda «... aparece un detonante aparato de radio para ilustrar, con este juego de contrastes, las cuartillas que bajo el título de "tic tac" lee Gallego Burín, sobre los valores de la vieja y de la nueva vida, consultando su reloj de bolsillo».[19]

En los últimos días de julio de 1928 aparece en las librerías el *Romancero gitano* de García Lorca, editado por *Revista de Occidente,* que dirige Ortega y Gasset. El libro lleva poemas fechados entre 1924 y 1927. La obra obtiene en seguida un rotundo éxito, insólito para un libro de poesías, y la edición no tarda en agotarse. La buena acogida del público y de la crítica catapultan al autor a las cimas de la popularidad y de la fama. Los «romances gitanos» del poeta de Granada gustan en todos los medios, al margen de criterios y de posturas culturales. No existen minorías: el que no sabe leer adquiere el libro y se lo hace leer, y las poesías las aprenden de memoria. En los cuarteles corren ejemplares de mano en mano. Los soldados se las recitan unos a otros. El poema que más impacto causa y que más se recita es *La casada infiel.* Pero, pese a este éxito, Federico se encuentra sumido en una de las crisis más agudas de su vida. Su mejor refugio es el trabajo. Es cuando escribe a Jorge Zalamea «estoy desarrollando una actividad poética de fábrica». Y a Gasch: «Te mando dibujos. Tú eres la única persona con quien hago esto porque me siento muy comprendido por ti. Si quieres, publica algunos en *L'amic.* Y, desde luego, dime qué te parecen. Con sinceridad. Lo que estamos entusiasmados es con tu artículo sobre Manuel Ángeles, que es preciosísimo. Lleno de *juicio,* de ponderación, de armonía. Y con este entusiasmo tuyo tan admirable que sólo tienen los críticos auténticos, los que dan la batalla y nadan sólo en un agua. Gracias, lo publicaremos con todo cuidado y perfección.»[20]

19. A. GALLEGO MORELL, *Antonio Gallego Burín,* Editorial Moneda y Crédito, Madrid, 1973, p. 57.
20. Cartas a Gasch. O. C. de F. García Lorca.

253

A fines de verano de 1928, García Lorca reanuda su labor en la revista *Gallo*. Empieza a confeccionar el tercer número para el cual Gasch ha escrito el artículo sobre Ángeles Ortiz, pero este *Gallo* quedará mudo para siempre.

Entre Lorca y Dalí, el surrealismo

El grupo surrealista parisiense encabezado por André Breton dio fe de vida con el «Manifiesto del Surrealismo», en el que colaboraron Paul Éluard, Louis Aragon, Max Ernst, Antonin Artaud, Robert Desnos... Todos ellos pertenecían a ese estrato social privilegiado de la *gauche divine,* denominación con la cual se designaba, en la Francia de la entreguerra, a un importante sector de la «juventud dorada» parisiense. Es decir, aquellos que acabarían por adoptar una serie de actitudes seudorrevolucionarias en arte y literatura. Casi todos los miembros surrealistas franceses habían estado vinculados al grupo *Dada,* que fue un movimiento «antiliterario» y «antiartístico», fundado en Zurich hacia 1916, creado por escritores, pintores, escultores emigrados, con el poeta rumano Tristan Tzara como mentor, los cuales propugnaban «la destrucción del arte tradicional; del arte de la burguesía, responsable de la guerra». Su espíritu era nihilista y caótico, y sus manifestaciones, para *épater le bourgeois,* eran tremendamente escandalosas. Este grupo actuó en Barcelona, durante la primera Guerra Mundial, y en esta ciudad publicaron su revista *391* y se relacionaron con los vanguardistas catalanes. Así, en 1920, Max Ernst, por entonces una mente descollante entre los *dadaístas* alemanes, más tarde convertido en furibundo surrealista, organizó con Hans Arp la primera exposición *Dada,* en Colonia. El presunto visitante debía penetrar en la galería a través de un mingitorio, donde se le ofrecía una hacha para que destrozara los cuadros que no fuesen de su agrado. Y mientras tanto, en aquel delirante ambiente, una joven, vestida con un albo traje de primera comunión, recitaba poemas obscenos con amanerada solemnidad.

En 1922, el grupo parisiense consideró desfasado el dadaísmo y dio a luz un *surrealismo* que proclamaba «la revolución total, no sólo en el terreno del arte, sino también en el de la moral, el pensamiento, y la vida colectiva...». El surrealismo pretendía ser «la exploración sistemática y constructiva de lo irracional: el subconsciente, el ensueño, la imaginación, lo maravilloso». Ahora bien, en el surrealismo hay que distinguir dos corrientes nada convergentes: el surrealismo como sinónimo de «inspiración pura», que ha producido auténticas obras de arte, y el «surrealismo» así entrecomillado, inspirado en unas teorías puramente destructivas. El «surrealismo» de André Breton, que tanto daño hizo, puede decirse que murió con él en cuanto a movimientos de fines concretos y nada *inconscientes,* pues todos sus miembros debían regirse por normas muy estrictas que, de no ser seguidas al pie de la letra, motivaban la expulsión del grupo, como le ocurriría al propio Dalí.

Todo esto ha contribuido a crear una gran confusión, como si «críticos y literatos no hubieran sospechado siquiera —dice Manuel Brunet "Romano". *Destino,* 31-12-1949— que todo esto que se llama surrealismo perdió casi al nacer todo el encanto de una mayor sinceridad artística hacia la rebusca de nuevas formas de expresión, para convertirse en una ideología de carácter político y antirreligioso en todos los países con sus blasfemias y obscenidades».

El surrealismo español, a diferencia del francés, que no se explica «sin el mal, sin la perversión, sin la aberración, la blasfemia y el mal gusto», se inspira en la más pura esencia del surrealismo: el culto al subconsciente, a la ensoñación y a la abstracción. «Es el juego de ingenio —dice Aquilino Duque— en Gerardo Diego, en Alberti carrusel de espíritus puros, y en Lorca fábula popular y alma del paisaje. Es una poesía lúcida e inocente, es un mundo recién inventado por niños que se echan a soñar después de haber oído en la plaza una canción de rueda o de haber visto a Buster

Keaton en un cine de verano. Lorca, que es el que más se acerca a la muerte, la enseña en el umbral de una "larga locura de luceros". En esta poesía brilla por su ausencia el mal, tan fundamental en el *surrealismo* francés. Tanto el surrealismo del ensueño como el de la pesadilla, el surrealismo en todas sus formas, la española y la francesa, angélica y satánica, bendita y maldita, halla escasa acogida entre los seguidores de Machado y Unamuno.» [1]

En cambio, el surrealismo de Salvador Dalí tiene su entronque en el grupo francés.

En Cataluña, las ideas surrealistas hicieron eclosión en marzo de 1928, con *El Manifiesto Antiartístico Catalán,* firmado por Muntanyà, Dalí y Gasch. Al mes siguiente *L'amic de les Arts* organizaba una serie de conferencias a cargo de Josep Carbonell, J. V. Foix, Salvador Dalí, Sebastián Sánchez Juan, Lluís Muntanyà, M. A. Cassanyes y Sebastià Gasch, en el ateneo El Centaure de Sitges, con las cuales se proponían exponer ante un auditorio interesado las líneas maestras de dicho movimiento. La disertación más agresiva y osada, con aires de auténtico mitin, fue la de Salvador Dalí:

> Señores: Nosotros llevamos unos zapatos mientras nos sirven, y cuando están viejos los arrinconamos y compramos otros. Al arte no hay que exigirle otra cosa: así, cuando está viejo e inservible para nuestra sensibilidad, hay que arrinconarlo. Pasa a ser historia. El arte que hoy nos sirve y que nos cae a medida, es ciertamente el arte de vanguardia, o sea: el arte nuevo. El arte antiguo de todas las épocas ha sido, tengan la certeza de ello, el arte nuevo en su tiempo y fue, igual que el arte de hoy, confeccionado de acuerdo con las medidas de su tiempo y, por lo tanto, de acuerdo con la armonía de la gente que tenía que usarlo.
>
> El Partenón no fue construido con ruinas. El Partenón se creó de nueva planta y sin pátina, igual que nuestros automóviles.

1. Revista *Insula,* Madrid, núm. 320-21, p. 29.

No llevaremos indefinidamente sobre nuestras espaldas el peso del cadáver de nuestro padre, por mucho que lo queramos, resistiendo todas las fases de su descomposición, sino que, por el contrario, lo enterraremos con respeto y conservaremos de él un gran recuerdo.

Nos complacería que estuviese más generalizado el alto sentido del respeto que nosotros profesamos por el arte pasado y, en general, por todo lo que constituye la arqueología, que nos obliga a conservar devotamente todo aquello que nos dejaron los antepasados, archivándolo con precisión y pulcritud antes de que su putrefacción pueda constituir un obstáculo para nuestro confort y para nuestra condición de gente civilizada.

Aquí, sin embargo, se rinde culto a la mierda. ¿Qué es la pátina? La pátina no es otra cosa que la porquería que el tiempo acumula sobre los edificios, los objetos, los muebles, etc., etc...

Aquí, no obstante, se adora la pátina. A nuestros artistas les gusta todo aquello que el tiempo o la mano del anticuario haya depositado sobre el objeto adorado, este tono amarillento característico, tan repulsivo, tan parecido al que acaban adquiriendo las esquinas de las calles cuando los perros se mean en ellas insistentemente.

Dalí proponía la destrucción del Barrio Gótico barcelonés y que en su lugar se levantaran arquitecturas claras y joviales de cemento armado. Y a la gente que estimara la civilización:

I. Abolición de la sardana.

II. Combatir, por tanto, todo aquello que sea regional, típico, local, etc.

III. Menospreciar cualquier edificio que tenga más de 20 años.

IV. Propagar la idea de que realmente vivimos ya en una época posmaquinista.

V. Propagar la idea de que el cemento existe realmente.

VI. Que, efectivamente, también existe la electricidad.

VII. La necesidad de la higiene de los baños y de cambiarse de ropa interior.

VIII. De tener la cara limpia, o sea, sin pátina.

IX. Usar los objetos más recientes de la época actual.

X. Considerar a los artistas como un obstáculo para la civilización.

Señores, por respeto al arte, por respeto al Partenón, a Rafael, a Homero, a las pirámides de Egipto, al Giotto, proclamándonos antiartistas. Cuando nuestros artistas se bañen a diario, hagan deporte, vivan alejados de la pátina, entonces tendremos que empezar a sentir nuevas inquietudes por el arte. He dicho.[2]

Con este acto, que llamaron «Els 7 davant el Centaure», Sitges volvió por sus fueros de ciudad-avanzadilla del arte de Cataluña. La sesión cultural despertó expectación y provocó comentarios de toda índole, adversos la mayoría de ellos. La prensa barcelonesa, que había enviado a sus colaboradores, no mostró la menor indulgencia, en particular en sus secciones humorísticas. En la de «potins» del diario La Nau, se podía leer:

Por la noche, uno de «los siete» surrealistas se encontró en el café con dos conocidos:

—¿Qué, ya os hemos convencido? —les preguntó.

—Hombre, a medias —respondió uno de ellos, indeciso.

—Muchachos —sentenció el otro—, ¡ya sois siete y medio!

Por esas mismas fechas las cartas de Salvador a Federico empiezan a proyectar abiertamente las teorías surrealistas y la actitud del pintor intransigente y combativa queda reflejada en ellas:

2. *L'amic de les Arts,* Sitges, 31-5-1928.

Federico: He recibido los dos últimos números de *Verso y prosa*; es espantoso el marasmo putrefacto en que se mueve toda esa promoción de Prados, Altolaguirre, etcétera. ¡Qué arbitrariedad más espantosa!, y en el fondo de sus seudointelectualismos, qué roñoso sentimentalismo, me dan pena tus cosas tan ÚNICAS y verdaderas confundidas entre todo esto.

Pronto recibirás *casi* un libro de *poemas* míos; poéticamente soy el anti-Juan Ramón, que me parece evidentemente el jefe máximo de la putrefacción poética, es su putrefacción la peor de todas, ya que a su lado hasta el gran vulgar y puerco Rubén Darío, por su malísimo gusto, adquiere una cierta gracia sudamericana parecida a la arquitectura de la Casa Colom de Cadaqués.

La metáfora y la imagen han sido hasta hoy anecdóticas, tanto es así que hasta las más puras e incontrolables pueden ser explicadas como un acertijo. En fin, ya te escribiré un largo ensayo sobre lo que pienso de la poesía. Te abrazo. DALÍ.

He releído *Platero y yo,* del que tenía buena idea; es un asco absoluto. Todo es éxtasis emocionado delante de las cosas, que no ve, que no ve en absoluto —Juan Ramón no ha visto nunca nada—. Sólo percibe de las cosas emociones roñosas. Adiós. El «poema de las cositas»[3] que te mandé,

3. *Poema de las cositas:*
Hay una pequeña cosita mona que nos mira sonriendo.
Estoy contento, estoy contento, estoy contento, estoy contento.
Las agujas de coser se clavan con dulzura en los niquelitos pequeños y tiernos.
Mi amiga tiene la mano de corcho y llena de puntas de París.
Mi amiga tiene la rodilla de humo.
El azúcar se disuelve en el agua, se tiñe con la sangre y *salta como una pulga.*
Mi amiga tiene un reloj de pulsera de macilla.
Los dos pechos de mi amiga, el uno es un movedizo avispero y el otro una calma garota.
Los pequeños erizos, los pequeños erizos, los pequeños erizos, los pequeños erizos; pinchan.
El ojo de la perdiz es encarnado.

260

¿qué te ha parecido? Saluda a la Xirgu, Muñoces, Porredones, etc. Recuerdos a los Colandres de goma de los cafés y vistrulos.[4]

En el transcurso de unos meses las cartas de Dalí a Lorca cambian de tono. La actitud y predisposición del pintor al poeta no se parece en nada a la del amigo y admirador que hace tan sólo unos meses le escribía: «¡ay!... ¿quién dice estas cosas que dices tú? ¡Nadie!» Sus cartas supuran «surrealismo» por todas las letras, y sus teorías dan fe del culto al subconsciente, como recurso primordial para la liberación del hombre que preconizan los catecúmenos franceses:

> Querido Federico: He leído con calma tu libro, del que no puedo estarme de comentar algunas cosas. Naturalmente, me es imposible coincidir en nada en la opinión de los grandes puercos putrefactos que te han comentado. *Andrenio*, etc., etc., pero creo que mis opiniones que cada día van concretándose en torno de la poesía, pueden interesarte algo.
>
> I.   Me parece lo mejor del libro lo último martirio de Santa Olalla, pedazos de incesto —Rumor de rosa encerrado—, estos versos pierden ya buena parte de costumbrismo, son mucho menos anecdóticos que los demás, etc., lo peor me parece lo de «aquel señor que se la lleva al río».
>
> La *gracia* producto de un estado de espíritu basado en la apreciación de forma da sentimentalmente por el *anacronismo*. Lo de las enaguas del sentido en su alcoba (San Gabriel) aun hoy en que en toda producción sólo admito la rabia en el crearla, una especie de inmoralidad, eso es lo que

---

Cositas, cositas, cositas, cositas, cositas,
cositas, cositas, cositas, cositas, cositas,
hay cositas quietas *como un pan*.

SALVADOR DALÍ, octubre de 1927

(Archivo particular de la familia García Lorca.)
4.   Archivo particular de la familia García Lorca.

ha sido empleado por los franceses, por el —esprit francés asqueroso e inadmisible, etc., del que todos hemos estado contagiados.

II. Tu poesía actual va de lleno dentro de *lo tradicional,* en ella advierto la sustancia *poética más gorda que ha existido,* pero ligada en absoluto a las normas de la poesía antigua, incapaz de emocionarnos, ni de satisfacer nuestros deseos actuales, tu poesía está ligada de pies y brazos al arte de la poesía vieja. Tú quizá creas atrevidas ciertas imágenes y encuentres una dosis crecida de irracionalidad en tus cosas, pero yo puedo decirte que tu poesía se mueve dentro de las ilustres acciones de los lugares comunes más estereotipados y más conformistas.

Precisamente estoy convencido que el esfuerzo hoy en poesía sólo tiene sentido en la evasión de las ideas que nuestra inteligencia ha ido forjando artificialmente hasta dotar a éstas de su exacto sentido real.

En realidad, no hay ninguna relación entre dos danzantes y un panal de abejas a menos que sea la relación que hay entre Saturno y la pequeña cuca que duerme en la crisálida, o al menos que en realidad no exista *ninguna diferencia* entre la pareja que danza y el panal de abejas.

Las minuteras de un reloj (no te fijes en mis ejemplos que no los busco precisamente poéticos) empiezan a tener un valor real en el momento en que dejan de señalar las horas del reloj y perdido su ritmo *circular* y su misión arbitraria a que nuestra inteligencia las ha sometido (señalar las horas) se evaden del tal reloj para articularse al sitio que correspondería al sexo de las miguitas de pan.

Tú te mueves dentro de las nociones aceptadas y antipoéticas, hablas de un jinete, etc., supones que va arriba de un caballo y que el caballo galopa *esto es mucho decir,* porque en realidad *sería conveniente averiguar* si realmente es el jinete el que va arriba. Si las riendas no son una continuación orgánica de las mismísimas manos, si en realidad más veloz que el caballo resultan los pelitos de los orejones del jinete y que si el caballo precisamente es algo adherido al terreno por razones vigorosas, etc., etc. Figúrate, pues, lo que es llegar como haces al concepto de un Guardia Civil.

Poéticamente un Guardia Civil en realidad no existe a menos que sea una alegre y mona silueta viva y reluciente precisamente por sus actitudes y sus piquitos que les salen por todos lados y sus pequeñas correas que son parte visceral de la misma vestimenta, etc., etc...

Pero tú... putrefactamente el guardia civil —¿qué hace? Tal, tal, tal, tal irrealidad, antipoesía.

Formación de nociones arbitrarias de las cosas.

Hay que dejar las cositas libres de las ideas convencionales a que la inteligencia las ha querido someter. Entonces estas cositas monas ellas solas obran de acuerdo con su real y consustancial manera de ser. Que ellas mismas decidan la dirección del curso de la proyección de sus sombras. ¡Y a lo mejor lo que creíamos que haría una sombra más espesa no hace sombra, etc., etc.! ¿Feo? ¿Bonito? Palabras que han dejado de tener su sentido.

Horror, esto es otra cosa, es lo que nos proporciona lejos de toda *estética* el conocimiento poético de la realidad y ya que el lirismo sólo es posible dentro de las nociones más o menos aproximativas que nuestra inteligencia puede percibir de la realidad.[5]

Esta carta es probablemente la última, la que cerraría la amistad y la correspondencia entre Dalí y García Lorca, y no porque a Federico le parecieran mal sus criterios, pues refiriéndose a ella le dice a Gasch que ha recibido una carta muy larga de Dalí, «carta aguda y arbitraria» en la que «plantea un pleito poético interesante», sino por el manifiesto desvío del pintor. Aquel verano, el de 1928, el invitado de Dalí en Figueras y en Cadaqués es Luis Buñuel. «Con Dalí —escribe el cineasta a José Bello— más unidos que nunca, hemos trabajado en íntima colaboración para

5.   Archivo particular de la familia García Lorca.

fabricar un *scenario* estupendo, sin antecedentes en la historia del cine.» [6]

Años más tarde, el cineasta aragonés saldría al paso de la tan traída y llevada colaboración de Dalí, en *Un chien andalou,* el famoso filme de tan debatido nombre,[7] en una nota de la filmografía publicada por la revista mexicana *Nuevo Cine:* «En cuanto al argumento del *Perro* puede decirse que es obra de ambos. En algunas cosas trabajamos muy unidos. De hecho Dalí y yo éramos uña y carne por aquella época.» [8] Tan «uña y carne» eran, con el surrealismo como lecho común, que escriben a Juan Ramón Jiménez: «Nuestro distinguido amigo: Nos creemos en el deber de decirle, así, desinteresadamente, que su obra nos repugna profundamente por inmoral, por histérica, por arbitraria.

»Especialmente: ¡¡Merde!! para su *Platero y yo,* para su

6. J. FRANCISCO ARANDA, *Luis Buñuel. Biografía crítica,* Edit. Lumen, Barcelona, 1970, p. 75.

7. En la «Biografía crítica de Buñuel», J. Francisco Aranda cree descifrar el misterio que rodea el título de *Un chien andalou.* En la página 58 en una nota de autor, a una carta de Buñuel a Dalí le dice:

«A Federico lo vi en Madrid (14 de setiembre de 1928), volviendo a quedar íntimos; así mi juicio te parecerá más sincero si te digo que su libro de romances *El romancero gitano,* me parece malo (...) muy malo. Es una poesía que participa de lo fino y *aproximadamente* moderno que debe tener cualquier poesía de hoy para que guste a los Andrenios, a los Baezas y a los Cernudas de Sevilla (...).» Hasta aquí la carta de Buñuel, en ese punto señala Aranda: «He aquí desvelado el misterio del significado del título *Un chien andalou,* tan debatido por la crítica de cine: Buñuel ha repetido que se trataba de un título al acaso, sin ningún sentido. Por este párrafo, y otra correspondencia que conocemos de Buñuel, vemos que él, Dalí, Bello y otros amigos oriundos del norte, llamaban "perros andaluces" a los béticos de la Residencia, poetas simbolistas insensibles a la poesía revolucionaria de contenido social preconizada por Buñuel, quizá antes que nadie en España (aunque años después Alberti y otros seguirían ese camino). En efecto, pensando en ello vemos que *Un chien andalou* es una biografía aplicable a muchos miembros del grupo, en su aspecto subconsciente y protoparanoico: sus complejos de infantilismo, castración, ambivalencia sexual y de personalidad, etc., y su lucha interior por la liberación de la carga burguesa y la afirmación de lo adulto. Hasta físicamente Batcheff recuerda a ese tipo de poetas y no es de extrañar que Dalí se felicite (en *La vida secreta de Salvador Dalí*) por haber encontrado en el actor el físico por él prefigurado.»

8. J. FRANCISCO ARANDA, op. cit., p. 76.

fácil y mal intencionado *Platero y yo*, el burro menos burro, el burro más odioso con que nos hemos tropezado. Sinceramente, Luis Buñuel. Salvador Dalí.» [9]

Y en otra carta de Buñuel: «Hay que *combatir* con todo nuestro desprecio e ira toda la poesía tradicional, desde Homero y Goethe, pasando por Góngora —la bestia más inmunda que ha parido madre— hasta llegar a las ruinosas deyecciones de nuestros poetillas de hoy...»

Esta furia inconformista y ese afán destructor ya se había revelado, meses antes, en otra carta de Dalí a Federico.[10] Recuérdese que *Platero y yo* fue uno de los libros predilectos de Salvador Dalí. Sin embargo, la bomba del «surrealismo» daliniano no había estallado. La gran explosión se produciría el 22 de marzo de 1930, en el transcurso de una conferencia que dio en el Ateneo barcelonés, titulada *La moral del surrealismo*. El «paso decisivo», junto con Buñuel, lo daría en el lenguaje cinematográfico, pero los cánones del tremendista surrealismo parisiense exigían que expusiese en la Villa Luz y que abjurase públicamente de su pasado, de su familia, de sus más íntimas convicciones... Sólo así podía ser admitido en el cónclave cuyo pontífice mayor era André Breton. La manifestación pública se traduciría en una frase grosera, hiriente, triste en definitiva. El pintor ampurdanés lo hizo cumplidamente, *limitándose* a injuriar a su madre, inscribiendo en uno de sus cuadros, el que representaba un Sagrado Corazón, expuesto en la Galería, esta frase: «Yo escupo sobre mi madre.» Como es natural, esto provocó la ira de su padre, que lo marginó del hogar familiar.

9. J. FRANCISCO ARANDA, op. cit., p. 59.

10. «... es inaudito que a la Xirgu no se le haya ocurrido que tenía que pagarme aunque fuera un poco mis decorados (que por otra parte han gustado a los putrefactos y han hecho aparecer sobre todo en Madrid una obra de vanguardia, mucho más de vanguardia de lo que hubiera sido con unos de Fontanals, Alarma). Fíjate con dinerito, con 500 pesetas podríamos hacer salir un número de la revista Anti-artística, en la que nos podríamos *cargar* desde el orfeón catalán hasta Juan Ramón. (Muera el *burro platero*, de Juan Ramón, estilización decorativa de los burros, anti-realismo de los burros, que como sabes acostumbran a ser hechos de corcho hormigueante igual que el cristal.)» Archivo particular de la familia García Lorca.

Salvador Dalí ante una sala repleta de amigos, de los cuales perdería a muchos de ellos para siempre, aquella tarde de marzo, empezó diciendo:

Antes de todo creo indispensable denunciar el carácter eminentemente envilecedor que supone el acto de dar una conferencia y más aún el acto de escucharla. Es, pues, con las máximas excusas con que reincido en un acto semejante, que puede ser considerado, sin duda alguna, como el más alejado del acto surrealista más puro, el cual, como ha explicado Breton, ya desde el segundo manifiesto, es bajar a la calle, empuñando unas pistolas, y ponerse a disparar como un loco, al azar, sobre la multitud.

No obstante, en un determinado plano de relatividad, el innoble acto de la conferencia puede ser utilizado todavía con miras más altamente desmoralizadoras y confusionistas. Confusionistas sí, ya que, paralelamente a los procedimientos (que hay que considerar como buenos siempre que sirven para arruinar definitivamente las ideas de familia, patria, religión), nos interesa asimismo todo lo que pueda contribuir también a la ruina, al descrédito del mundo sensible e intelectual, que en el proceso entablado a la realidad puede condensarse en la voluntad rabiosamente paranoica de sistematizar la confusión, la confusión tabú del pensamiento occidental que ha terminado siendo cretinamente reducida al no-nada de la especulación o a la vaguedad o a la tontería (o a la imbecilidad).

El innoble esnobismo ha vulgarizado los hallazgos de la psicología moderna, adulterándola hasta el punto inaudito de hacerlas servir para amenizar sutilmente las conversaciones espirituales de los salones y sembrar una estúpida novedad en el inmenso pudridero de la novela y del teatro modernos. No obstante, los mecanismos de Freud son muy feos y por encima de todo muy poco aptos para el esparcimiento de la sociedad actual. Efectivamente, estos mecanismos han iluminado los actos humanos con una claridad lívida y deslumbrante.

Hay las «relaciones» de afecto familiar. Hay la abnegación: una esposa muy amada de su esposo, cuida de él, durante una larga y cruel enfermedad que dura dos años; lo cuida día y noche con una abnegación que sobrepasa todos los límites de la ternura y del sacrificio. Seguramente que, como recompensa a tanto amor, el marido en cuestión sana; luego es la mujer la que cae enferma con una grave neurosis. La gente cree que aquella enfermedad es la consecuencia lógica de su agotamiento nervioso. Pero la cosa, en realidad, viene de mucho más lejos. Porque, para la gente feliz, el agotamiento nervioso no existe. La psicoanálisis y la interpretación paciente de los sueños de la enferma confirman el deseo intensísimo, subconsciente (ignorado, por tanto, por la misma enferma), de deshacerse de su marido. Es por eso que la curación de éste provoca la neurosis. El deseo de muerte se vuelve contra ella misma. La extremada abnegación es utilizada como una defensa del deseo inconsciente.

Una viuda se pega un tiro sobre la tumba de su marido. ¿Quién comprende eso? Los hindúes lo comprenden cuando procuran evitar los malos deseos de sus mujeres con la ley que ordena que las viudas sean quemadas.

Hay aun la abnegación, la abnegación altamente desinteresada entre familiares. Efectivamente, durante la gran guerra se ha podido comprobar estadísticamente un tanto por ciento crecidísimo de sadismo entre enfermeras de la Cruz Roja. Precisamente se daba entre las más abnegadas, las cuales, al abandonar el bienestar burgués y a menudo privilegiado, acudían en masa a los campos de batalla; a menudo se las sorprendía con las tijeras cortando largos centímetros de más, por puro placer, y se dieron numerosísimos casos de auténtico martirologio. Y es que, para compensarlas de tantas penalidades, tenían que experimentar un placer muy intenso por otro lado. A no ser que, como es muy probable, el mecanismo psíquico de las gentiles enfermeras estuviese complicado con las seducciones de la virtud masoquista.

Sería inacabable la revisión de los sentimientos humanos llamados *elevados,* que nos ofrece cómodamente la reciente psicología. Y, realmente, no es necesaria del todo esa revisión, para llegar a poder enunciar, cómo en plano moral (que la crisis de conciencia, que el surrealismo cree ante todo provocar), una figura como la del marqués de Sade aparece hoy con una pureza diamantina y, en cambio, para citar a un personaje nuestro, nada puede parecerse más bajo, más innoble, más digno de oprobio, que los «buenos sentimientos» del gran puerco, el gran pederasta, el inmenso putrefacto peludo: el Ángel Guimerá.

Recientemente, yo he escrito sobre una pintura que representaba el Sagrado Corazón, «yo escupo sobre mi madre». Eugenio d'Ors (al que considero como un perfecto imbécil) ha visto en esta inscripción un sencillo insulto privado, una sencilla manifestación cínica. Es inútil que diga que esta interpretación es falsa y le quita todo el sentido subversivo, realmente subversivo, a la citada inscripción. Se trata, por el contrario, de un conflicto moral de orden muy parecido al que nos plantea el sueño, cuando en él asesinan a una persona querida y que este sueño es general. El hecho de que los impulsos subconscientes sean a menudo de una extremada crueldad para nuestra conciencia, es una razón suplementaria para no dejar de manifestarlos allí donde estén los amigos de la verdad.

La crisis de orden sensorial, el error, el confusionismo sistematizado, que el surrealismo ha provocado en el orden de las imágenes y de la realidad, son aun recursos altamente desmoralizadores. Y si hoy podemos decir que el *modern style,* que en Barcelona tiene una representación excepcional, es el que está más cerca hoy, de lo que podemos amar sinceramente, ello es una prueba del asco y de la indiferencia moral por el arte, el mismo asco que nos hace considerar una tarjeta postal como el documento más vivo del pensamiento popular moderno, pensamiento de una profundidad a menudo tan aguda que escapa a la psicoanálisis (me refiero en especial a las tarjetas postales pornográficas).

. . . .

El nacimiento de las nuevas imágenes surrealistas hay que considerarlas, ante todo, como el nacimiento de las imágenes de la desmoralización. Hay que insistir en la rara agudeza de atención, reconocida por todos los psicólogos, prestada a la paranoia, forma de enfermedad mental, que consiste en organizar la realidad de tal forma que podamos utilizarla para controlar una construcción imaginativa. El paranoico que cree haber sido envenenado y descubre que todo lo que le rodea, hasta en los detalles más imperceptibles y sutiles, son los preparativos para su propia muerte. Recientemente, a través de un proceso netamente paranoico, he conseguido una imagen de mujer, la posición, sombras, cuya morfología, sin ser alterada ni deformada en lo más mínimo en su aspecto real, era, al mismo tiempo, un caballo. Hay que pensar que es únicamente una cuestión de una intensidad paranoica más violenta, al conseguir la aparición de una tercera imagen, de una cuarta, y de hasta treinta imágenes. En este caso sería curioso saber lo que representa, en realidad, la imagen en cuestión, cuál es la verdad, y acto seguido se plantea la duda mental de pensar si las imágenes propias de la realidad son únicamente un producto de nuestra facultad paranoica.

Pero esto es un breve incidente. Hay aún los grandes sistemas, estados más generales ya estudiados, la alucinación, el poder de alucinación voluntaria, el presueño, la iluminación, el sueño diurno (ya que se sueña sin interrupción), la alienación mental y muchos otros estados que no presentan el menor sentido e importancia que el estado llamado normal del putrefacto enormemente normal que toma café.

No obstante, la normalidad de la gente que llena las calles, sus acciones de orden práctico son traicionadas dolorosamente por el automatismo. Todos se inclinan dolorosamente y se agitan por unos sistemas que creen normales y lógicos; no obstante, toda su acción, todos sus gestos, res-

pronto a mantener unos años, y
como charlestón con acompañamiento de banjo y
cornetín, titulado (El dulce cogollito de
Poema de las cositas mi amiga , _es_ recién salido de
la barbería.

Ay una pequeña cosita mona , que nos mira
sonriendo.

Estoy contento , estoy contento , estoy contento , estoy
contento.

Las agujas de coser se clavan con dulzura en los miguelitos
pequeños y tiernos (mi amiga tiene la mano de corcho y llena de puntos de París
(tachuelas negras)
Mi amiga tiene las rodillas de humo. (1)

El azúcar se disuelve en el agua , se tiñe
con la sangre y salta como una pulga.

Mi amiga tiene un reloj pulsera , de masilla (2)

Los dos pechos de mi amiga ; el uno
es un movedísimo avispero y el otro una calma garota

Los pequeños erizos , los pequeños erizos , los
pequeños erizos , los pequeños erizos , los pequeños
erizos ; pinchan.

El ojo de la perdiz es encarnado.
Cositas , cositas , cositas , cositas , cositas
cositas , cositas , cositas , cositas , cositas
hay cositas quietas , como un pan.

(2) mastic, eso blando que
pone en los cristales de los
ventanas

Salvador Dalí.

— Octubre - 1927 —

(1) no sé si se dice así en castellano. ¿Te gusta? escríveme ¿ que te parece? ¿¿¿

Poema que Salvador Dalí mandó a García Lorca.

ponden inconscientemente al mundo de la irracionalidad y de sus convenciones, las imágenes apercibidas en los sueños; es por eso que cuando encontramos unas imágenes que se le parecen, creen que es el amor y dicen que sólo con mirarles los hacen soñar.

El placer es la aspiración más legítima del hombre. En la vida humana el principio de la realidad se eleva contra el principio del placer. Una defensa rabiosa se impone a la inteligencia, la defensa de todo aquello que, a través del abominable mecanismo de la vida práctica, de todo lo que a través de los innobles sentimientos humanitarios, a través de las bellas frases: amor al trabajo, etc., etc., en las que nosotros nos cagamos, puedan conducir a la masturbación, al exhibicionismo, al crimen, al amor.

El principio de la realidad contra el principio del placer; la posición verdadera del verdadero desespero intelectual, es precisamente la defensa de todo lo que por el camino del placer, y a través de prisiones mentales de toda especie, pueda arruinar la realidad, esta realidad cada vez más sometida, más bajamente sometida a la realidad violenta de nuestro espíritu. La revolución surrealista es ante todo una revolución de orden moral, esta revolución es un hecho vivo, el único que tiene un contenido espiritual en el pensamiento occidental moderno.

La Revolución Surrealista ha defendido: La Escritura Automática — El Texto Surrealista — Las imágenes del presueño — Los Sueños — La alienación mental — La histeria — La intervención del azar — Las encuestas sexuales — La injuria — Las agresiones antirreligiosas — El comunismo — El sueño hipnótico — Los objetos salvajes — Los objetos surrealistas — La tarjeta postal —. La revolución surrealista ha defendido los nombres del conde de Lautréamont, de Trotski, de Freud, del marqués de Sade, de Heráclito, de Uccello, etc.

Un grupo surrealista ha provocado tumultos sangrientos en *la Brasserie des Lilas,* en el cabaret *Maldoror,* en los teatros y en plena calle.

El grupo surrealista ha publicado diversos manifiestos insultando a Anatole France, a Paul Claudel, al mariscal Foch, a Paul Valéry, al cardenal Dubois, a Sergio de Diaghileff y a otros.

Me dirijo a la nueva generación de Cataluña con el fin de anunciar que una crisis moral del orden, la más grave de todas, ha sido provocado, que los que persisten en la amoralidad de las ideas decentes, habladas, tengan la cara cubierta por mis salivazos.

No, no era esta *moral surrealista* la que los amigos y seguidores de Dalí hubiesen deseado ver desarrollada. El grupo de *L'amic de les Arts,* al que tan ligado parecía estar el pintor ampurdanés, lo componían jóvenes, entusiastas de una profunda renovación cultural y artística. De ahí que preconizaran la revolución del arte como recurso insoslayable para cumplirla. En este punto se habían identificado con las teorías de André Breton, sin conocer el fondo destructivo que las animaba. Ahora se sentían hondamente defraudados y heridos en lo más íntimo de sí mismos. Ante las expansiones dalinianas, la reacción de la intelectualidad catalana fue unánime: «Tot això, ultra produir-me una pena molt profunda, perquè jo havia estimat molt a Dalí, feria de una manera molt violenta les meves conviccions més íntimes», escribiría Sebastià Gasch.[11]

Todo este tremendismo desorbitado separó a Federico García Lorca de Salvador Dalí, quien no respetó ya a su amigo ni después de muerto. El «divino Dalí», como él se autodenomina, fiel portavoz de esa forma «satánica y maldita» del surrealismo francés, desde 1929, es el único superviviente del grupo,[12] que continúa

11. «Todo esto, además de producirme una pena muy profunda, porque yo había querido mucho a Dalí, hería de una manera muy violenta mis más íntimas convicciones.» S. GASCH, *L'expansió de l'art català al món,* Barcelona, 1953, p. 156.

12. «En 1932 me separé del grupo surrealista, aunque continué en buena armonía con mis compañeros. Empezaba a no estar de acuerdo con aquella especie de aristocracia intelectual, con sus extremos artísticos y morales que nos aislaban del mundo y nos limitaban a nuestra propia compañía. Los surrealistas consideraban a la mayoría de la especie humana es-

al pie del cadáver frío del «surrealismo» como si pretendiera reanimarlo con sus excentricidades y sus declaraciones abusivas e incoherentes. Recientemente, en una entrevista en Televisión Española, al preguntarle por el surrealismo, dijo:

—El surrealismo hoy soy yo. Soy un surrealista creativo, que pinta de forma hiperrealista. Y así he transformado el surrealismo que, como usted sabe, es de origen germánico y romántico. Pues bien, yo lo he transformado en superrealismo latino y materialista.

Sus manifestaciones de payaso desequilibrado nos mueven a la tristeza, en particular cuando salen de sus labios frases como éstas:

—¿Cuando fusilaron a García Lorca se emocionó usted? —le interroga un periodista.

—Me alegré mucho. Por otra parte como que soy jesuita en alto grado, cuando uno de mis amigos muere tengo la sensación de que soy yo quien le ha matado, que ha muerto por mi causa. (*L'Expres,* París, 1-3-1971.)

---

túpida o despreciable, lo cual los apartó de toda participación social haciéndoles rehuir la labor de otros.» Declaraciones de Luis Buñuel. (J. FRANCISCO ARANDA, op. cit., p. 120.)

«No he vuelto a hablar al señor Dalí desde 1929. Una decisión anterior a mi ruptura con los surrealistas. Una tarde, en casa de Breton, se hablaba del Orient Expres que una bomba de un anarquista macedonio acababa de hacer saltar, y Dalí dijo: "Yo, si pusiera una bomba, sería a las terceras clases, porque es más escandaloso matar a los pobres." A partir de esta frase no le he estrechado nunca más la mano. Y su texto sobre Hitler es del mismo orden, delirante e intolerable. Encontré a Buñuel y a Dalí juntos en el café La Coupole, y los he conducido a casa de André Breton. Esto no cambia nada al hecho de que yo le tenga un gran desprecio al señor Dalí. Por otra parte, él ha cambiado. Cuando llegó a París era un muchacho extremadamente tímido que no atravesaba la calle solo. En España su hermana lo llevaba de la mano. En fin, en lo que concierne a las declaraciones sobre Federico García Lorca, ese gran poeta, el señor Dalí se ha comportado de una manera vergonzosa. Sus declaraciones son quizá muy favorables a la versión franquista sobre la muerte de García Lorca y, finalmente, yo admito que cada uno pueda contar lo que él quiera, pero no el señor Dalí, cuya conducta en esa época, al lado de este mismo Lorca le prohíbe todo testimonio.» Declaraciones de Louis Aragon en *LUI*, París, abril 1974, núm. 123, p. 6.

«Desde luego que yo degusto mejor una sardina si al mismo tiempo pienso en todos mis amigos que han muerto, de preferencia si han sido fusilados o martirizados.» (Del libro *DALÍ, entretiens avec S. Dalí,* de Alain Bosquet.)

«A mí las guerras me gustan todas, me da igual que sean grandes o pequeñas. Me gustan todas. Estos señores burócratas de la UNESCO u otros organismos deberían pasar un día de guerra. Se sentirían mucho mejor y habría menos papeleo. ¡Oh, la guerra es muy bonita!» (*El Correo Catalán,* Barcelona, 18-8-1969.)

«Lo que desaparece de las guerras es lo sobrante de la humanidad. La guerra a mí me respetaría.» (*Ampurdán,* 26-1-1972.)

«Lo que más me agrada es la muerte de mis amigos.» (*El Correo Catalán,* Barcelona, 22-4-1966.)

«Todos los que hacen arte son un poco enfermos, débiles mentales o maníaco-depresivos, o paranoicos como yo. A mí el arte me sirve para corromper a la gente sana.» (*La Vanguardia,* Barcelona, 14-11-1971.)

«Cuando me hacen un interviú intento cretinizar a mi interlocutor tanto como puedo, pues los cretinos son una de mis pasiones.» (*L'Expres,* París, 1 a 7 de marzo de 1971.)

«Todos los intelectuales son unos imbéciles, especialmente los catalanes.» (*Tele/eXpres,* Barcelona, 21-8-1971.)

«Para mí un museo es un centro de cretinización incomparable.» (*L'Exprés,* París, 1 al 17-3-1971.)

«*Periodista*: Usted debe de pintar muy despacio…

»*S. Dalí*: Sí, muy despacio y con la técnica de Vermeer. Es necesario que se seque para que uno pueda proseguir su trabajo sin dejar marcas. Cada día es más elaborado…

»*Periodista*: Es, pues, lo contrario de Picasso.

»*S. Dalí*: Exactamente, Picasso es un anarquista. Yo tengo una técnica (aquí marca bien las sílabas) in-qui-si-to-rial. Además, yo soy partidario de la Santa Inquisición tanto en la pintura como en la vida.

»*Periodista*: ¿Y la libertad entonces?

»*S. Dalí*: ¿La libertad? ¡Es un desastre!» (*Le Monde,* París, 3-10-1974, p. 17.)

Reencuentro con la cultura catalana

El 16 de diciembre de 1932, Federico García Lorca reaparecía en Barcelona, tras una larga ausencia, en los medios artísticos e intelectuales catalanes. Viene invitado por Conferencia Club,[1] para dar a conocer *Un poeta en Nueva York*.

Es un García Lorca cuya trayectoria humana y poética ha trascendido los límites juglarescos de los cenáculos donde el poeta prefería dar a conocer sus «cosas», de la manera más viva: la oral. Desde la publicación del *Romancero gitano* es una figura desbordante de popularidad.[2] Su drama *Mariana Pineda* ha sido

1. Conferencia Club nació por iniciativa del ilustre líder de la Lliga, Francisco Cambó, con intención de vincular la aristocracia y la alta burguesía barcelonesa al acontecer cultural del momento y con el propósito de atraer a la mujer, no tan sólo como espectadora, sino recabando la colaboración de las féminas en su junta directiva, de la que formaron parte, entre otras, la señorita Isabel Llorach y la marquesa de Marianao. En los cargos directivos las acompañaron Pedro Bosch Gimpera, Joaquín Balcells, el vizconde de Güell, Joan Estelrich y Carles Soldevila. Conferencia Club llevó a su tribuna a las más relevantes personalidades del mundo intelectual español, hispanoamericano y europeo.

2. La embriaguez que produjo el *Romancero gitano,* a todos los niveles, fue un caso digno de un estudio sociológico. Cuenta el profesor Josep Romeu Figueras que todos los jóvenes lo conocían y algunos lo recitaban de memoria. Durante nuestra guerra era el libro que muchos soldados llevaban en el macuto, él era uno de ellos. Por aquellos tiempos no acababa de comprender el principio de la segunda parte del romance de San Rafael (Córdoba):

publicado por la colección «La Farsa». En la primavera de 1929 García Lorca, a consecuencia de una gran crisis sentimental, inicia su primera singladura trasoceánica. Hace escalas en Madrid, París, Londres, Oxford, Escocia, Nueva York, donde conoce a León Felipe, y Cuba. El poeta regresó con sus alforjas bien pertrechadas de vivencias de una humanidad discriminada por su raza y su color. «Traigo preparados cuatro libros —declara a un periodista—. De Teatro. De poesía. Y de impresiones neoyorquinas, el que puede titularse *La ciudad*, interpretación personal, abstracción impersonal sin lugar ni tiempo dentro de aquella ciudad mundo. Un símbolo patético. Sufrimiento. Pero del revés, sin dramatismo. Es una puesta en contacto de mi mundo poético, con el mundo poético de Nueva York. En medio de ambos están los pueblos tristes de África y sus alrededores perdidos en Norteamérica. Los judíos. Los sirios. Y los negros. ¡Sobre todo, los negros! Con su tristeza se ha hecho el eje espiritual de aquella América. El negro que está tan cerca de la naturaleza humana y de la otra Naturaleza. ¡Ese negro que se saca música hasta de los bolsillos! Fuera del arte negro no queda en los Estados Unidos más que mecánica y automatismo.»

Margarita Xirgu en diciembre de 1930 le ha estrenado otra

_____

> *Un solo pez en el agua*
> *que a las dos Córdobas junta:*
> *blanda Córdoba de juncos,*
> *Córdoba de arquitectura,*

y el final:

> *Un solo pez en el agua.*
> *Dos Córdobas de la hermosura.*
> *Córdoba quebrada en chorros.*
> *Celeste Córdoba enjuta.*

Hasta que un andaluz, de Córdoba, compañero de frente en los Pedroches cordobeses, le aclaró el misterio con una naturalidad impresionante: Se trataba de una alusión a la imagen de San Rafael que, con el pez en la mano, preside el puente sobre el Guadalquivir que une la Córdoba moderna, trazada «en chorros», y la Córdoba popular, «celeste», «enjuta», «blanda de juncos». Romeu Figueras al salir del campo de concentración pasó por Córdoba y fue al puente romano, donde pudo comprobar que el romance lorquiano cobraba allí toda su dimensión y diáfana profundidad.

obra: *La zapatera prodigiosa.* Federico había escrito esta obra en Granada

> ... rodeado de negras higueras, de espigas, de pequeñas coronitas de agua: era dueño de una caja de alegría, íntimo amigo de las rosas, y quise poner el ejemplo dramático de un modo sencillo, iluminando con frescos tonos lo que podía tener fantasmas desilusionados. Las cartas inquietas que recibía de mis amigos de París, en hermosa y amarga lucha con un arte abstracto, me llevaron a componer, por reacción, esta fábula casi vulgar, con su realidad directa, donde yo quise que fluyera un invisible hilo de poesía y donde el grito cómico y el humor se levantan, claros y sin trampas, en los primeros términos.[3]

El 16 de marzo, en la madrileña Residencia de Señoritas, leía *Un poeta en Nueva York.* En abril de 1931 deambulaba por la Puerta del Sol y compartía el clamoroso fervor popular de las manifestaciones republicanas. En mayo, salía su libro *Poema del cante jondo,* escrito diez años antes, y olvidado en cualquier cajón. En él canta la pena y la alegría de la «Andalucía del llanto» con el fondo grave y nostálgico de la guitarra. En verano, en su tierra, trabaja en el drama *Así que pasen cinco años* y en *Retablillo de don Cristóbal,* y se siente feliz «en este ambiente tan dulce y lleno de belleza». Con los primeros fríos vuelve a Madrid. Una noche, en casa de su gran amigo el diplomático chileno Carlos Morla y un grupo de amigos, abre los diques de su entusiasmo y los hace partícipes de un sueño que le embriaga: la creación de un teatro ambulante que recorrerá los anchos caminos de España y llevaría a pueblos y aldeas la esencia del teatro clásico español, ofreciendo a las gentes entremeses, comedias y dramas. Sólo que ellos, en lugar de los viejos carromatos de la farándula, llevarían camiones.

La idea fue bien acogida por el ministro de Instrucción Pública, el granadino don Fernando de los Ríos, maestro del poeta

3. O. C.

y viejo amigo de la familia García Lorca. El 6 de julio de 1932 comenzaron los ensayos en la Residencia de Señoritas. Los improvisados actores eran universitarios, de la Facultad de Filosofía y Letras en particular. Aquel mismo mes dieron las primeras representaciones, en la plaza de El Burgo de Osma, con los entremeses cervantinos *La guarda cuidadosa* y *La cueva de Salamanca*. Con la experiencia de *La Barraca* realizaba Federico una de sus más grandes ilusiones y recibía una enseñanza que no figuraba en los libros, ni en la universidad: la del pueblo. Esta entrega al teatro no lo apartaba, sin embargo, del campo lírico.

«No, no me distrae de mi trabajo —declararía a la prensa—. Yo sigo escribiendo y ocupándome de mi obra. ¡Si todo es lo mismo! Todo viene a ser alegría de crear, de hacer cosas. Además, esta labor mía en *La Barraca* es una gran enseñanza. Yo he aprendido mucho. Ahora me siento verdadero director.»

Y en otra ocasión: «Yo he abrazado el teatro porque siento la necesidad de la expresión en la forma dramática. Pero por eso no abandono el cultivo de la poesía pura, aunque ésta igual puede estar en la pieza teatral que en el mero poema.»

Otra gran revelación de Federico en *La Barraca* fue el contacto directo con un público sencillo:

«Claro que le gusta al público. Al público que también me gusta a mí: obreros, gente sencilla de los pueblos, hasta los más chicos, y estudiantes y gentes que trabajan y estudian. A los señoritos y a los elegantes, sin nada dentro, a ésos no les gusta mucho, ni nos importa a nosotros. Van a vernos y salen luego comentando: "Pues no trabajan mal." No se enteran. Ni saben lo que es el gran teatro español. Y luego se dicen católicos y monárquicos y se quedan tan tranquilos. Donde más me gusta trabajar es en los pueblos. De pronto ver un aldeano que se queda admirado ante un romance de Lope, y no puede contenerse y exclama: "¡Qué bien se expresa!"»

Entre las muchas cosas culturales que alienta y desarrolla la República es el Comité de Cooperación Intelectual. Bajo su patrocinio despliega Federico una gran actividad como conferenciante. Imparte lecciones magistrales en Madrid, Valladolid, Sevilla, San Sebastián, Salamanca, Galicia. Su estancia en las tierras de Rosalía de Castro, poetisa por la que sentía gran fervor, le inspiraría sus «Seis poemas gallegos». Durante todo el verano de 1932 viaja con *La Barraca* dando representaciones. Trabaja en *Amor de don Perlimplín con Belisa en su jardín* y en setiembre leerá su nuevo drama rural *Bodas de sangre*.

Éste es el Federico al que reciben los barceloneses en diciembre de 1932. Sus triunfos no influyen en el talante juglar del poeta. Como en su primera visita a Cataluña en 1925, trae en la maleta manuscritos inéditos para leérselos a sus amigos y admiradores. «Este libro sobre Nueva York —explica Federico a un periodista—, que traje de mi viaje a los Estados Unidos, no he querido darlo a ninguno de los editores que me lo han pedido. Después lo publicaré; pero primero quiero darlo a conocer en la forma de una conferencia. Leeré versos y explicaré cómo han surgido. Es decir, lo iré leyendo y analizando al mismo tiempo.»

La tarde del viernes 16 de diciembre de 1932, el suntuoso salón de actos del Ritz, donde Conferencia Club celebraba sus sesiones, ofrecía un aspecto impresionante. Sobre el nombre de García Lorca se había polarizado la curiosidad de los medios culturales barceloneses, atrayendo también a «...damas empingorotadas —escribió Ignacio Agustí, testigo de aquella velada—, que empezaron a rodear con "¡Ooh!" admirativos la lectura que García Lorca hacía de su poema.»

La voz cálida, modulada, de Federico transportó a los espectadores aquella tarde hasta las cimas más altas de la emoción:

Señoras y señores: Siempre que hablo ante mucha gente me parece que me he equivocado de puerta. Unas manos amigas me han empujado y me encuentro aquí. La mitad de la gente va perdida entre telones pintados y fuentes de hojalata, y cuando creen encontrar su cuarto, o círculo tibio de sol, se encuentran con un caimán que se los traga o... con el público, como yo en este momento. Y hoy no tengo más espectáculo que una poesía amarga, pero viva, que creo podrá abrir sus ojos.

He dicho un poeta en Nueva York, y he debido decir Nueva York en un poeta. Un poeta que soy yo. Lisa y llanamente; que no tengo ingenio ni talento, pero que logro escaparme por un bisel turbio del día antes que muchos niños. Un poeta que viene a esta fría sala y quiere hacerse la ilusión de que está en su cuarto y que ustedes, vosotros, sois mis amigos, que no hay poesía escrita sin ojos esclavos del verso oscuro ni poesía hablada sin orejas dóciles, orejas amigas donde la palabra que mane lleve por ella sangre, olas, labios o cielo a la frente del que oye.

De todos modos, hay que ser claro. Yo no vengo hoy a entretener a ustedes. Ni quiero ni me importa ni me da la gana. Más bien he venido a hablar a ustedes cuerpo a cuerpo. Lo que yo voy a hacer no es una conferencia, es una lectura de poesías, carne mía, alegría mía y testimonio mío, y yo necesito defenderme de este enorme dragón que tengo delante y me puede comer con sus trescientos bostezos de sus trescientas cabezas defraudadas. Y ésta es la lucha; porque yo quiero con vehemencia comunicarme con vosotros, ya que he venido, ya que estoy aquí, ya que salgo por un instante de mi largo silencio poético, y no quiero daros miel, porque no tengo, sino arena o cicuta o agua salada. Lucha cuerpo a cuerpo de la cual no me importa salir vencido. Convengamos en que una de las actitudes más hermosas del hombre es la actitud de San Sebastián. Así, pues, antes de leer en voz alta y delante de muchas criaturas unos poemas, lo primero que hay que hacer es pedir ayuda al duende, que es la única manera de que todos se enteren sin ayuda de inteligencia ni aparato crítico, salvando de modo instantáneo la difícil comprensión de la metáfora.

No os voy a decir lo que es Nueva York *por fuera* porque, juntamente con Moscú, son las dos ciudades antagónicas sobre las cuales se vierte ahora un río de libros descriptivos, ni voy a narrar un viaje, pero sí mi reacción lírica con toda sinceridad y sencillez. Sinceridad y sencillez dificilísimas a los intelectuales pero fáciles al poeta; para venir aquí he vencido ya mi pudor poético.

Los dos elementos que el viajero capta en la gran ciudad

son: arquitectura extrahumana y ritmo furioso. Geometría y angustia. En una primera ojeada, el ritmo puede parecer alegría, pero cuando se observa el mecanismo de la vida social y la esclavitud dolorosa de hombre y máquina juntos, se comprende aquella trágica angustia vacía que hace perdonable por evasión hasta el crimen y el bandidaje.

Las aristas suben al cielo sin voluntad de nube, ni voluntad de gloria. Las aristas góticas manan del corazón de los viejos muertos enterrados, éstas ascienden frías con una belleza sin raíces, ni ansia final, torpemente seguras sin lograr vencer ni superar como en la arquitectura espiritual sucede la intención siempre inferior del arquitecto. Nada más poético y terrible que la lucha de los rascacielos con el cielo que los cubre. Nieves, lluvias y nieblas subrayan, mojan, tapan las inmensas torres, pero éstas, ciegas a todo juego, expresan su intención fría enemiga de misterio y cortan los cabellos a la lluvia, o hacen visibles sus tres mil espadas a través del cisne suave de la niebla.

La impresión de que aquel inmenso mundo no tiene raíz os capta a los pocos días de llegar y comprendéis de manera perfecta cómo el vidente Edgar Poe tuvo que abrazarse a lo misterioso y al hervor cordial de la embriaguez en aquel mundo.

Yo solo y errante evocaba mi infancia de esta manera.

Poemas de la soledad en Columbia University
1910
(Intermedio)

*Aquellos ojos míos de mil novecientos diez
no vieron enterrar a los muertos,
ni la feria de ceniza del que llora por la madrugada
ni el corazón que tiembla arrinconado como un caballito*
                                                    [de mar.

*Aquellos ojos míos de mil novecientos diez
vieron la blanca pared donde orinaban las niñas,*

el hocico del toro, la seta venenosa
y una luna incomprensible que iluminaba por los rincones
los pedazos de limón seco bajo el negro duro de las botellas.

Aquellos ojos míos en el cuello de la jaca,
en el sueño traspasado de Santa Rosa dormida,
en los tejados del amor, con gemidos y frescas manos,
en un jardín donde los gatos se comían a las ranas.

Desván donde el polvo viejo congrega estatuas y musgos,
cajas que guardan silencio de cangrejos devorados
en el sitio donde el sueño tropezaba con su realidad,
allí mis pequeños ojos.

No preguntarme nada. He visto que las cosas
cuando buscan su curso encuentran un vacío.
Hay un dolor de huecos por el aire sin gente
y en mis ojos criaturas vestidas ¡sin desnudo!

Agotado por el ritmo de los inmensos letreros luminosos de Times Square huía en este pequeño poema del inmenso ejército de ventanas donde ni una sola persona tiene tiempo de mirar una nube o dialogar con una de estas delicadas brisas que tercamente envía el mar sin tener jamás una respuesta. —Aquí recitó *Vuelta del paseo,* y prosiguió—:

Pero hay que salir a la ciudad y hay que vencerla, no se puede uno entregar a las reacciones líricas sin haberse rozado con las personas de las avenidas y con la baraja de sombras de todo el mundo. Y me lanzo a la calle y me encuentro con los negros. En Nueva York se dan cita las razas de toda la tierra, pero chinos, armenios, rusos, alemanes, siguen siendo extranjeros. Todos menos los negros. Es indudable que ellos ejercen enorme influencia en Norteamérica y, pese a quien pese, son lo más espiritual y delicado de aquel mundo. Porque creen, porque esperan, porque cantan y porque tienen una exquisita pureza religiosa que los salva de todos sus peligrosos afanes actuales.

Si se recorre el Bronx o Brooklyn, donde están los americanos rubios, se siente como algo sordo: como de gentes que aman los muros porque detienen la mirada, un reloj en cada casa y un Dios a quien sólo se atisba la planta de los pies. En cambio, en el barrio negro hay como un constante cambio de sonrisas, un temblor profundo de la tierra que oxida las columnas de níquel y algún niñito herido que te ofrece su tarta de manzanas. Yo bajaba muchas mañanas desde la Universidad donde vivía, y era no el terrible míster Lorca de mis profesores, sino el insólito *sleepy boy* de los camareros, para verlos bailar y saber qué pensaban, porque es la danza la única forma de su dolor y la expresión aguda de sus sentimientos, y escribí este poema:

LOS NEGROS
Norma y paraíso de los negros

Odian la sombra del pájaro
sobre el pleamar de la blanca mejilla
y el conflicto de luz y viento
en el salón de la nieve fría.

Odian la flecha sin cuerpo,
el pañuelo exacto de la despedida,
la aguja que mantiene presión y rosa
en el gramíneo rubor de la sonrisa.

. . . .

Pero todavía no era esto. Norma estética y paraíso azul no era lo que tenía delante de los ojos. Lo que yo miraba, paseaba y soñaba era el gran barrio negro de Harlem, la ciudad negra más importante del mundo, donde lo lúbrico tiene un acento de inocencia que lo hace perturbador y religioso. Barrio de casas rojizas lleno de pianolas y radios y cines, pero con una característica típica de la raza que es el *recelo*. Puertas entornadas, niños de pórfido que temen a las gentes ricas de Park Avenue, fonógrafos que interrumpen de manera brusca su canto. Espera de los enemigos que pueden llegar por East River y señalar de modo exacto el sitio en donde duermen los ídolos. Yo quería hacer el poema de la raza negra en Norteamérica y subrayar el dolor que tienen los negros de ser negros, en un mundo contrario; esclavos de todos los inventos del hombre blanco y de todas sus máquinas, con el perpetuo susto de que se les olvide un día encender la estufa de gas o guiar el automóvil o abrocharse el cuello almidonado, o de clavarse el tenedor en un ojo. Porque los inventos no son suyos, viven de prestado y han de mantener una disciplina estrecha en el hogar para que la mujer y los hijos no adoren los discos de la gramola o se coman las llaves del auto. En aquel hervor, sin embargo, hay una ansia de nación, bien perceptible a todos los visitantes, y si a veces se dan en espectáculo guardan siempre un fondo espiritual insobornable. Yo vi en un cabaret, Small Paradise, cuya masa de público danzante era negra, mojada y grumosa, como una caja de huevas de caviar, una bailarina desnuda que se agitaba convulsamente, bajo una invisible lluvia de fuego. Pero cuando todo el mundo gritaba como creyéndola poseída por el ritmo, pude sorprender un momento en sus ojos la reserva, la lejanía, la certeza de su ausencia ante el público de extranjeros y americanos que la admiraba. Como ella era todo Harlem.

Otra vez vi a una niña negrita montada en bicicleta. Nada más enternecedor. Las piernas ahumadas, los dientes fríos en el rosa moribundo de sus labios, la cabeza con pelo de oveja. Yo la miré fijamente y ella me miró. Pero mi mirada decía: Niña, ¿por qué vas en bicicleta? ¿Puede una negrita montar en ese aparato? ¿Es tuyo? ¿Dónde lo has robado? ¿Crees que sabes guiarlo? Y efectivamente dio una voltereta, y se cayó con piernas y ruedas por una suave pendiente.

Pero yo protestaba todos los días. Protestaba de ver a los muchachillos negros degollados por los cuellos duros con trajes violentos sacando las escupideras de hombres fríos que hablan como patos.

Protestaba de toda esta carne robada al paraíso, manejada por judíos de nariz gélida y alma secante, y protestaba de lo más triste, de que los negros no quieren ser negros, de que inventen pomadas para quitar el delicioso rizado del cabello, y polvos que vuelven la cara gris, y jarabes que ensanchan la cintura y marchitan al suculento caqui de los labios.

Protestaba, y una prueba de ello es esta *Oda al Rey de Harlem*, espíritu de la raza negra y grito de aliento para los que tiemblan, recelan y buscan torpemente la carne de las mujeres blancas.

ODA AL REY DE HARLEM

Con una cuchara.
Arrancaba los ojos de los cocodrilos
y golpeaba el trasero de los monos.
Con una cuchara.

Fuego de siempre dormía en los pedernales
y los escarabajos borrachos de anís
olvidaban el musgo de las aldeas.

Aquel viejo cubierto de setas
iba al sitio donde lloraban los negros...

Negros, negros, negros, negros...

La sangre no tiene puertas en vuestra noche boca arriba.
No hay rubor. Sangre furiosa por debajo de las pieles,
viva en la espina del puñal y en el pecho de los paisajes,
bajo las pinzas y las retamas de la celeste luna de cáncer...

Y sin embargo, lo verdaderamente salvaje y frenético no es Harlem. Hay vaho humano, gritos infantiles, y hay hogares y hay hierbas y dolor que tiene consuelo y herida, que tiene dulce vendaje.

Lo impresionante, por frío, por cruel, es Wall Street. Llega el oro en ríos de todas partes y la muerte llega con él. En ningún sitio se siente como allí la ausencia del espíritu; manadas de hombres que no pueden pasar del tres y manadas de hombres que no pueden pasar del seis, desprecio de la ciencia pura y valor demoníaco del presente.

Y lo terrible es que toda la multitud que lo llena cree que el mundo será siempre igual y que su deber consiste en mover aquella gran máquina noche y día, y siempre.

Yo tuve la suerte de ver por mis ojos el último *crack* en que se perdieron varios billones de dólares, un verdadero tumulto de dinero muerto que se precipitaba al mar, y jamás, entre varios suicidas, gentes histéricas y grupos de desmayados, he sentido la impresión de la muerte real, la muerte sin esperanza, la muerte que es podredumbre y nada más, como en aquel instante, porque era un espectáculo terrible pero sin grandeza. Y yo que soy de un país donde, como dice el gran poeta Unamuno «sube por la noche la tierra al cielo», sentía como un ansia divina de bombardear todo aquel desfiladero de sombra por donde las ambulancias se llevaban a los suicidas con las manos llenas de anillos.

Por eso yo puse allí esta danza de la muerte. El mascarón típico africano, muerte verdaderamente muerte, sin ángeles ni resurréxit. Muerte alejada de todo espíritu, bárbara y primitiva como los Estados Unidos, que no han luchado ni lucharán por el cielo.

Danza de la muerte

El mascarón. ¡Mirad el mascarón!
¡Como viene del África a New York!

Se fueron los árboles de la pimienta,
los pequeños botones de fósforo.
Se fueron los camellos de carne desgarrada
y los valles de luz que el cisne levantaba con el pico.

Era el momento de las cosas secas,
de la espiga en el ojo y el gato laminado...

La multitud. Nadie puede darse cuenta exacta de lo que es una multitud neoyorquina, es decir, lo sabía Walt Whitman, que buscaba en ellas soledades, y lo sabe T. S. Eliot, que la estruja en un poema como un limón, para sacar de ella vates heridos, sombras mojadas y sombras fluviales. Pero si esta multitud está borracha, tendremos uno de los espectáculos vitales más intensos que se pueden contemplar.

Coney Island es una gran feria a la cual los domingos de verano acuden más de un millón de criaturas. Beben, gritan, comen, se revuelcan y dejan el mar lleno de periódicos y las calles abarrotadas de latas, de cigarros apagados, de mordiscos de zapatos sin tacón. Vuelve la muchedumbre de la feria cantando, y vomita en grupos de cien personas apoyadas sobre las buhardillas de los embarcaderos y orinan en grupos de mil en los rincones, sobre las barcas abandonadas y sobre el monumento de Garibaldi o del soldado desconocido.

Nadie puede darse idea de la soledad que siente allí un español, y más todavía si es hombre del Sur. Porque si te caes, serás atropellado, y si resbalas al agua, arrojarán sobre ti los papeles de las meriendas.

El rumor de esta terrible multitud llena todo el domingo de Nueva York golpeando los pavimentos huecos con un ritmo de tropel de caballo.

La soledad de los poemas que hice de la multitud riman con otros del mismo estilo, que no puedo leer por falta de tiempo, como los nocturnos del Brooklyn Bridge y el anochecer del Battery Place, donde marineros y mujercillas, soldados y policías, bailan sobre un mar cansado donde pastan las vacas sirenas y deambulan campanas y boyas mugidoras.

A continuación leyó: *Paisaje de la multitud que vomita, Asesinato, Ciudad sin sueño.*

Llega el mes de agosto y con el calor de estilo ecijano que asola a Nueva York tengo que marchar al campo.

Lago verde, paisaje de abetos. De pronto, en el bosque, una rueca abandonada. Vivo en casa de unos campesinos. Una niña, Mary, que come miel de arce, y un niño, Stanton, que toca un arpa judía, me acompañan y me enseñan con paciencia la lista de los presidentes de Norteamérica. Cuando llegamos al gran Lincoln, saludan militarmente. El padre del niño Stanton tiene cuatro caballos ciegos que compró en la aldea de Edem Mills. La madre está casi siempre con fiebre. Yo corro, bebo buena agua y se me endulza el ánimo entre los abetos y mis pequeños amigos. Me presentan a las señoritas Tyler, descendientes pobrísimas del antiguo presidente que viven en una cabaña, hacen fotografías que titulan «silencio exquisito» y tocan en una increíble espineta canciones de la época heroica de Washington. Son viejas y usan pantalones para que las zarzas no les arañen los muslos porque son muy pequeñitas, pero tienen hermosos cabellos blancos y cogidas de la mano oyen algunas canciones que yo imagino en la espineta exclusivamente para ellas. A veces me invitan a comer y me dan sólo té y algunos trozos de queso, pero me hacen constar que la tetera es de china auténtica y que la infusión tiene algunos jazmines. A finales de agosto me llevaron a su cabaña y me dijeron: ¿No sabe usted que ya llega el otoño? Efectivamente, por encima de las mesas y en la espineta y rodeando el retrato de Tyler estaban las hojas y los pámpanos más amarillos, rojizos y naranjas que he visto en mi vida.

Pero un día la pequeña Mary se cayó a un pozo y la sacaron ahogada. No está bien que yo diga aquí el profundo dolor, la desesperación auténtica, que tuve aquel día. Eso se queda para los árboles y las paredes que me vieron. Inmediatamente recordé aquella otra niña granadina que vi yo sacar del aljibe, las manecitas enredadas en los garfios y la cabeza golpeando contra las paredes, y las dos niñas se me hicieron una sola que lloraba sin poder salir del círculo del pozo dentro de esa agua parada que no desemboca nunca.

NIÑA AHOGADA EN UN POZO
(Granada y Newburg)

Las estatuas sufren por los ojos con la oscuridad de los
[*ataúdes,*
pero sufren mucho más por el agua que no desemboca.
Que no desemboca.
El pueblo corría por las almenas rompiendo las cañas de
[*los pescadores...*
¡Pronto! ¡Los bordes! ¡De prisa! Y croaban las estrellas
... que no desemboca. [*tiernas.*

Con la niña muerta ya no podía estar en la casa. Stanton comía con cara triste la miel que había dejado su hermana y las divinas señoritas de Tyler estaban como locas en el bosque haciendo fotos del otoño para obsequiarme.

Yo bajaba al lago y el silencio del agua hacía que yo no pudiera estar sentado de ninguna manera, porque en todas las posturas me sentía litografía romántica con el siguiente pie: Federico dejaba vagar su pensamiento... Pero al fin un espléndido verso de Garcilaso me arrebató esta testarudez plástica. *Nuestro ganado pace. El viento espira.* Y nació este poema doble del Lago de Edem Mills:

Era mi voz antigua
ignorante de los densos jugos amargos.
La adivino lamiendo mis pies
bajo los frágiles helechos mojados.

¡Ay voz antigua de mi amor,
ay voz de mi verdad!...

Se terminaba el verano porque Saturno detiene a los trenes y he de volver a Nueva York. La niña ahogada, Stan-

ton niño (come azúcar), y las señoritas pantalonísticas me acompañan largo rato.

El tren corre por la raya del Canadá y yo me siento desgraciado y ausente de mis pequeños amigos. La niña se aleja por el pozo rodeada de aguas verdes, y en el pecho del niño comienza a brotar, como el salitre en la pared húmeda, la cruel estrella de los policías norteamericanos.

Después... otra vez el ritmo frenético de Nueva York. Pero ya no me sorprende, conozco el mecanismo de las calles, hablo con la gente, penetro un poco más en la vida social y la denuncio. Y la denuncio porque vengo del campo y creo que lo más importante no es el hombre.

OFICINA Y DENUNCIA

Debajo de las multiplicaciones
hay una gota de sangre de pato;
debajo de las divisiones
hay una gota de sangre de marinero;
debajo de las sumas, un río de sangre tierna...

El tiempo pasa y ya estoy en el barco que me separa de la urbe arrolladora, hacia las hermosas islas Antillas.

La primera impresión de aquel mundo no tiene raíces, perdura.

... porque si la rueda olvida su fórmula
ya puede saltar desnuda con las manadas de caballos
y si una llama los helados proyectos
el cielo tendrá que huir ante el tumulto de las ventanas.

Arista y ritmo, forma y angustia se los va tragando el cielo. Ya no hay lucha de torre y nube, ni los enjambres de ventanas se comen más de la mitad de la noche. Peces voladores tejen húmedas guirnaldas y el cielo, como la terrible mujerona azul de Picasso, corre con los brazos abiertos a lo largo del mar.

El cielo ha triunfado del rascacielos, pero ahora la arquitectura de Nueva York se me aparece como algo prodigioso, algo que, descartada la intención, llega a conmover como un espectáculo natural de montaña o desierto. El Chrysler Building se defiende del sol como un enorme pico de plata, y puentes, barcos, ferrocarriles y hombres los veo encadenados y sordos, encadenados por un sistema económico cruel al que pronto habrá que cortar el cuello, y sordos por sobra de disciplina y falta de la imprescindible dosis de locura.

De todos modos, me separaba de Nueva York con sentimiento y admiración profunda. Dejaba muchos amigos y había recibido la experiencia más útil de mi vida. Tengo que darles gracias por muchas cosas, especialmente por los azules de oleografía y verdes de estampa británica con que la orilla de New-Jersey me obsequiaba en mis paseos con Anita, la india portuguesa, y Sofía Megmirif, la rusa portorriqueña, y por aquel diminuto acuario y aquella casa de fieras donde me sentí niño y me acordé de todos los del mundo.

Pero el barco se aleja y comienzan a llegar, palma y canela, los perfumes de la América con raíces, la América de Dios, la América española.

Pero ¿qué es esto? ¿Otra vez España? ¿Otra vez la Andalucía mundial?

¿Es el amarillo de Cádiz con un grado más, el rosa de Sevilla tirando a carmín y el verde de Granada con una leve fosforescencia de pez?

La Habana surge entre cañaverales y ruidos de maracas, cornetas divinas y marimbos. Y en el puerto, ¿quién sale a recibirme? Sale la morena Trinidad de mi niñez, aquella que se paseaba por el muelle de La Habana.

Y salen los negros con los ritmos que yo descubro típicos del gran pueblo andaluz, negritos sin drama que ponen los ojos en blanco y dicen «nosotros somos latinos».

Con las tres grandes líneas horizontales, la línea del cañaveral, línea de terrazas y línea de palmeras, mil negros

con las mejillas teñidas de naranja como si tuvieran cincuenta grados de fiebre bailan este son que yo compuse y
que llega como una brisa de la isla.

SON DE NEGROS EN CUBA

Cuando llegue la luna llena,
iré a Santiago de Cuba,
iré a Santiago
en un coche de aguas negras.
Iré a Santiago.
Cantarán los techos de palmera.
Iré a Santiago.
Cuando la palma quiere ser cigüeña.
Iré a Santiago.
Y cuando quiere ser medusa el plátano.
Iré a Santiago.
Con la rubia cabeza de Fonseca.
Iré a Santiago.
Y con el rosal de Romeo y Julieta.
Iré a Santiago.
Mar de papel y plata de monedas.
Iré a Santiago.
¡Oh Cuba! ¡Oh ritmo de semillas secas!
Iré a Santiago.
¡Oh cintura caliente y gota de madera!
Iré a Santiago.
¡Arpa de troncos vivos, caimán, flor de tabaco!
Iré a Santiago.
Siempre dije que yo iría a Santiago
en un coche de agua negra.
Iré a Santiago.
Brisa y alcohol en las ruedas.
Iré a Santiago.
Mi coral en la tiniebla.
Iré a Santiago.
El mar ahogado en la arena.

Iré a Santiago.
Calor blanco. Fruta muerta.
Iré a Santiago.
¡Oh bovino frescor de cañavera!
Iré a Santiago.[4]

¿Cuánto tiempo había estado Federico hablando, recitando? ¿Una hora? ¿Una vida? ¿Un minuto? Muchos de los asistentes nos han hablado del asombro, del encanto, del misterio que emanaban las palabras del conferenciante. Agustí califica de «pasmo» la impresión que causaba en los espíritus el origen y la exposición de aquellos poemas donde el poeta había vertido la sensación de angustia vital, de soledad, de grandeza sin raíces de la ciudad de Nueva York. «Murmullos y susurros de pasmo culminaba cada uno de los poemas que Lorca leía. La *Oda a Withman* concitó un sollozo contenido. La emoción era intensa. Se veía a los sombreros ostentosos de las damas, envueltos en tules y plumas multicolores, zarandeados por el orgasmo emocional y solitario. La velada fue un éxito. Al fin, entusiastas, docenas de damas rodearon al poeta.»[5] «Una de ellas —comentaba la sección de "Ecos" de *El Día Gráfico*— preguntó al profesor Enríquez Calleja:

—Pero ¿éstos son versos modernos? ¡Si se entienden perfectamente!»

Mientras tanto, escritores, poetas, artistas, críticos, esperaban el fin de aquellas expansiones femeninas para aproximarse al poeta. Unos ya le conocían, otros estrenaron entonces su amistad, como Ignacio Agustí, Guillermo Díaz-Plaja, Emilio Grau Sala, José Miguel Serrano, Carlos Mir Amorós, Joan Teixidor, Manuel Muntañola, Joaquín Nubiola, Carlos Sentís... De ese momento ha quedado una foto histórica, en la que, rodeando a García Lorca, aparecen Sebastián Sánchez Juan, Marià Manent, Ángel Valbuena Prat, Luis Góngora, Ignacio Agustí, Robert Gerard, Guillermo Díaz-Plaja, Luis Muntañola, Luis Carbonell, Emilio Grau Sala y Carlos Sindreu.

4. *Poeta en Nueva York,* Editorial Lumen, col. *Palabra e imagen,* Barcelona, 1966.
5. *Ganas de hablar,* Ed. Planeta, Barcelona, 1974, p. 77.

Guillermo Díaz-Plaja nos ha contado que García Lorca, cuando alguien, que no recuerda, se lo presentó, el poeta se fue para él, diciendo:

—A ti es a quien yo quería conocer.

En setiembre de 1931, Díaz-Plaja le había dedicado, en la *Revista de Occidente,* un artículo titulado: «Notas para una geografía lorquiana», en la que el joven escritor barcelonés exponía la visión íntima del poeta de las tierras andaluzas de Sevilla, Córdoba y Granada, con motivo de la publicación de *Poema del cante jondo.*

Luego, Díaz-Plaja, en la revista catalana *Mirador,* explicaría el poder de captación de García Lorca sobre el auditorio y el triunfo rotundo que obtuvo en esta velada:

La gracia profundamente auténtica, racial, gitanísima, de Federico García Lorca hizo revivir ante el público, numeroso y ávido como nunca, de nuestra primera entidad de conferencias. Federico García Lorca puso en evidencia las posibilidades de esta clase de parlamentos poéticos por parte de gentes allegadas, hábil como cualquier otra en estas faenas de captación de voluntades. Cuando Federico empezaba a conversar, con la invocación del *duende,* propicio y sugerido, el público, cautivado, la manifestaba en seguida la vivaz comunión que se había establecido entre el poeta y el auditorio.

El poeta era bastante fuerte y bastante intenso para provocarla. Llegaba aureolado por sus *Canciones;* por su *Romancero gitano;* de su *Mariana Pineda.* ¡Nunca tan escaso número de libros *amontonó* tanta gloria sobre una frente! Pero es que, además, Federico García Lorca nos iba a dar las primicias de un nuevo libro. Este libro es una especie de itinerario lírico sobre Nueva York. Y se trata de un libro que, por encima de su interés por el tema, es nuevo en la historia del poeta granadino, que representa una nueva tendencia, un aire nuevo, en su estilo lírico. Gran expectación, por tanto, y muy justificada.

Federico García Lorca fue desenrollando su conferencia

como un filme: los rascacielos, las multitudes rosas y mecánicas, los seres automáticos... Pero, ante todo, los negros dolidos, perseguidos, recelosos de Harlem. Los negros marginados de la máquina y de la prosperidad, humillados e incomprendidos. El poeta intenta ver claro en los ojos de los negros; en sus lágrimas y en sus silencios. En su dolor racial. Es aquí donde los versos de García Lorca adquieren una fuerza vibrante, trepidante, épica. Donde parece que la poesía revista ritmos cósmicos; palpitaciones de comunidad con los vivaces dolores universales, de los «andaluces universales», de los negros rítmicos y sensitivos. Ellos, tan vivos espiritualmente, en contraposición con la ciudad mecánica y fría. «Nueva York es una ciudad sin raíces»... «donde el cielo ha sido vencido por los rascacielos». Sólo cuando el barco se alejó y Nueva York quedó envuelta en niebla, el cielo vence de nuevo a los rascacielos. El poeta marcha a Cuba —«palma y canela»—, donde vuelve a encontrar los signos más vivos y más fraternos.[6]

Ignacio Agustí, por entonces periodista y poeta, tenía 19 años en 1932. Había descubierto a García Lorca gracias al poeta Félix Ros. El universo lorquiano constituyó a sus ojos una auténtica revelación:

> ... la manifestación de un mundo insospechado hecho de imágenes sorprendentes e hiperbólicos sueños. La magia del *Romancero gitano* latía en mis sienes, y en aquellos momentos mi ánimo estaba lleno de resuellos de luna cándida, olivos de plata y gitanos de bronce. Algo de esto había trascendido al libro que yo acababa de publicar, mi primer libro, *El veler*, en el que había involuntarios resabios, asonantes de emoción agitada y agitanada. Me dispuse, pues, a seguir a García Lorca como a un Dios. Para eso encontré en seguida la complicidad de Emilio Grau Sala. Ambos éramos lorquianos desatados, nos sabíamos de memoria el *Ro-*

6. *Federico García Lorca*, revista *Mirador*, Barcelona, 22-12-1932, p. 8.

mance de la Guardia Civil, éramos capaces de decir de corrido, con trémula emoción, el poema de *Thamar y Amnon.* Ni que decir tiene el ansia con que esperábamos la llegada de Lorca.[7]

Cuando terminó la conferencia, Grau Sala y Agustí, con sendos *Romanceros gitanos,* en la mano, esperaban poder acercarse a García Lorca. Tímidamente se presentaron al poeta y fue quizá su aspecto extremadamente juvenil lo que llamó la atención de Lorca:

—Vámonos, venid conmigo —les dijo.

En seguida comprendieron que el conferenciante quería escapar de aquel mare mágnum. Poco después les pedía a ellos y al poeta Sebastián Sánchez Juan que lo esperasen en El Canario de la Garriga, frente al Ritz. No tardó en llegar Federico, sonriente, con un abrigo oscuro y un pañuelo blanco al cuello. Andrés, el dueño del célebre restaurante, los acogió con alegría exuberante y recordó a García Lorca el inolvidable recital que años antes improvisara en su establecimiento, en presencia de Santiago Rusiñol. Aquella noche alguien puso en las manos de Lorca una guitarra y el poeta, acompañándose de ella, prodigó poemas y canciones de su obra, en honor de Rusiñol. Con el pintor catalán, que había vivido y pintado en la tierra del poeta, recorrieron aquella noche imaginarios itinerarios alhambreños y evocaron esa luz de tonos nuevos que cada día estrenan los atardeceres granadinos.

Grau Sala e Ignacio Agustí conservaron viva la impresión fascinante que les produjo el encuentro con Lorca. Agustí escribiría años más tarde: «Aquel amigo nuestro que fue como un deslumbrante meteoro en nuestra juventud.»[8]

La cena se convirtió en un torneo poético. Agustí dijo poemas de su libro *El veler.* Sánchez Juan recitó versos de su obra *Poemes de promès.* Este poeta vivía por aquellos días inmerso en su primera paternidad. Hablaba de ella con esa mezcla de misterio y

7. IGNACIO AGUSTÍ, op. cit., p. 77.
8. *Llamarse Federico,* «Tele/eXpres», Barcelona, 16-5-1965.

de deslumbramiento íntimo que produce en los hombres la tierna aparición del primer hijo. García Lorca, con ojos de gran asombro, no cesaba de exclamar: «¿Tú, tú, Sánchez Juan, padre? ¿Padre de un niño de veras?» Porque aquello le parecía casi un milagro, nos refirió Agustí.

Grau Sala nos ha contado su emoción de oír al propio Federico, a su lado, recitar las poesías que él adoraba:

«No olvidaré —no se puede olvidar— la voz de Federico. En sus labios los poemas adquirían una vitalidad inédita, una fuerza plástica, cromática, presencia física se podía decir. Era real y, sin embargo, su magia lo hacía irreal, un puro ensueño. Pero Federico no asombraba tan sólo por su poesía, era un surtidor de ideas, de frases geniales, de anécdotas adecuadas a cada circunstancia, con un humor plástico y una mímica de consumado actor. Por ejemplo: se nos mostró bajo un ángulo fabuloso cuando, en un determinado momento, nos imitó las carátulas del teatro griego. Cogió una servilleta por dos de sus puntas y la alzó sobre su cara a modo de telón. Luego la fue bajando lentamente y aparecía una mueca de una carátula, hasta que bajaba el telón, la servilleta. Luego lo volvía a bajar lentamente y presentaba otro gesto legendario. Y así, de divertimiento en pasatiempo, íbamos descubriendo su insondable personalidad.»

Al salir del restaurante los acogió la luz porosa, húmeda, con ese halo de misterio de las otoñales amanecidas barcelonesas. Los faroles de gas de la Gran Vía empezaban a difuminar su luz lentamente. Los tranvías, con timbrazos restallantes, ponían su nota mecánica entre los espectros ateridos de los árboles, y algunos automóviles rodaban conducidos por *chauffeurs*. Sus ocupantes podían ser dueños de fábricas que acudían a sus despachos o trasnochadores de alto copete.

Cuando en la puerta del Ritz se despidieron de Federico los dos poetas y el pintor, los garfios de sus memorias habían aprehendido jirones de los novísimos poemas lorquianos:

No duerme nadie por el cielo. Nadie, nadie.
No duerme nadie.
Las criaturas de la luna huelen y rondan sus cabañas.

Vendrán las iguanas vivas a morder a los hombres que no
[sueñan,
y el que huye con el corazón roto encontrará por las es-
[quinas
al increíble cocodrilo quieto bajo la tierna protesta de los
[astros.
. . . .

Se quedaron solos:
aguardaban la velocidad de las últimas bicicletas.
Se quedaron solas:
esperaban la muerte de un niño en el velero japonés.
Se quedaron solos y solas,
soñando con los picos abiertos de los pájaros agonizantes,
con el agudo quitasol que pincha
al sapo recién aplastado...
. . . .

¡Ay Harlem! ¡Ay Harlem! ¡Ay Harlem!
¡No hay angustia comparable a tus ojos oprimidos,
a tu sangre estremecida dentro del eclipse oscuro,
a tu violencia granate sordomuda en la penumbra,
a tu gran rey prisionero con un traje de conserje!

Esta estancia de García Lorca en Barcelona fue breve. Y, antes de que el poeta se marchase, los componentes de ADLAN (la célebre agrupación de amigos del arte nuevo), con sede en el hotel Colón, organizaron otra lectura de *Poeta en Nueva York*, en casa de Adelita Lobo, secretaria de ADLAN, vinculada a los medios culturales de Conferencia Club y Lyceum Club. Grau Sala y Agustí fueron al Ritz, donde se hospedaba García Lorca, a recogerlo. Agustí nos ha relatado la poca gracia que le hacía al poeta asistir a esta recepción, pues imaginaba que encontraría la misma concurrencia sofisticada que la de la tarde del Ritz. Conforme se aproximaba el momento de marcharse, Federico preguntaba por la hora. Deliberadamente trastocaba el apellido de su invitante: Lobo.

«Por Dios, ¡ya es hora de que vayamos a casa de la señora Foca!» O: «Vámonos, que la señora Pantera nos estará esperando.» Y al cabo de un rato, cogiendo su abrigo, concluyó: «¡No podemos hacer esperar más a la señora Elefante, vámonos!» Y salieron hacia el Paseo Nacional, de la Barceloneta, donde vivía la señora Lobo.

Los temores de Federico se confirmaron. La casa estaba llena de gente, que lo esperaba con manifiesta impaciencia. Como la tarde de la conferencia, la mayoría eran damas, pero también había bastantes intelectuales y artistas. Entre ellos estaba Marià Manent, que a través de los años ha conservado de una manera, vaga y precisa a la vez, un fragmento de la charla de Federico:

> ... sólo me queda el vago perfil, el tema, pero un detalle esencial se ha borrado de mi memoria. García Lorca nos habló de un poeta que paseaba por las calles de Nueva York un día que nevaba copiosamente. Los densos copos se deslizaban despacio entre los altos edificios como entre los muros grises y abruptos de un desfiladero. Y de pronto, el poeta que paseaba bajo la nieve levantó los ojos y, abriendo los brazos, exclamó: «¡Los ángeles! ¡Los ángeles!»
>
> García Lorca nos dijo, claro, de qué poeta se trataba, pero he olvidado su nombre. Parece, en cambio, que aún estoy viendo a Federico con su gran ademán, la mirada fija en lo alto, mientras evocaba el éxtasis de otro poeta bajo la nieve.[9]

Y el doctor Joaquín Nubiola, colaborador del *Bulletí del Agrupement Escolar de la Academia de Ciències Mèdicas de Catalunya*, muy relacionado con el mundillo artístico-literario, nos ha hablado de aquella velada, en la que la señora Lobo había prescindido de la luz eléctrica y alumbraba su casa con velas, en honor del poeta. Recuerda bien la obstinación de las señoras en que Federico les recitara *La casada infiel* y la negativa y tajante respuesta de García Lorca:

—No. *La casada infiel,* no. Es el poema que me piden las mujeres insatisfechas...

9. Del testimonio autógrafo que Marià Manent nos ha escrito para este libro.

Moderna representación clásica

Cuando Federico García Lorca llegó a Barcelona a principios de setiembre de 1935, en España se hablaba, cada día con mayor insistencia, del restablecimiento de las Garantías Constitucionales, de la aprobación de la ley Municipal y de las inminentes elecciones municipales, que no llegarían a celebrarse. Entretanto, el Estado Mayor de la 4.ª División recordaba la plena vigencia del artículo 9.º del bando del 29 de junio de 1935, en el que declaraba el estado de guerra y la subsiguiente prohibición de manifestaciones públicas. Sin embargo, el domingo día 8, en Barcelona, los radicales celebraron «el día de Lerroux», con la plena adhesión de la Lliga Regionalista de Catalunya. Mientras, otros catalanes, en el puerto pesquero de Torredembarra, rendían homenaje al dirigente socialista tarraconense Rafael Campalans, en el segundo aniversario de su muerte. Y los redactores del diario barcelonés *El Diluvio* visitaron al ex presidente y ex consejeros de la Generalitat Companys, Martí-Barrera, Lluhí y Comorera, presos en el penal del Puerto de Santa María a raíz de los sucesos de octubre de 1934.

En el terreno teatral, en el Poliorama triunfaba una obra de Joaquín Dicenta (hijo), *Pluma en el viento,* y en el cinematográfico se anunciaba, con notable alarde publicitario, el estreno de una película nacional: *Rosario la cortijera,* con Estrellita Castro como protagonista, junto al «Niño de Utrera», galán pinturero de la galería folklórica de la época.

En el campo deportivo, y en el parque de la Ciudadela, correrían los ciclistas más rápidos del momento: el belga Jean Aerts y el español Luciano Montero.

Fuera de nuestras fronteras, Mussolini y el Negus ponían en pie de guerra a sus respectivos ejércitos y, en la Sociedad de Naciones, Salvador de Madariaga presidía la reunión del Comité de los Cinco, que se disponía a estudiar la propuesta inglesa de sanciones contra Italia. Sanciones que fueron votadas precisamente por otros países colonialistas, que lo hicieron persuadidos de antemano de la inocuidad de tales medidas.

Una de las manifestaciones de mayor relieve, en el homenaje que España rindió a Lope de Vega, en 1935, con motivo del tricentenario de su nacimiento, la protagonizó la compañía de Margarita Xirgu representando *La dama boba, Fuenteovejuna* y *El villano en su rincón.*[1] Con la primera inauguró la Xirgu su temporada en Barcelona el 10 de setiembre, y la adaptación se debía a García Lorca. Ese día el poeta saludó desde el proscenio del teatro Barcelona al público, de la mano de Margarita Xirgu, y con

1. La compañía de Margarita Xirgu estaba compuesta por los actores:

Antoñita Calderón
Isabel Gisbert
Elvira Cañizares
Juanita Lamoneda
Emilia Milán
Isabel Pradas
Teresa Pradas
Amalia Sánchez Ariño
Eloísa Vigo
Margarita Xirgu
Enrique Álvarez Diosdado
Emilio Ariño
Gustavo Bertot
Luis Calderón
José Cañizares
Alberto Contreras
Alberto Contreras (hijo)
José Jordá
Pedro López Lagar
Alejandro Maximino
Miguel Ortín
Miguel Ramírez.

ellos Cipriano Rivas Cherif. García Lorca permanecería una larga temporada en la ciudad, la última, en la que estrenaría *Yerma* y *Doña Rosita la soltera* y presentaría *Bodas de sangre* casi con carácter de estreno. Esta etapa en tierras catalanas fue para Lorca un tiempo pletórico de vivencias, de actividad cultural, de éxitos, de contactos con gente anónima a través del vehículo de su voz física y poética. El día de la inauguración de la temporada, *Renovación* publicó el criterio de Federico en una encuesta sobre cine:

> —¿Cree usted que el cine perjudica al teatro? ¿Cómo ve el porvenir de éste?
> —¿Perjudicarlo? ¡De ninguna manera! —objetó Federico—. Le beneficia. Lo mismo a los autores que quieran hacer teatro clásico, limpio y poco comercial. Creo rotundamente en su porvenir. El triunfo del teatro será cuando el pueblo tenga libre asiento en toda representación. ¡Entonces sí que no habrá una sola obra mala en cartel! [2]

García Lorca era huésped de Margarita en Badalona. Hasta su habitación llegaba el rumor del mar. Estaba de nuevo en esta orilla del Mediterráneo, como diez años antes en Cadaqués, en casa de los Dalí.

—Lo que más me importa es vivir —decía el poeta granadino—. Me paso el día en la calle: a ratos en los cafés, charlando.

En Barcelona se le podía encontrar en la Maison Dorée y en La Luna, célebres cafés-restaurantes de la plaza de Cataluña, cercanos al teatro Barcelona, donde actuaba la Xirgu.

La popularidad de Lorca en la Maison Dorée era inmensa. Dice Grau Sala:

«Trabajaba ellí un limpiabotas que se sabía de memoria *La casada infiel,* y mientras lustraba los zapatos del cliente de turno le recitaba la poesía. Un día en que el poeta requirió sus servicios, el limpiabotas, para halagarlo, se arrancó: "Y que yo me la llevé al río, creyendo que era mozuela, pero tenía marido..." García Lorca, visiblemente contrariado, exclamó:

2. *Renovación,* Barcelona, 10-9-1935.

»—¡A mí no, por favor!»

En determinados sectores reaccionarios existía cierta prevención respecto a las versiones que Federico daba de las obras clásicas que representaba *La Barraca*. Se comentaba que mutilaba las obras y se le acusaba de introducir fragmentos de su cosecha. El rumor, debido seguramente a la fama del vate andaluz, había volado alto. En Barcelona, *La dama boba* obtuvo un éxito resonante.[3] El público, acostumbrado a aburrirse con las representaciones que se le ofrecían del teatro clásico, aplaudió en aquella adaptación lorquiana una frescura, una gracia intencionada y unos juegos de escena a los que no se estaba habituado. Para ilustrar lo arraigado de este criterio, tenemos una anécdota que Rivas Cherif, director de la compañía de la Xirgu, le refería al periodista de *La Rambla de Catalunya*. La tarde de la puesta en escena de la obra de Lope, un bailarín flamenco contaba a sus ami-

---

3. María Luz Morales escribió en *La Vanguardia,* de 11-9-1935, acerca de la realización de García Lorca en *La dama boba:* «El realizador: Ello es, en gran modo, obra del realizador. Y aquí debo confesar que pese a mi gran admiración por el poeta del *Romancero gitano* esa frase —"adaptación de..."— que figura en los carteles, me hizo echarme a temblar. Después de sufrir la mala pasada de las refundiciones, aguantar la de las adaptaciones, sería agravio para cualquier obra de cualquier autor y cualquier tiempo. Afortunadamente —y no era de esperar otra cosa del seguro buen gusto de García Lorca—, no hay la menor ofensa de "adaptación", en esta *Dama boba* y sí una exquisita y finísima labor de *realización*. Esto es: el poeta moderno ha tomado sobre su sensibilidad la tarea ya aludida de *revivir* al poeta clásico. Le ha desagraviado, primero, reintegrando a la representación aquellos pasajes del texto siempre omitidos en las refundiciones; ha dejado el ritmo escénico cortado según los cuadros y escenarios que pareció señalar el autor; donde Lope dice: "cantan", etc., ha puesto una canción —¡y qué gentil!— de la época, y una música, o una danza, donde sencillamente señala "Música" o "Bailan". Ha subrayado, valorizado, enriquecido, en fin, la representación, realizando, según la sensibilidad propia, el texto ajeno, consiguiendo fundir una suma de elementos en un bello conjunto que ha de ser deleite en su público. Esto es, ha hecho la labor de ese personaje, que hoy en toda escena digna tiene en su mano todos los hilos de la representación escénica; ese personaje desconocido del teatro español actual, que es el *realizador*. En la obra que Lope escribió ni ha quitado ni ha puesto, pero nos la ha servido a través de una realización de la más fina y alta calidad.»

gos que había ido a ver *La dama boba*. Uno de los oyentes preguntó qué era aquello, y el bailarín le dijo:

—Es una comedia antigua que er señó Federico ha perfeccionao.

Pero, como podremos observar, el talento dramático de Federico no había hecho más que presentar el texto original en toda su esplendorosa e intrínseca belleza.

En la Maison Dorée, Federico había pedido al camarero una taza de manzanilla y una copa de anís.

—Estoy a régimen —dijo—, pero como podrán ver se trata de un régimen de «prisión atenuada». ¡Ay, cuando me pongan en libertad! ¡Reíros entonces de aquel gran músico y gran bebedor que fue Mussorgsky!

Esto lo recogió el periodista Joan Tomás, para su revista *Mirador*. Aquella tarde, una de las primeras preguntas profesionales que Tomás le hizo a García Lorca fue sobre la «desnaturalización» que pudiera existir en su adaptación de *La dama boba*. Federico saltó movido por el resorte de la injusticia de aquel falso criterio:

—Esa gente que me censura, a propósito de *La dama boba,* no saben que Lope de Vega haya existido. Confunden *La dama boba* de Lope, del gran Lope, con *La niña boba,* que se está representando desde hace bastante tiempo, lo cual no es más que una refundición lamentable.

—En definitiva, ¿qué es lo que usted ha suprimido?

—Veinte versos. ¡O menos! Unos quince nada más. Y quizá no tantos. Son versos innecesarios y más bien malos. Son puntos muertos de la obra. El teatro clásico español está lleno de ellos, de esos puntos muertos. Son versos que resultaban pesados y alteraban el ritmo de la farsa —de farsa molieresca— que he querido dar a la comedia. Si hubiera hecho alguna mutilación importante, lo confesaría y trataría de justificarla. ¡Yo soy muy franco! En *El caballero de Olmedo,* por ejemplo, que es una de las obras más estimables del teatro universal, he cortado, en la versión que está representando *La Barraca,* las tres últimas escenas de la venganza. Con la muerte de Olmedo se termina todo, ¿no

Margarita Xirgu
con Carles Pi i Sunyer
y Joan Puig i Ferrater,
en un intermedio
de «La dama boba»
que, según adaptación
de García Lorca,
se presentó en el teatro
Barcelona el 10 de
setiembre de 1935.

La Luna, célebre
café-restaurante
de la plaza de Cataluña,
que solía frecuentar
García Lorca.

es así? Pues bien, después de la muerte ¡basta! ¡Todos nos podemos ir a dormir! Las tres escenas aludidas son una concesión hecha por Lope al público, y con ellas la obra pierde grandeza. Porque, como ya es sabido, en tiempos de Lope el público reclamaba el castigo para los culpables. «¡Que los maten! —gritaba—. ¡Que los maten!» A los autores, entonces, no les quedaba otro camino: los tenían que matar y así, por culpa del «¡Que los maten!» se malograron un montón de obras teatrales de aquellos tiempos.

El autor de *Yerma* —decía Tomás— se ha transformado en un torbellino. Ya no hay quien lo detenga. No deja que lo interrumpan, no deja que le hagan preguntas. Enamorado de los clásicos españoles, no admite que se le acuse de haber traicionado la devoción que les profesa.

—¿Queréis otro ejemplo de mi manera de proceder con los clásicos en general y con Lope de Vega en particular? Lo tenemos en *Fuenteovejuna*. De esta obra solamente he dado en *La Barraca* sesenta escenas. He separado todo el drama político y me he limitado a seguir el hilo del drama social. Y he avisado. No he dicho: «Ahora ir a ver y a escuchar *Fuenteovejuna.*»

—Todo el mundo debería hacer gala de semejante honestidad, desde luego.

—Yo estoy contento de ello. Con los clásicos españoles se han atrevido muchos y así hemos podido ver representaciones lamentables de nuestro teatro clásico. Los clásicos españoles pueden ser interpretados de muchas maneras, siempre que sea a través de un poeta que los viva en cuerpo y alma. Ocurre igual en la música. Una composición de Chopin sonará diferente si la ejecuta Rubinstein o si lo hace Brailowsky, pero la obra seguirá siendo la misma. Se trata de la forma —sensibilidad, temperamento en que se transmite al público.

—Exacto.

—No penséis que soy enemigo de dar los textos íntegros. En una ocasión ofrecí *La guarda cuidadosa,* de Cervantes, entera, y la presenté como una gran pantomima circense. ¡Admirable, verdad! ¡Admirable! Pero fue una catástrofe.

—Estas fantasías deberían ser aceptadas antes que admitir su refundición.

—¡Naturalmente! Lo que se ha perpetrado con los clásicos, a veces, no tiene nombre. Borrás representó una refundición de *El alcalde de Zalamea,* en la cual el papel de la dama de la obra había desaparecido. ¿Por qué? Pues para facilitar al máximo el lucimiento del actor.

—Que cobró los derechos, como es natural.

—Yo no me atrevería a decirlo. Muchas de las refundiciones del teatro clásico español se hicieron en las postrimerías del siglo pasado. Los refundidores se afanaron por adaptar su trabajo al gusto del tiempo, no ya solamente modificando el carácter de los personajes, sino también distribuyendo las escenas en los tres actos de rigor, con lo cual se ahorraban los inconvenientes del escenario múltiple. Por eso, volviendo a *La dama boba,* alguien ha insinuado que yo corté el papel de Nise, la hermana, cuando no le hice el menor retoque. Es tal como figura en el original. Lo que pasa es que algunos refundidores habían aumentado el texto con unos *latinajos* y unas tonterías que no hay por donde cogerlas. ¡Ésta es la explicación! Creyeron que, de esa forma, la oposición a *La boba* sería más abierta. ¡Una verdadera desgracia! Hay refundidores que han llegado incluso a cambiar los nombres de los personajes. A Clara, la damita de compañía, la llaman, no sé por qué, Blasilla. Y les diré más: María Guerrero, que era actriz magnífica, presentaba —a través de una refundición hecha, creo, por su marido y un traspunte— a *La dama boba* como una ingenua que hacía la tonta. ¡No y no! *La boba* de Lope es *una boba* de verdad. Lope no quiso, como algunos suponen, enfrentar dos caracteres, sino demostrar que una alma oscura puede ser curada con amor. Es más claro que el agua.

Aprovecho unos instantes de tregua en mi interlocutor para preguntarle qué es lo que él ha introducido en *La dama boba.*

—La canción de los gatos, en el primer acto, y las seguidillas del final. ¡Y nada más! La primera porque considero que le cae bien y las seguidillas para completar la terminación de la obra a la manera de aquellas tonadilleras que en tiempos de Lope actuaban, muy a menudo, después del espectáculo.

—¿Son suyas todas las ilustraciones musicales de *La dama boba?*

—La canción de los gatos y las seguidillas sí. Hay, además, dos de Salinas y una de Barbieri. La letra de las seguidillas es de Cervantes. La saqué de un entremés. ¿Es bonita, verdad?

García Lorca no puede retenerse y nos la canta:

> *Pisaré yo el polvico,*
> *¡ay! Atán menudico;*
> *pisaré yo el polvó*
> *atán menudó.*[4]

Para tener idea del respeto que sentía Federico por los clásicos, veamos el incidente que tuvo con Margarita Xirgu. La actriz preparaba la puesta en escena de *Fuenteovejuna,* y un día ensayaba la escena en que, después de ser ultrajada por el Comendador, Laurencia-Xirgu insulta a los hombres del pueblo. Lope había puesto en boca de la mujer ofendida, alguna palabra cruda e insultante:

LAURENCIA.　　*Liebres, cobardes nacisteis;*
　　　　　　　bárbaros sois, no españoles.
　　　　　　　Gallinas, ¿vuestras mujeres
　　　　　　　sufrís que otros hombres gocen?
　　　　　　　Poneos ruecas en la cinta.

4. *Mirador,* Barcelona, 19-9-1935.

> *¿Para qué os ceñís estoques?*
> *Vive Dios, que he de trazar*
> *que solas mujeres cobren*
> *la honra de estos tiranos,*
> *la sangre de estos traidores,*
> *y que os han de tirar piedras,*
> *hilanderas, maricones,*
> *amujerados, cobardes,*
> *y que mañana os adornen*
> *nuestras tocas basquiñas,*
> *solimanes y colores...*

La palabra maricones había sido sustituida por otra más suave aunque menos gráfica. Federico lo advirtió en seguida y en el acto se encaró con la actriz: «No puedo tolerar que alteres el texto de Lope.» Margarita procuró convencerlo dándole razones que él no admitía, y le replicó: «Si no respetas lo que Lope ha escrito, no vendré a verte *Fuenteovejuna...* Si lo dices tal como yo te lo indique, verás cómo el público no se asusta ni protesta...» [5] Federico demostró, una vez más, su gran conocimiento de nuestro público, que reaccionó como él había previsto.

El municipio de Fuenteovejuna solicitó de la compañía Xirgu-Borrás que dieran una representación en el escenario histórico de los hechos. El 24 de agosto tenía lugar la función en la plaza del pueblo cordobés. Se montó un tablado al pie de la fachada del Ayuntamiento, utilizándose las escaleras y huecos exteriores del edificio municipal para el desarrollo de los acontecimientos históricos. Margarita aparecía en el balcón central arengando a los rebeldes. La animación de las escenas populares, amenizadas con canciones y bailes, la trágica grandeza del levantamiento del pueblo, el tañer de las campanas de la cercana iglesia daban al espectáculo una magnitud y una autenticidad plástica y cromática prodigiosa.

García Lorca no quiso perderse aquella función singular y se fue con Margarita y sus huestes a tierras andaluzas.

5. *¡Aquí está!*, Buenos Aires, 26-5-1949.

311

Las autoridades de Fuenteovejuna habilitaron camerinos para los actores en varias dependencias del Ayuntamiento. El de Margarita daba a un patio pequeño, en el que se encontraba un hombre que, como desasosegado, lo recorría de un extremo a otro, como una bestia enjaulada. La actitud inquieta del hombre llamó la atención de la actriz, que quiso saber qué le ocurría. Uno de los alguaciles se apresuró a tranquilizarla: se trataba de un «peligroso anarquista que había caído por aquel lugar»,[6] y el alcalde había decidido encerrarlo hasta que terminara la función, temeroso de que el argumento justiciero de la obra soliviantara el ánimo del anarquista y la rebelión popular saltara del escenario a la calle. Margarita, indignada, se lo contó a Federico y éste fue en seguida en busca del alcalde y lo persuadió de que pusiera en libertad al presunto alborotador. El munícipe accedió a soltarlo en el acto.

El gesto de la actriz y el poeta se extendió entre el vecindario y, al terminar la función, el público, inesperadamente, se precipitó en masa hacia el escenario. García Lorca, en un principio, al ver aquel enfervorizado oleaje humano, temió, como los munícipes, que el pueblo enardecido por las voces de ¡Fuenteovejuna, todos a una! fueran a linchar a los caciques y a los actores que hacían el papel de malos.

Hubo momentos de auténtico desconcierto, hasta que pudieron comprobar que lo que el pueblo pretendía demostrar era su simpatía por la parte asumida por el autor y la actriz en la libertad del anarquista.

Horas más tarde, en la posada del pueblo, mientras Federico paladeaba el fino vinillo de la tierra, daba gusto oírle contar el moderno levantamiento de Fuenteovejuna, pasado por el tamiz de su fantasía y la lírica gracia andaluza de sus imágenes.

Esta versión de *Fuenteovejuna,* que la Xirgu presentó en el teatro Barcelona el 9 de octubre de 1935, se debía a Rivas Cherif, que introdujo una danza de arcos recién descubierta en un documento de la época y reconstituida por los historiadores medievalistas del Centro de Estudios Históricos, entre los que descolla-

6. FERNANDO VÁZQUEZ OCAÑA, *García Lorca. Vida, cántico y muerte,* Biografías Gandesa, México, 1962, p. 336.

ba Américo Castro. Otra aportación importante fue el *Sea bien venido el Comendatore,* romance popular del siglo XVI, recogido por Salinas; *Al val de Fuenteovejuna,* una canción anónima del XVII, y *Vivan muchos años los desposados,* seguidillas de Laserna, del XVIII. Burmann creó un escenario a base de elementos arquitectónicos fijos y juegos de cortinas móviles.

García Lorca supervisó la realización escénica y la indumentaria. En pocas ocasiones pisaron la escena campesinos vestidos con tanta propiedad. Al poeta, como buen granadino, le gustaba cuidar los detalles. Recorría los pueblos en busca de corpiños, sombreros, camisas, fajas, terciopelos, paños y panas descoloridas por mil soles, que las mujeres guardaban en las arcas celosamente, en recuerdo de sus antepasados.

Polémica sobre «Yerma»

... que la obra empiece, se desarrolle y
acabe con arreglo a un ritmo acordado es
de lo más difícil de conseguir en el teatro.
Margarita Xirgu, que tiene en *Yerma* un
papel en el que puede demostrar todas
las enormes cualidades de su excepcional
temperamento, pone el mayor interés en
que este ritmo sea logrado. Lo mismo
hacen los actores y actrices que la acompañan.

F. García Lorca

Reencontramos a Federico García Lorca a su paso por Barcelona
a últimos de setiembre de 1933, a punto de embarcar en el *Conte
Grande* [1] para Montevideo, donde Lola Membrives iba a estrenar
Bodas de sangre. La tarde del 28, víspera de su marcha, Federico
entró resueltamente en el camarín de la Xirgu, en el teatro Polio-

1. «En el buque *Conte Grande* salieron ayer hacia Montevideo el poeta García Lorca y el escenógrafo Manuel Fontanals, donde, en el Estadio
de la ciudad, preparan el montaje de *Bodas de sangre,* de la cual se dará
una representación, única y extraordinaria, al aire libre, a cargo de la
compañía de Lola Membrives. *Bodas de sangre* fue la pasada temporada
la obra que más éxito tuvo de cuantas se estrenaron en Buenos Aires.»
La Publicitat, Barcelona, 30-9-1933.

rama, atenuada en él la reserva que se interpuso un tiempo entre ellos.

—¡Tengo una obra para ti! —exclamó radiante el poeta, a modo de saludo, como si con ello quisiera lavar el pecado de deslealtad del que se acusaba por no haberle dado a estrenar a Margarita su drama *Bodas de sangre*.

García Lorca quería leerle a la actriz dos actos que llevaba escritos de una nueva obra. Aunque no estaba terminada, tenía ya título: *Yerma*.

—No —le contestó la Xirgu—, no quiero escuchar esos dos actos. Prefiero que te marches sin leérmelos. En Buenos Aires tendrás un gran éxito. Te pedirán esa obra, te verás comprometido a darla...

—No, Margarita, *Yerma* es para ti y sólo para ti.

—Prefiero que te marches sin dejar ningún compromiso, que no te sientas atado por ninguna ligadura...

Los argumentos de Federico fueron baldíos. Margarita no transigió.

«Yo estaba muerta de deseo por conocer aquellos dos actos —explicaría Margarita a Valentín de Pedro—, pero tuve voluntad para dejarle marchar sin que me los leyera, porque si luego la obra no hubiese sido para mí, me hubiera dolido mucho más.» [2]

El triunfo de Federico en Hispanoamérica fue apoteósico y, tal como Margarita había previsto, la obra le fue solicitada con reiteración. El poeta salía del paso arguyendo que sólo tenía dos actos terminados, pero hubo momentos en que las presiones incitándole a terminar el drama, le crearon una situación incómoda. [3] «... luché para no escribirlo, para hacer imposible lo que Margarita había augurado», confesaría luego Federico.

2. VALENTÍN DE PEDRO, *¡Aquí está!*, Buenos Aires, 26-5-1949.
3. «Lorca había venido a Montevideo —cuenta Mora Guarnido— a pasar una breve temporada invitado por la actriz Lola Membrives, que había montado en Buenos Aires, con memorable éxito, su obra *Bodas de sangre*. El doble efecto del éxito teatral y de su personal atractivo lo encaminaron de inmediato en la vía, tan grata para él, de las nuevas relaciones, de modo que los dos amigos y compañeros que tenía en Montevideo, el poeta y crítico Enrique Díez Canedo, entonces ministro de España en el Uruguay, y yo, casi lo perdimos de vista. Las nuevas rela-

La noche del martes 17 de setiembre de 1935, Margarita Xirgu y su compañía presentaban al público barcelonés la tragedia *Yerma*. En la ciudad existía una gran expectación, ya que la pieza lorquiana venía precedida de una aureola de escándalo. Su estreno en Madrid, nueve meses antes, en un ambiente cargado de hostilidad, había desencadenado una airada protesta por parte de la prensa de derechas, so pretexto de supuesta inmoralidad, en la que se llegó incluso al insulto personal, según declaró Federico. En realidad, más que contra la obra, la campaña fue provocada por actitudes extraartísticas de la intérprete y del autor. Por un lado, Margarita Xirgu había ofrecido hospitalidad a Manuel Azaña, a su salida de la cárcel, en su casa de Badalona. Al ex jefe del

---

ciones y la residencia del poeta en Carrasco —era plena temporada veraniega— nos lo arrebataron.

»—Nos hemos quedado sin "nuestro Federico", se me quejaba Díez Canedo con su vocecita infantil y chillona y su sonrisita inocente.

»Podía haber vivido, modestamente, pero con las comodidades, los gustos y el halago de su propia casa granadina, en mi casa; podía haber vivido, en un tren de mayor lujo y decoro, en la Legación, donde Canedo le ofreció sincero y cordial hospedaje. Pero venía invitado y no quería desairar a sus anfitriones... Por lo tanto, desapareció en Carrasco y entre sus nuevos grupos de amigos. Esta desaparición, sin embargo, llegó pronto a tener características singulares. Haciendo un claro en nuestras tareas habituales, íbamos hasta Carrasco, llegábamos al Hotel y allí nos decían que el señor Lorca no estaba. Otras veces llamábamos por teléfono y el telefonista, como respondiendo a una consigna, nos contestaba que el señor Lorca había salido. Cuando posteriormente lo encontrábamos y le decíamos lo ocurrido, nos contestaba extrañado:

»—Pues yo estaba... A esa hora estaba trabajando.

»La reiteración del fenómeno nos pareció sospechosa y si la consigna telefónica no pudimos quebrarla, la otra, la de la conserjería del hotel, la quebrantábamos con facilidad, dirigiéndonos resueltamente a la habitación del poeta sin preguntar. Federico estaba, pues, durante la mayor parte de las horas del día, sometido a una especie de amable y disimulado secuestro. Lo que al principio le hacía mucha gracia al interesado, pero que terminó por producirle la natural incomodidad. ¿Razón de aquel simulado secuestro? Que Lorca estaba escribiendo *Yerma* y había en sus invitantes un sustancial interés en aprovechar la circunstancia y conseguir del huésped una entrega de la nueva obra en favorables condiciones de exclusividad.» *Federico García Lorca y su mundo,* op. cit., pp. 211-212.

Gobierno se le acusó de favorecer el movimiento revolucionario de octubre de 1934. Y García Lorca, por el otro, en recientes manifestaciones a la prensa, había declarado: «Yo siempre seré partidario de los que no tienen nada y hasta la tranquilidad de la nada se les niega. Nosotros —me refiero a los hombres de significación intelectual y educados en el ambiente medio de las clases que podemos llamar acomodadas— estamos llamados al sacrificio. Aceptémoslo. En el mundo ya no luchan fuerzas humanas, sino telúricas. A mí me ponen en una balanza el resultado de esta lucha: aquí tu dolor y tu sacrificio, y aquí la justicia para todos, aún con la angustia del tránsito hacia un futuro que se presiente, pero que se desconoce, y descargo el puño con toda mi fuerza en este último platillo.»

En la prensa madrileña se armó tal revuelo, que a las dos semanas del estreno se trató de suspender la obra. Un crítico extranjero, corresponsal de una gran revista teatral italiana, dijo que desde los tiempos ya lejanos de la discutidísima *Casa de muñecas,* de Ibsen, no recordaba una polémica tan viva en torno a la moralidad de una obra.

En Barcelona, este problema tenía distinto cariz, ya que el público tenía un talante liberal en todos los aspectos. La actitud encontrada y polémica que había suscitado la obra sólo contribuyó a crear alrededor un clima de curiosidad y simpatía. *La Publicitat* publicó, dos días antes del estreno, un editorial titulado «¿Es *Yerma* una obra inmoral?» Y *El Diluvio* otro sobre *la moral de Yerma.*

Para que «la sorpresa e ilusión fuera completa», García Lorca pidió a la prensa barcelonesa que se abstuviera de asistir a los ensayos de *Yerma.* Sin embargo, Joan Tomás, periodista de *La Publicitat,* desoyendo la consigna, se presentó en el teatro horas antes del estreno, en el último ensayo, a entrevistar al autor. Tomás llegó al final, cuando se desarrollaba el cuadro de la romería. El periodista contó cómo Federico tomaba parte en este cuadro de gran plasticidad, cantando y gesticulando, al lado de los artistas, convertido en un actor más:

—¡Maravilloso! ¡Maravilloso! Nos está saliendo mejor que en Madrid. Aquí hemos podido fijarnos en muchos detalles que habían pasado inadvertidos. Esta escena y la de las lavanderas son ahora excepcionales —exclamó Federico.

García Lorca accedió a responder a Tomás, puntualizándole:

«*Yerma* es una tragedia. Una tragedia de verdad. Desde las primeras escenas el público se da cuenta de que va a asistir a algo grandioso.

»¿Qué pasa? *Yerma* no tiene argumento. *Yerma* es un carácter que se va desarrollando en el transcurso de los seis cuadros de que consta la obra. Tal y como conviene a una tragedia. He introducido en *Yerma* unos coros que comentan los hechos o el tema de la tragedia, que es lo mismo. Fíjese que digo tema. Repito que *Yerma* no tiene argumento. En algunas ocasiones al público le parecerá que lo tiene, pero se trata de un pequeño engaño... ¡Ah! Los actores no hablan con naturalidad. ¡Nada de naturalidad! Alguien quizá lo censure... Si la censura se produjera, conste que el responsable soy yo. El único responsable... ¡Una auténtica tragedia...! *Yerma* quiero creer que es algo nuevo, pese a ser la tragedia un género antiguo. Ante *Yerma* habrán desaparecido veinte o treinta años de "teatro de arte".» [4]

El día del estreno, en la terraza de la Maison Dorée, Federico, eufórico, hablaba de versos, de coplas, de toros, de cante jondo. En la improvisada tertulia de la plaza de Cataluña, el poeta granadino, a pesar de que tan sólo faltaban escasas horas para que se alzase el telón del teatro Barcelona y se descubriera la plácida escenografía que Fontanals había pintado para el primer acto de *Yerma,* saltaba de un tema a otro, dicharachero, relajado, con la alegría contenida e impaciente del que espera sorprender y triunfar. Se alude al andalucismo del maestro Manuel de Falla y de Fernando de los Ríos. Federico comenta la versión francesa del *Llanto por Ignacio Sánchez Mejías.* Habla, entusiasmado, de tres libros que tiene en cartera. El encargado de la sección teatral de *El Día Gráfico,* que asiste a la tertulia, le dice que le gustaría conocer su versión sobre *Yerma,* Federico, incansable, explica:

—Yerma es una tragedia. He procurado guardar fidelidad a los cánones. La parte fundamental —claro— reside en los coros,

4. *La Publicitat,* Barcelona, 17-9-1935, p. 6.

que subrayan la acción de los protagonistas. No hay argumento en *Yerma.* Yo he querido hacer eso: una tragedia pura y simplemente.

—¿Qué es lo que más le interesa en estos momentos?

—Llevar al cine cuanto se relaciona con la lidia, con el toro de lidia. No, el acto de la lidia no. El ambiente: coplas, bailables, leyendas...

—¿Hace alguna obra teatral?

—En efecto. Estoy trabajando en otra tragedia. Una tragedia política...[5]

Otro de los espectadores que rodeaban a Federico en la tertulia de la plaza de Cataluña, era el periodista Ernesto Guasp, que también nos transmitió la radiante atmósfera de aquella tarde:

Federico García Lorca está sentado, deslumbrante de gozo, en la terraza de un café, oficiando de poeta puro. Con la exuberancia desbordada de su opimo candor infantil, es hoy la verdadera fuente de la alegría en el urbanismo sintético de esta clara plaza de Cataluña.

A su alrededor, un amplio corro de atónitos, gozosos de poder estar, callados, prendidos en el prodigio de la palabra del poeta que habla como escribe, con la imaginación caliente, con el verbo encendido.

Los que no están, hacen falta. Algunos se acercan mudos y se sientan sin decir quiénes son. Vienen a por una parte en el festín de la maravilla.

Una muchacha se acerca, y pregunta: «¿Me queréis con vosotros...?»

Se sienta. Le presentan al poeta, y ella le llama ya Federico, a secas, desde en seguida, desde luego.

Después que se ha bañado en la niebla encendida de su cordialidad, pregunta, asombrada, a los del corro: «Pero ¿vosotros le veis cada día...?»

5. *El Día Gráfico,* Barcelona, 17-9-1935.

Como una sardana al estereoscopio, el corro está congelado en la curiosidad. Federico García está en medio, oficiando en poeta puro:

«Murube compró para mí solo un balcón, para que yo viera pasar al Cristo Divino del Gran Poder, un balcón que le costó cincuenta duros...

»Los gitanos, que me quieren a mí mucho, me hicieron una Semana Santa con el regalo íntimo de sus liturgias y de sus vinos mejores.

»Pusieron un altar con diez toneles de vino y muchas rosas de papel y candelas encendidas con los retratos de Joselito y de Sánchez Mejías, y yo leí ante él por vez primera mi "Elegía por la muerte de Ignacio".

»Tan tremendo con las últimas banderillas de tinieblas...

»Después bailaron descalzos... y no dejaron entrar ni a mis mejores amigos. El único «ché» que allí había era yo.

»Aquella noche dormí en casa de la «Malena», que me guardaba una hermosa cama grande, blanca... blanca, con un suave aroma de manzanas...

»Desde Jerez a Cádiz, diez familias de la más impenetrable casta pura guardan con avaricia la gloriosa tradición de lo flamenco.

»Allí he llorado yo, que no siento vergüenza de llorar —dice Federico—, viendo bailar a un niño con los pies desnudos, desarrollando la llama de la euritmia viva de su corazón tierno, con el ritmo heroico de todo el pueblo mío, de toda la historia nuestra envueltos en las cenizas calientes de la casta, guiñando el ojo cuco de la ironía del Sur, templada por el sol que seca las sales del agua marina de Cádiz y endulza las soleras del vino de Jerez.

»Que no se cansen los intelectuales en bucear los arcanos de la erudición.

»Lo flamenco es una cosa viva con los pies hundidos en el barro caliente de la calle, con la frente en los vellones fríos de las nubes desgarradas.

»Es —dice Federico— para cuatro tíos locos, para cuatro

poetas como yo, y para los gitanos verdes, para borrachos y otras gentes de malvivir...» [6]

Mucho antes de la hora prevista para la función, en la puerta del teatro se aglomeran presuntos espectadores. Hacen cola ante la taquilla inútilmente. En el Barcelona se dan cita los amigos catalanes del autor. Federico ha hecho colocar un sillón, a la altura de la fila cero, para que el célebre escultor Manolo Hugué, duro de oído, pueda seguir la obra sin perder palabra.

En un momento dado, el público rompe la barrera que forman los guardias de Asalto e invade en tropel pasillos, descansillos y escaleras, dispuestos a ver la función de pie o sentados en el suelo. Los que asistieron a aquella *première* recuerdan el acontecimiento como un fenómeno social sin precedentes en los fastos teatrales barceloneses.

Ernesto Guasp escribiría:

> En el estreno de *Yerma* estábamos los mismos y todos, y después de todos todavía sobró gente para desbordar la entrada y allanar el recinto de lo sublime. Hubo que simular una carga, y en medio de la barahúnda aún se oponía a lo imprevisto la voz bravía de una mujer del pueblo que gritaba: «*Jo haig d'entrar, perquè he vingut de Lleida per veure-ho, i entraré!*»
>
> Y entró por el impulso fecundador de su derecho. [7]

Empieza la obra y la fuerza de sus escenas y la poesía vibrante de sus imágenes se imponen conquistando opiniones y criterios favorables. El autor tiene que salir a escena al final del primer acto. Y rompiendo la norma establecida, el unánime y prolongado aplauso de un público entregado, obliga al dramaturgo a salir a escena en la mitad del segundo acto. En la sala reina absoluto silencio, se advierte una gran emoción apenas contenida... algunos ojos están empañados de lágrimas. A Pedro Pruna, al ir a sa-

---

6. ERNESTO GUASP, *El Mercantil Valenciano,* Valencia, 22-9-1935, p. 9.
7. Ídem.

carse el pañuelo del bolsillo, para secar sus ojos, se le cae un duro de plata al suelo. La gente protesta. Al final, cuando *Yerma-Xirgu* estrangula a su marido diciendo:

«Eso nunca. Nunca. Marchita, marchita, pero segura. Ahora sí que lo sé de cierto. Y sola. Voy a descansar sin despertarme sobresaltada, para ver si la sangre me anuncia otra sangre nueva. Con el cuerpo seco para siempre. ¿Qué queréis saber? ¡No os acerquéis, porque he matado a mi hijo, yo misma he matado a mi hijo!»

Es «la poteosis», como decía aquel gitano amigo del dramaturgo que había ido a ver «la comedia de don Federico». Toda la sala está de pie, enardecida, y aplaude frenéticamente. Baja y sube el telón una y otra vez. Saludan los actores. Saluda Margarita. Se reclama insistentemente a Federico, que al fin sale de la mano de la Xirgu y de Rivas Cherif, con ese sentimiento confuso y sufriente que siempre le causa este trance.

—No me gusta salir a saludar al escenario. Sufro, y es algo que si pudiera no lo haría. Hasta siento una especie de odio al público. Como unos deseos de vengarme, porque sufro de verdad. Hasta creo que esta especie de odio me rezuma. No puedo evitarlo. Esto es bueno para aquellos a los que gusta una gloria pasajera. ¡Que aplaudan la obra, pero que dejen tranquilo al autor! [8]

Un testigo de la velada, Ignacio Agustí, confirma en sus *Memorias* la reserva y el asombro de García Lorca aquella noche memorable: «Nunca se me irá de la memoria el aspecto de la sala del Teatro Barcelona, el día del estreno de *Yerma*. La temporada la había iniciado la Xirgu con una memorable versión de *La dama boba*, de Lope, adaptada por Lorca, y después, con una obra de Alejandro Casona, *Otra vez el diablo*, que pasó sin pena ni gloria, pese a sus muchos valores. Pero el día del estreno de *Yerma* estaban ahítos, además del patio de butacas, de los palcos, del anfiteatro y del paraíso del teatro, los pasillos laterales y central. El tea-

8. «Intentemos rememorar el día del estreno y recordemos a García Lorca saludando en una posición de reserva. Sin salir al proscenio completamente. Recordemos, también, lo que costó hacerle hablar, e incluso sus últimas palabras: Entrego todos estos aplausos a Margarita Xirgu.» Josep Palau Fabre, *La Humanitat*, Barcelona, 4-10-1935, p. 2.

tro era un hervidero. Cuando a mitad de un acto, después del cuadro de las lavanderas —alegría, alegría; del vientre redondo bajo la camisa— el público estalló en una ovación delirante obligando a Lorca, en mitad del acto —cosa insólita—, a aparecer en escena, recuerdo la tez pálida, demudada del poeta inclinándose levemente, como intentando eludir semejante homenaje del que era el primer sorprendido.»[9]

Pero los espectadores no se mueven y continúan aplaudiendo, hasta que el autor se decide a hablar. García Lorca agradece tan vivas muestras de entusiasmo y afecto, y recuerda, emocionado, su bautismo teatral en Barcelona, ocho años antes, también de la mano de Margarita. Elogia la labor de la actriz en *Yerma,* de la que dice que la artista hace una creación, y ofrece aquellos aplausos a la gran catalana que es Margarita. Sus palabras levantan una oleada de aplausos. Entonces la Xirgu, se acerca al proscenio y dice a sus paisanos:

—*El meu cor és amb vosaltres. Visca Catalunya!*[10]

Los aplausos parece que no van a terminar nunca.

García Lorca y los actores se van a la Maison Dorée, a celebrar el éxito en un *resopón* con sus amigos. Salvador Vilaregut, destacado hombre de teatro catalán, le dice al poeta granadino:

—Tu obra me recuerda a Eurípides.

—Me gusta que te recuerde a Eurípides —le responde García Lorca.

Manolo Hugué —nos ha contado Joaquín Nubiola—, quitándose uno de sus característicos anillos, que él mismo diseñaba para anudar el pañuelo que siempre llevaba en el cuello, se lo ofrece a García Lorca y le dice:

—Ahora que te conozco veo que eres un hombre divertido y por eso sé que eres bueno. Sólo las personas divertidas y alegres saben hacer cosas grandes.

La Humanitat reseñó así el gesto del gran escultor catalán:

9. Ignacio Agustí, op. cit., p. 82.
10. «Mi corazón está con vosotros. ¡Viva Cataluña!»

El inconmensurable Manolo Hugué ha poseído, hasta hace poco, un sujetador de corbata de aquellos que parecían vagamente un toallero. Este sujetador compartía la celebridad de su dueño, como en otros tiempos la chalina de Pere Coromines y, todavía hoy, el monóculo de Lluís Capdevila.

Y he aquí que Manolo fue a ver *Yerma,* se emocionó, se entusiasmó y corrió a felicitar al autor. Encontró a García Lorca rodeado de admiradores que se deshacían en elogios. Manolo pensó que García Lorca merecía algo más que una vulgar enhorabuena. Y, sin pensárselo dos veces, se sacó el sujetador —el famoso sujetador de corbata del que no había querido separarse nunca— y se lo regaló al poeta. Ahora García Lorca lo luce en un dedo y no se priva de estirar el brazo para que se vea bien la más singular muestra de su éxito.[11]

Los diarios madrileños se hacen eco del éxito de *Yerma* en Barcelona. El prestigioso rotativo *El Sol,* informa:

Desde ayer están agotadas las localidades del teatro Barcelona para el estreno de *Yerma.* Hoy hubo algunos incidentes, pues ha habido quienes han querido entrar sin localidades y por la fuerza.

La prensa barcelonesa elogia la obra lorquiana, aunque hay algún crítico como José María Junyent, de *El Correo Catalán,* y Valentín Moragas, del *Diario de Barcelona,* que dan su nota discordante. Moragas observa:

... continuos altibajos. Tras brindarnos escenas delicadas y emotivas, donde su pluma logra bellísimas imágenes y conceptos, se suceden otras que rompen el tono anterior para sorprendernos desagradablemente con su crudeza, descarnamiento y sensualismo... En resolución: la obra adolece

11. *La Humanitat,* Barcelona, 1-10-1935, p. 5.

Caricatura de Margarita Xirgu y García Lorca, con motivo del estreno de «Yerma», por Del Arco.

El teatro Barcelona, donde se estrenó «Yerma» el 17 de setiembre de 1935.

de una moralidad esencial, que no basta a paliar ni los méritos literarios del autor, ni el supremo arte de Margarita Xirgu.

Y Junyent, decía:

...a buen seguro que ha de ser nuestro comentario el trombonazo estridente y disonante que malogre la bien ensayada sinfonía «a gran orquesta» que los profesores de la crítica teatral barcelonesa dedicarán a Federico García Lorca y a Margarita Xirgu, autor e intérprete respectivos del poema que anteanoche sublevó el buen gusto de muchos oyentes.

En *Yerma,* el poeta García Lorca expone crudamente la tragedia de la mujer estéril, «seca», que fue al matrimonio con afán obsesionante de llegar a los honores de la maternidad y ve fenecidas sus esperanzas tras un horrible calvario de anhelos tronchados y apetencias marchitas. El drama de aquella madre fracasada en sus tristes aguardos, se desquicia a medida que avanza la obra, perdiéndose en laberinto de las extravagancias trágicas, exentas en absoluto de humanidad y equilibrio. Así *Yerma,* que en las primeras escenas despierta un eco de simpatía por el anhelo de una fecundidad excelsa (que excelsa es porque no hay maternidad que no sea de Dios, quien infunde el alma al ser procreado), acaba por mostrársenos epiléptica, desequilibrada, insoportable, digna de ser recluida en una casa de curación. Su obsesión por el hijo soñado no deja de ser una manifestación evidente de paranoia, como podía atacarla otro delirio cualquiera: el de perseguir saltamontes o amaestrar palomas, pongamos por antojo.

Con toda franqueza, hemos de salir en defensa del pobre marido, tosco, prosaico, poco atento al fin primordial del matrimonio, pero honrado, trabajador y solícito a todos los demás fines secundarios. Yerma es injusta con él, torturándole implacablemente hasta darle muerte en una crisis de amor.

Ese asunto tan antiteatral, que roza la experimentación ginecológica y carece de sentido poético, está tratado por García Lorca en tono bajo y soez, complaciéndose malsanamente en la pintura descarnada de sensualismos abyectos y empleando en la realización literaria no sólo crudezas de expresión innecesarias, sino más de una blasfemia que crispa los nervios y que justificaría la protesta más contundente.

Domènec Guansé, en *La Publicitat,* le dedicó una extensa crónica:

García Lorca, con *Yerma,* nos ofrece una interpretación poética de la más profunda realidad española. Está por ello más cerca de la gran tradición del teatro castellano que todos los confeccionadores de pastiches, sin vida, que imitan la letra en lugar de respetar el espíritu. *Yerma* es una tragedia realista como la de todo el teatro castellano; una tragedia sin romanticismo, sin evasión, en la cual la más dura realidad impone el deber y hace la ley. *Yerma* es la tragedia de los anhelos y de los sueños maternales frustrados. Una tragedia rectilínea, en la cual, como en el mejor teatro de ayer, de hoy, de siempre, todas las complicaciones surgen de la misma esencia de los caracteres, de su oposición y de sus contrastes. Una tragedia en la cual todo movimiento va de dentro afuera. Es decir: que marca la trayectoria ascensional de un sentimiento, de una pasión...

Comencemos por admirarnos del susto mojigato que el estreno de *Yerma* se dice produjo en Madrid —escribía Sánchez-Boxa, en *El Día Gráfico*—. *Yerma,* drama escrito —y logrado o no habría discusión— sobre un tema eterno, no podía asustar a nadie. ¿Se asusta alguien del incesto planteado en *Edipo*? Ya no se asustaron nuestros padres ante *Maternità,* de Roberto Bracco, en el que la protagonista se suicida arrojándose al suelo sobre su vientre grávido. *Yerma* sólo puede asustar a los troyanos.

Desde las primeras escenas, el poderoso aliento poético de la obra —escribía María Luz Morales en *La Vanguardia*— nos eleva sobre las usuales realidades escénicas. Éste es otro mundo, más allá de exposición, trama, nudo, desenlace y demás zarandajas... El poeta alcanza a elevar personajes, pasiones, ambientes, hasta ser abstracciones, sin que por ello pierdan el hálito humano y ese tono popular que es el medio expresivo de que se valen para llegar hasta nosotros. Un sentido teatral estricto, no de enredo, trama, etcétera, etcétera, sino de fusión emocional de lírica y plástica —lo que se oye, lo que se ve— anima este poema trágico, que bien podría ser, sin aquellos elementos netamente escénicos, uno de esos «romances» que han hecho de Federico García Lorca el reanimador de la más legítima vena de nuestra tradicional poesía. «Romance de la casada que ansiaba hijos» podría llamarse la tragedia de esta *Yerma,* en cuyo alarido parece escucharse el hondo acento lejano de las grandes poesías de la maternidad: una Gabriela Mistral o una Ada Vegn...

Días más tarde, en una entrevista que aparece en *La Humanitat,* García Lorca decía a Palau Fabre:

—La crítica me ha tratado muy bien. Y a veces muy acertadamente... —y añade rápidamente—: Aunque he de advertir que no hago caso de las críticas, que ni leo. Pero a veces me enseñan alguna, me dicen que está bien y entonces lo que hago es echarle un vistazo.

—En Nueva York, a raíz de la presentación de *Bodas de sangre,* también le trataron mal, según tengo entendido.

—No se puede decir que en Nueva York el fracaso de público fuera completo, completo. Las críticas dijeron tonterías; por ejemplo: que no se concebía que la gente rural hablara de aquella manera y otras cosas por el estilo. El crítico de *The Times* era el único que hablaba con soltura, ya que empezaba confesando que no había entendido nada en absoluto, y después añadía que una obra como aquélla nunca podría gustar a un americano ni penetrar en su civilización. De todas maneras aquí hay un concepto falso sobre todo esto, porque si lo que antecede es cierto, por otro lado, en el mismo *The Times* apareció una encuesta realizada entre los intelectuales, y todos respondieron afirmativamente elogiando mi obra. Ya le he dicho que no hago caso de las críticas. Una de las cosas que más me han gustado es comprobar que *Yerma* gustaba a la clase menestral catalana. Esto es para mí el mayor de los triunfos.

El éxito de *Yerma* en Barcelona fue memorable. El 5 de octubre el diario *Renovación* anunciaba que el primer actor Alejandro Nolla había formado una compañía para hacer una gira por Cataluña representando únicamente la obra lorquiana.

Durante las representaciones de *Yerma,* Ana María Dalí entró una tarde en el camarín de la Xirgu preguntando por Federico. Hacía siete años que no se veían el poeta y la «sirena» de otros tiempos.

«Entonces vivía yo en el Palacio de Pedralbes, que en tiempos de la República había sido convertido en Residencia de Estudiantes —nos ha contado Ana María—. Tan pronto como me enteré de que Federico estaba en Barcelona acudí en seguida a verle al teatro. Nada más entrar me fui al camarín de la Xirgu, de la que guardo un gran recuerdo. Cuando le dije que había ido a ver a Federico, no hacía más que mirarme y decir: "¡Qué contento se va a poner… qué contento se va a poner cuando te vea !"

»Pero a la hora de empezar la función Federico no había llegado todavía y la Xirgu, antes de salir a escena, le escribió una nota diciéndole que yo me encontraba en la platea. Antes de separarnos, la actriz me dijo que a ella también le había dado una gran alegría que fuera a ver a Federico. No hacía ni cinco minutos que se había levantado el telón cuando Federico estaba a mi lado. Yo ocupaba una butaca del pasillo lateral. Me levanté, me abrazó, me tomó de la mano, y así, cogidos de la mano, como hacíamos en Cadaqués, salimos del teatro. ¿Volvíamos a estar en 1927? Pues sí, ¿por qué no?

»Estuvimos muchísimo rato hablando en un café cercano al teatro. En el de La Luna precisamente. Era como si nunca nos hubiésemos separado. Hablamos de nuestras cosas, de Cadaqués, de mi hermano. Comentamos su actitud, que Federico calificó de inconcebible y lamentable. García Lorca tenía un gran sentido de la amistad y había sido muy buen amigo de Salvador. Le quería mucho y por eso su disgusto fue tan grande como el nuestro. Yo le conté que el año antes regresó a casa muy arrepentido, a pedir perdón a mi padre, y que éste lo había perdonado, pero que ya nunca podría volver a ser, para nosotros, lo que fue antes. Federico intentó convencerme de que debíamos olvidar el pasado y superar todos esta crisis realmente triste. "Yo le hablaré —dijo—. Pienso hablarle."

»Insistió mucho en que todo debía ser como antes, puesto que él había dado el primer paso y reconocía lo equivocado de su actitud.

»Quedamos en llamarnos por teléfono, con el fin de vernos a menudo. Pero eso no pudo ser, ya que tuve que regresar a Figueras, porque mi *tieta* se puso enferma. Ninguno de los dos podíamos imaginar que era la última vez que nos veíamos.»

Por estas fechas en que el clan Dalí, echando pelillos a la mar, trataba de restañar su convivencia, Salvador Dalí y García Lorca volvían a encontrarse. La entrevista, tras de siete años de absoluta incomunicación, no estuvo marcada por el paso del tiempo; la incomprensión, el aislamiento y al final la ruptura por parte de Salvador, parecía una pesadilla olvidada. Su encuentro tuvo el calor y la sinceridad entrañable de los mejores tiempos. En una entrevista que Palau Fabre le hace al poeta en *La Humanitat,* a principios de octubre, leemos:

«García Lorca aprovechó todas las ocasiones para manifestar su gran entusiasmo por Salvador Dalí. Nos dijo, con visible alegría, que escribirá una obra en colaboración con él y que los decorados los diseñarán también conjuntamente.

»"Somos —nos dice— dos espíritus gemelos. Aquí está la prueba: siete años sin vernos y hemos coincidido en todo como si hubiésemos estado hablando diariamente. Genial, genial Salvador Dalí."»

¿Qué significaba esta vuelta al redil familiar del pintor ampurdanés? ¿Este encuentro con sus antiguos amigos? ¿Acaso había superado su postura «surrealista»? ¿Ya no se encontraba a gusto en el grupo de André Breton? ¿O eran éstos quienes habían renegado de él?

El 5 de febrero de 1934, André Breton reunió, en su estudio de la calle Fontaine, a su areópago «surrealista» para juzgar la conducta contrarrevolucionaria de Salvador Dalí,[12] quien a pesar de encontrarse enfermo tuvo que hacer acto de presencia y someterse al juicio del «papa» surrealista y su conclave. La sentencia fue inapelable: «Dalí, habiéndose hecho culpable en varias ocasiones de actos contrarrevolucionarios, tendiendo a la glorificación del fascismo hitleriano, los abajo firmantes proponen, a pesar de su declaración del 25 de enero de 1934, excluirle del surrealismo como elemento fascista y de combatirle por todos los medios.»[13]

El entusiasmo del grupo surrealista por el comunismo duró sólo unos años. Y a excepción de los poetas Éluard y Aragon, los demás creadores del surrealismo abandonaron sus filas.

Después, Dalí ha escrito y divagado mucho sobre el suceso de su expulsión burlándose incluso del proceso. Pero lo cierto es que en aquel momento se asustó y regresó a su casa desesperado

12. «No tenía ninguna "razón surrealista" para no tratar a Lenin como un tema onírico y delirante. Todo lo contrario. Lenin y Hitler me excitaban en sumo grado. Hitler más que Lenin; además, su espalda rolliza, sobre todo, cuando le veía aparecer de uniforme con cinturón y talabarte de cuero que apretaban sus carnes, suscitaban para mí un delicioso estremecimiento gustativo de origen bucal, que me llevaban a un éxtasis wagneriano. Soñaba muchas veces con Hitler como con una mujer. Su carne, que me imaginaba blanquísima, me encanta.

»Pinté una nodriza hitleriana haciendo punto, sentada en un charco de agua. Me obligaron a quitar la cruz gamada de su brazal. No dejé por eso de proclamar que Hitler encarnaba para mí la imagen perfecta del gran masoquista que desencadenaría una guerra mundial por el único placer de perderla, y de sepultarse bajo las ruinas de un imperio: acto gratuito por excelencia, que debía haber suscitado la admiración surrealista, por una vez que teníamos un héroe moderno.

»Pinté "El enigma de Hitler", que, fuera de toda intención política, asociaba todos los simbolismos de mi éxtasis. No quise admitir que el maestro de los nazis sólo era para mí un objeto de delirio inconsciente, una fuerza de autodestrucción y de cataclismo prodigioso.»

13. *Comme on devient Salvador Dalí* (recit presentée par André Parinaud), Laffont, París, 1973, p. 154.

y arrepentido de todo cuanto había tenido que hacer para entrar y permanecer en el grupo surrealista: renegar de su familia y renunciar a actitudes y amistades, es decir de todo cuanto formaba parte de su pasado. Pero esta resolución fue pasajera. Al poco tiempo, Dalí volvía por sus fueros, evidenciando que seguía fiel a las consignas del grupo surrealista francés.

Para corresponder al interés despertado por *Yerma,* Margarita Xirgu y su compañía emprenden una gira por numerosos pueblos catalanes. En el cartel un solo título: *Yerma.* Federico va con ellos.

«Yendo con él —relataría Margarita a Valentín de Pedro— nos ocurrieron cosas extraordinarias. Su sola presencia parecía tener la virtud de transformar la realidad. En un pueblo, no recuerdo exactamente si fue en Rubí...»

Al llegar al teatro, Margarita y Federico, que se habían adelantado al resto de la compañía, se encontraron en la puerta con un muchacho, un zagalón que con cierto misterio les dijo que no entrasen, que esperaran un momento hasta que él les avisara. Y desapareció hacia dentro, dejándoles un tanto intrigados. Al poco rato reapareció de nuevo, y diciéndoles: «Ahora», abrió la puerta y les hizo pasar.

La sala estaba en penumbra y el muchacho los guió hasta el escenario. Al entrar, les pareció oír vagamente una música, y, apenas dieron unos pasos, al percibir con más claridad unos acordes, se detuvieron extrañados, y Federico, con un tono de asombro y de misterio, exclamó:

—Es un arpa, Margarita, es un arpa...

Siguieron andando hasta el cuarto destinado a la actriz y, al llegar a él, aumentó su sorpresa; dentro había una mujer tocando el arpa. Se quedaron de pie, en la puerta, mirándose uno a otro; la mujer se volvió hacia ellos y, dirigiéndose a Margarita, le dijo:

—Yo sé que su trabajo es muy fatigoso. Tocaré en los entreactos para que usted descanse.

Era una mujer de alguna edad, más que vieja, marchita, vestida con una elegancia antigua. Al evocarla, Margarita la asocia a un personaje de Federico, un personaje de *Rosita la soltera*... Al primer golpe de vista pudo observar que el cuarto estaba primorosamente arreglado. Y sus ojos, de asombro en asombro, iban descubriendo un gran ramo de flores, una cestita con huevos, una botella de leche, otra de vino, una bandeja con fiambres, otra con dulces...

Todo lo había preparado aquella mujer para obsequiarla. Y además, le dijo que podía pedirle lo que quisiera, lo que le apeteciera, que lo haría traer de su casa, cercana al teatro, del que debía de ser la dueña o poco menos. Y, efectivamente, tal como lo dijo, en cuanto terminó el primer acto se puso a tocar el arpa y lo mismo a la terminación del segundo, dejando de tocar cuando se levantaba el telón. Inmediatamente se corrió la voz entre los actores, que con cualquier pretexto iban al camarín para verla. Hacían entre ellos mil comentarios pintorescos y de buena gana la hubieran abordado, para gastarle alguna de esas bromas a que son tan propensos los cómicos. Pero junto a aquella mujer estaba Federico, en la actitud de quien cuida el sueño de una criatura, imponiendo silencio y seriedad a los que llegaban.

—Fue algo extraño, impresionante —termina Margarita—, como si se mezclara realidad y·fantasía, razón y locura: como si tomaran vida sus imaginaciones de poeta...[14]

14. Hemos preferido ofrecer la narración de Valentín de Pedro, por temor a que, interpretándola, se desvirtuara el relato, y perdiera ese aroma de autenticidad y frescura que el periodista transcribió directamente de labios de la actriz. ¡Aquí está!, Buenos Aires, 26-5-1949.

El poeta y el pueblo catalán

Federico García Lorca, fiel a sus principios, no perdió nunca el gusto por la poesía oral. Una tarde de setiembre de 1935, Tomás Garcés fue a buscarlo al teatro. Quería que le diera un poema para el número 3, correspondiente al mes de octubre, de la revista que dirigía: *Quaderns de Poesia,* publicación del grupo Amics de la Poesia. Salieron al café de La Luna,[1] que en aquella época era «el cuartel general» de Federico, y, sentados en torno a un velador, el poeta granadino le dictó de memoria *Gacela de la terrible presencia* del libro *El diván del Tamarit.* Este poema presenta una variante, con relación a la versión definitiva que se publica en las Obras Completas, de Aguilar. En *Quaderns de Poesia,* una de sus últimas estrofas, dice:

Pero no me enseñes tu limpio desnudo

y, en las Obras Completas, se lee:

Pero no ilumines tu limpio desnudo.

En el número 4 de *Quaderns,* de noviembre de 1935, en la sección «La musa políglota», hay otra colaboración de Federico, uno de sus poemas gallegos: *Madrigal a Cibda de Santiago:*

1. La sede social de Amics de la Poesia estaba en la joyería Sunyer, Corts Catalanes, 640, hoy Avenida de José Antonio.

Chove en Santiago
meu doce amor.
Camelia Branca do ar
brilla entrebecido o sol.

Chove en Santiago
na noite escura.
Herbas de prata e sono
cobren a valdeira lua.

Olla a choiva póla rua,
ceio de pedra e cristal.
Olla no vento esvaído
soma e cinza do teu mar.

Soma e cinza do teu mar,
Santiago, lonxe do sol.
Agoa de mañán anterga
trema no meu corazón.

El martes 1 de octubre de 1935 Francisco Sabater y el pintor José Rigol llegaron muy de mañana, en coche, a casa de Margarita Xirgu (Badalona), para acompañar a García Lorca a Tarrasa. José Rigol había conocido a Federico en Madrid. Fueron presentados por Salvador Dalí, en la Residencia de Estudiantes. Rigol era compañero de Dalí en la Academia de Bellas Artes y, aunque no vivía en la Residencia, asistía a las veladas que organizaban los estudiantes en el salón de actos o en sus propias habitaciones. A Rigol los Dalí le llamaban cariñosamente «el esperantista», desde un día que Salvador lo invitó a su casa de Figueras para que conociera a su padre. Don Salvador, en su juventud, había estudiado ese idioma e incluso tenía libros dedicados por su inventor, Zamenhof. El notario y el pintor, que hablaba también esperanto, congeniaron mucho. A Rigol le unió pronto con Federico una amistad sincera, y unas vacaciones aceptó la invitación del poeta y se fue con él a Granada a pasar las Navidades. El pintor catalán una de las cosas que más interés tenía por ver en Granada, era el famoso barrio moro del Albaicín. Había leído en *Impresiones y paisajes,* el primer libro lorquiano:

El Albayzín se amontona sobre la colina, alzando sus torres llenas de gracia mudéjar... Hay una infinita armonía exterior. Es suave la danza de las casucas en torno al monte. Algunas veces, entre la blancura y las notas rojas del caserío, hay borrones ásperos y verdes oscuros de las chumberas... En torno a las grandes torres de las iglesias aparecen los campaniles de los conventos luciendo sus campanas enclaustradas tras las celosías, que cantan en las madrugadas divinas de Granada, contestando a la miel profunda de la Vega. En los días claros y maravillosos de esta ciudad magnífica y gloriosa, el Albayzín se recorta sobre el azul único del cielo rebosando gracia agreste y encantadora...

La realidad superó la visión que el artista de Tarrasa se había forjado. Recuerda que, a pesar del intenso frío granadino, no le importaba vagar por calles silenciosas, estrechas, tortuosas y empinadas. Hizo acopio de apuntes de hermosas casonas, con minaretes; de conventos con campaniles y celosías; del Compás de Santa Isabel y su delicada portada isabelina; de patios y arcos árabes y de la antigua muralla con sus torreones y puertas. Pero lo que colmó su capacidad de asombro fue la Misa del Gallo, el día de Nochebuena. Tras la cena familiar en casa de los Lorca, salieron Federico, su hermano Paquito y él a oír la misa en un convento albaicinero de monjas de clausura. La iglesia era pequeña, armoniosa, íntima, blanca. Estaba cuidada con primor. En un rincón, las religiosas habían construido un nacimiento, con un niño sonriente. Su arquitectura era ingenua, convencional, pero en aquel ambiente irreal, contribuía a realzar su encanto.

A la iglesia fueron llegando gentes que llevaban zambombas, panderos, almireces, carrañacas, con alegría apenas contenida. Al filo de las doce, voces monjiles, infantiles, diáfanas, iniciaron los villancicos tras las celosías de su clausura. Rigol, al llegar a este punto, se emociona. Me habla de la alegría que brotaba de las gentes, de su participación en los cantos, de la embriaguez que le produjo asistir a aquel acto íntimo del pueblo andaluz, donde todo era nuevo para él. Había que ver a Federico entre los suyos y oír su voz mezclada a la de su pueblo. «Él me miraba —dice Rigol— con una leve luz de orgullo en sus ojos, como sintiéndose artífice de aquella emoción mía. No, no he vuelto a Granada porque no quería enturbiar la visión de la ciudad que me mostró Federico.»

En Tarrasa esperaban a García Lorca, en la granja de la Rambla, Salvador Vallés, a quien el poeta dedicó un *Romancero gitano,* y el impresor Juan Morral. Morral me lo describe entrando en la granja con esta exclamación: «Oh, qué olor a "flix", me encanta.» Y es que momentos antes acababan de rociar al aire, con uno de aquellos aparatos de lata, que accionando un fuelle esparcían «flix» para combatir los insectos. Juan Morral, que esperaba encontrarse con un hombre solemne, dado el prestigio del poeta, quedó sorprendido por su carácter expresivo, desenfadado, vital, que permitía establecer inmediatamente comunicación amistosa. José Rigol, Francisco Sabater, Juan Morral y Salvador Vallés, «los cuatro mosqueteros», como ellos se llaman, hicieron de cicerones aquella primera jornada de Lorca en Tarrasa. Todos viven por fortuna y, como aquel día a mi paisano, me acompañaron y visitamos algunos lugares donde estuvo Federico. Mientras caminábamos me contaron sus recuerdos: Tras el encuentro en la granja, lo llevaron a ver ese núcleo románico de Tarrasa, que conforman las iglesias de San Pedro, San Miguel y Santa María, primer monumento que se conserva de la Cataluña visigótico-románica y que data del siglo VI. Por los restos de cerámicas descubiertos en el lugar donde se levantan las iglesias, se deduce que existió un poblado ibérico tres o cuatro siglos a. de J. C. Este conjunto no es sólo una joya arqueológica, en él se conservan valiosos retablos, de inestimable valor iconográfico y pictórico. En la iglesia de Santa María se exhibe en toda su esplendorosa belleza el retablo de los santos Abdón y Senén, obra del famoso pintor Jaime Huguet, realizado en 1460. García Lorca quedó extasiado ante él y exclamó: «Huguet, Huguet, no se me olvidará.» Después fueron a visitar el estudio de Rigol, que estaba muy cerca, en el torrente de Vallparadis. Francisco Sabater quiso que viera Lorca una fábrica de medias de seda, de la cual era socio. Federico siguió el funcionamiento de esta industria con auténtica curiosidad. Después comieron en el restaurante de la Rambla y quedaron de acuerdo en que el poeta volvería días más tarde a inaugurar las «Tertulias literarias» de la sociedad cultural Amics de les Arts. Por la tarde, Rigol y Sabater acompañaron a Federico a Barcelona. A las siete y cuarto, en la sala de conferencias de la librería Catalonia, Lorca daba una lectura de su lírica a los Amics de la Poesia. Leyó fragmentos del *Poema del cante jondo,* de *Canciones,* la *Oda a Salvador Dalí,* el *Romance de la Guardia Civil española,* algunos poemas del libro inédito *Un poeta en Nueva York* y acabó con el *Llanto a la muerte de Ignacio Sánchez Mejías.*

El 6 de octubre de 1935, con motivo del primer aniversario de la Revolución de Asturias, la sección de Literatura y Bellas Artes del Ateneo Enciclopédico Popular, en colaboración con varios ateneos de Barcelona, organizó una conferencia-recital de Federico García Lorca, con la participación de Margarita Xirgu, presidente honoraria de la citada entidad cultural. Las invitaciones eran gratuitas y se podían recoger en el Ateneo Enciclopédico Popular, calle del Carmen, 30; en el Polytéchnicum de la calle Alta de San Pedro, 27; en el Obrero de la barriada de San Andrés; en el Enciclopédico Sempre Avant, de Sans; en el Popular de Gracia y en el Ateneo Juventud y Vida de Horta.

En estos centros se polarizaron y se encauzaron durante muchos años las actividades culturales de las clases modestas barcelonesas. Los había en cada barriada y disponían de biblioteca, de grupos musicales y de danzas populares, así como de compañías de aficionados al teatro. Estos grupos teatrales estaban reunidos, a su vez, en la Federación de Teatro amateur de Cataluña, en la que militaban más de cien compañías. En primavera y en otoño, las secciones musicales de danza y de teatro de los ateneos, unidas a la Associació Obrera de Concerts, que presidía Pau Casals, con una orquesta sinfónica compuesta por trabajadores y el Orfeó Català, organizaban frecuentemente festivales al aire libre.

El director de la Federación de Teatro era el dramaturgo catalán Ambrosi Carrión y, a la caída de Primo de Rivera, una

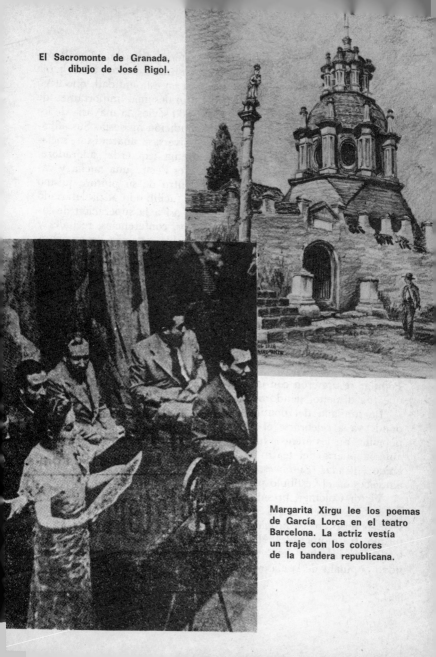

El Sacromonte de Granada, dibujo de José Rigol.

Margarita Xirgu lee los poemas de García Lorca en el teatro Barcelona. La actriz vestía un traje con los colores de la bandera republicana.

asamblea destituyó al presidente del Ateneo Enciclopédico Popular, siendo nombrado Carrión, quien durante tantos años había dado conferencias y cursos de literatura en esta entidad, que llegó a ser uno de los centros artístico-culturales más importantes de Barcelona. Este ateneo contó hasta 21 000 socios, la mayoría de los cuales eran obreros y estudiantes de condición modesta. Sus afiliados pertenecían a las tendencias más diversas: anarquistas, socialistas, nacionalistas, catalanes de extrema izquierda, adoradores del sol, naturistas e incluso nudistas... es decir: una ancha y variada gama de gentes progresistas. Dentro de su pintoresquismo fue una de las entidades más eficientes, facilitando al proletariado el acceso a la cultura y contribuyendo así a la superación de las clases sociales bajas. Se impartían cursos, conferencias, recitales y conciertos con una periodicidad admirable, además de enseñanzas prácticas: contabilidad, mecanografía, idiomas y la preparación del bachillerato... Los socios del Ateneo Enciclopédico Popular disponían también de una biblioteca que contenía varios millares de libros.

Tras el advenimiento de la dictadura de Primo de Rivera, y para evitar su desaparición, los ateneístas se vieron obligados a aceptar el nombramiento de un lerrouxista en la presidencia, el cual se impuso en el cargo durante siete años. Con la proclamación de la República, las actividades del Ateneo Enciclopédico Popular resurgieron con un ímpetu sin precedentes hasta 1939, en que fue disuelto, siendo ocupados sus locales por la Falange.

La mañana del domingo 6 de octubre, el teatro Barcelona, donde va a celebrarse el recital lorquiano, registra un lleno imponente. En los ateneos han agotado las localidades, y a las once, ante la puerta del teatro se agolpa el público que no ha conseguido entradas. Entonces, los organizadores deciden colocar unos altavoces en el vestíbulo para retransmitir el recital al exterior.

Víctor Colomer, presidente del Ateneo Enciclopédico Popular, presenta a García Lorca y elogia la obra del poeta andaluz, que vive inmerso en los problemas de su tiempo y que plasma en los poemas sus inquietudes. Habla también de la labor de los ateneos, institución peculiar de Cataluña, que viene a ser como la «universidad popular» de la clase obrera.

En la sala reina gran expectación cuando García Lorca, sentado ante la mesa, en la que está instalado el micrófono de Radio Barcelona, y «con los brazos cruzados sobre sus libros de versos», se dirige al público:

Señoras y señores: Aceptando con mucho gusto la invitación del Ateneo Enciclopédico de Barcelona, voy a leer para sus socios una selección de poemas de mi modesta obra poética, con toda la buena fe y la intención pura de que soy capaz y con el ansia que tiene todo verdadero artista de que lleguen a vuestro espíritu y se establezca la comunicación de amor con otros en esa maravillosa cadena de solidaridad espiritual a que tiende toda obra de arte y que es fin único de palabra, pincel, piedra y pluma.

Estamos aquí reunidos, y como yo no tengo la técnica ni el paisaje del actor y veo este gran teatro lleno de un gran público distinto y expectante, tengo cierto miedo a que mis poemas, o bien por íntimos o bien por obscuros, o bien por demasiado escuetos, sin esa hojarasca musical que entra por las orejas sin llegar al tuétano del sentimiento, puedan quedar ateridos bajo esta bóveda, temblando como esos gatos sucios que los niños matan a pedradas en los arrabales de las poblaciones.

Yo nunca he leído mis versos delante de tantos espectadores, no porque no sea capaz, puesto que lo voy a hacer ahora, sino porque es indudable que la poesía requiere cuatro paredes blancas, unos pocos amigos ligados por una armonía de amistad y un dulce silencio donde gima o cante la voz del poeta.

Mi amor a los demás, mi profundo cariño y compenetración con el pueblo, como me ha llevado a escribir teatro para llegar a todos y confundirme con todos, me trae esta tibia mañana de Barcelona a leer ante gran público lo que yo considero más entrañable de mi persona.

Por eso yo ruego a todos que por un momento nos sintamos amigos íntimos todos, que olvidemos las proporciones de la sala, las curvas de terciopelo que orlan palcos y platea y nos hagamos la ilusión de que estamos en una pequeña sala donde un poeta, con toda modestia y sencillez, va a daros sin desplantes ni orgullo, lo mejor, lo más hondo que tiene.

Un recital de poemas es un espectáculo con todas las bellezas y agravantes del espectáculo, todos los días los escucháis y algunas veces muy bien; una lectura de versos por el propio poeta es un acto íntimo, sin relieve, donde el poeta se desnuda y deja libre su propia voz.

Ante un gran público tengo siempre recelo de leer versos porque la poesía es todo lo contrario a la oratoria. En la oratoria, el orador estira una idea ya conocida del público y le va dando vueltas y más vueltas, en juego simple que la multitud acoge con entusiasmo; es como una larga bandera que el orador hace jugar con el viento, cambiando pliegues pero sin alterar líneas; en la poesía se ha de estar alerta para cazar imágenes y sentimientos que saltan pulverizados como agua de tormenta y en todas direcciones como una bandada de pájaros espantados por el tiro del cazador.

Precisamente por eso yo no hablo, sino que leo lo que escribo, y no improviso para no tener ni un solo momento de divagación. Por eso yo recuerdo con ternura a aquel hombre maravilloso, a aquel gran maestro del pueblo don Benito Pérez Galdós, a quien yo vi de niño en los mítines sacar unas cuartillas y leerlas, teniendo como tenía la voz más verdadera, lo más nítido, lo exacto al lado de la engoladura y de las otras voces llenas de bigotes y manos con sortijas que derramaban los oradores en la balumba ruidosa del mitin.

Sean mi pudor, mi sinceridad y vuestra buena fe los tres elementos que formen el aire íntimo y claro donde se pierdan los poemas y ojalá sirvan para elevar y afirmar el ánimo de los que me oyen.[2]

---

2. *La Rambla de Cataluña,* Barcelona, 7-10-1935, p. 4. Publicado por Marie Laffranque, *Bulletin Hispanique,* t. LX, año 1958.

Con estas palabras precisas el poeta creó el clima «íntimo y claro» que anhelaba para su poesía. Así lo entendió el público, a tenor de sus clamorosas ovaciones y emocionados silencios, cuando Federico alzaba la voz de sus poemas y el hombre parecía hacerse alto, alto y profundo:

> *Verde que te quiero verde.*
> *Verde viento. Verdes ramas.*
> *El barco sobre la mar*
> *y el caballo en la montaña.*
> *Con la sombra en la cintura*
> *ella sueña en su baranda,*
> *verde carne, pelo verde,*
> *con ojos de fría plata.*
> *Verde que te quiero verde.*
> *Bajo la luna gitana,*
> *las cosas la están mirando*
> *y ella no puede mirarlas.*
>
> . . . .
>
> *Antonio Torres Heredia,*
> *hijo y nieto de Camborios,*
> *con una vara de mimbre*
> *va a Sevilla a ver los toros.*
> *Moreno de verde luna*
> *anda despacio y garboso.*
> *Sus empavonados bucles*
> *le brillan entre los ojos.*
> *A la mitad del camino*
> *cortó limones redondos,*
> *y los fue tirando al agua*
> *hasta que la puso de oro.*
> *Y a la mitad del camino,*
> *bajo las rama de un olmo,*
> *guardia civil caminera*
> *lo llevó codo con codo.*
>
> . . . .
>
> *Los caballos negros son.*

> *Las herraduras son negras.*
> *Sobre las capas relucen*
> *manchas de tinta y de cera.*
> *Tienen, por eso no lloran,*
> *de plomo las calaveras.*
> *Con el alma de charol*
> *vienen por la carretera.*
> *Jorobados y nocturnos,*
> *por donde animan ordenan*
> *silencios de goma oscura*
> *y miedos de fina arena.*
> *Pasan, si quieren pasar,*
> *y ocultan en la cabeza*
> *una vaga astronomía*
> *de pistolas inconcretas.*

El público reclamó reiteradamente al poeta *La casada infiel,* pero García Lorca no prestó oído a tales solicitudes. Después precisaría a Palau Fabre:

—Nunca atiendo esa petición. Porque no les interesa la poesía, sino la anécdota.

De su libro *Un poeta en Nueva York,* leyó «El rey de Harlem». Federico advirtió previamente que este libro aportaba a su obra un acento social inspirado por el contacto con la vida norteamericana, en la cual los negros eran para él la única manifestación de espiritualidad de aquel país.

Cuando el poeta terminó su recital, apareció en el escenario Margarita Xirgu, que vestía un traje con los colores republicanos. Los espectadores, puestos en pie, acogieron a la actriz catalana con una ovación interminable. Al fin, la Xirgu pudo anunciar que iba a recitar la última obra de García Lorca: *Llanto por Ignacio Sánchez Mejías*; por la sala se extendió un silencio como de duelo. La voz estremecida de la actriz llenó el teatro de imágenes lorquianas:

> *A las cinco de la tarde.*
> *Eran las cinco en punto de la tarde.*
> *Un niño trajo la blanca sábana*

a las cinco de la tarde.
Una espuerta de cal ya prevenida
a las cinco de la tarde.
Lo demás era muerte y sólo muerte
a las cinco de la tarde...

Al terminar la actuación de la Xirgu con el romance *La monja gitana,* subieron al escenario unos hombres con un gran ramo de flores rojas: era el homenaje de los obreros catalanes a la actriz.

La alegría de García Lorca, ante el entusiasmo de «aquel público popular y auténticamente selecto», era desbordante. Al periodista de *La Rambla de Cataluña,* le dice:

—Nunca había encontrado un auditorio tan ávido de comprenderme. Nunca había recitado tan a gusto, ni me había entregado a mis oyentes de forma tan absoluta.[3]

Y a Palau Fabre le confiesa:

—Éstos son los verdaderos «Amigos de la Poesía».

Después del acto, uno de los fundadores del Bloc Obrer y Camperol, Jordi Arquer, fue presentado a Federico. El veterano luchador obrerista recuerda el emocionado asombro de Lorca ante la íntima comunión del público obrero con su poesía, y aún le suenan sus palabras:

—¡Qué pueblo! ¡Qué pueblo más admirable!

J. J., de *La Humanitat,* escribió:

A la salida preguntamos a García Lorca:
—¿Está usted contento?
—¡Contentísimo! Nunca había encontrado un público tan inteligente para mi poesía. ¡Estoy admirado de su gran sensibilidad!

La prensa barcelonesa sugería que se prodigasen estas lecturas públicas, porque eran el mejor medio para socializar la poesía y lograr que este género literario diese al autor la audiencia y popularidad que le ofrecía la obra teatral.

3. *La Rambla de Cataluña,* Barcelona, 7-10-1935, p. 4.

Bajo el título «Eficacia y trascendencia popular de la poesía», el poeta Luis Góngora, decía en *La Noche*:

> He aquí, pues, por qué Federico García Lorca, el valor más representativo de la nueva poesía española, al romper con el clamor de su legítimo triunfo el cerco de silencio que envolvía y apagaba los ecos más puros y profundos de la auténtica voz poética de España, ha abierto nuevos horizontes de ejemplaridad dando a la poesía la plenitud de eficacia que debe tener.

Un amigo de Federico, Luna, de Mataró, le escribía días después: «Querido Chorpatélico: El recital del domingo pasado fue algo maravilloso e imborrable. Maravilloso por tus poesías, por ti, por tu voz, y completando todo esto, el gran público...»[4]

La popularidad de García Lorca en Barcelona era enorme. El poeta había conseguido tocar el «tuétano del sentimiento» de ese pueblo catalán, que él tanto admiraba.

Otro día, Federico y Margarita, su inseparable compañera, son solicitados para que den un recital en una Residencia de Estudiantes, ambiente lleno de evocadores recuerdos para el poeta.

La conferencia-recital está organizada por la Escuela de Enfermeras de la Generalidad de Cataluña y se celebra en el Instituto de Acción Social Universitaria de Cataluña. Los profesores y estudiantes no caben en la espaciosa sala.[5]

4. Archivo particular de la familia García Lorca.
5. Presidente del Consejo de Cultura, señor Estelrich; el decano de Medicina, doctor Nubiola; el consejero-delegado del Instituto de Acción Social Universitaria y Escolar, doctor Augusto Pi y Suñer; el director general de la Escuela de Ingenieros, señor Cornet; el de la Escuela Industrial, señor Planell; el de la Escuela Normal, señor Visa; el de la Escuela de Agricultura; el del Servicio Antituberculoso, doctor Sayé; el del Instituto Escuela de la Generalidad, doctor Estalella; el del Instituto Ausias March, señor Candel; los vocales del Instituto de Acción Social Universitaria y Escolar de la Residencia de Estudiantes de Señoritas, señores Bellido, Balcells, Bosch Gimpera, Ferrá y las señoras Solá y Escolá; profesores Pijoan Cuatrecases, Roure, Mascaró, Valbuena, Valentí, Ana María Saavedra, Cambra...

Abrió el acto el doctor Pijoan, director de la Escuela. En breves palabras explicó que la iniciativa de la Escuela de Enfermeras se plasmaba en el Instituto de Acción Social Universitaria y Escolar, casa solariega de los estudiantes, con el fin de que los universitarios pudieran reunirse, junto al poeta, por encima de todas las diferencias de ideas, como era lógico en unas instituciones que aspiraban a crear un ambiente de convivencia en provecho de la cultura.

García Lorca comenzó recordando sus tiempos de residente en Madrid y su lucha por acabar Derecho, para complacer a sus padres.

«El que va hablaros —dijo— no es un poeta ni un incipiente autor de teatro, sino un auténtico amigo.» Y comentó las disertaciones aburridas, de conferenciantes «latosos» sobre los que contó algunas anécdotas divertidas.

«En ellas —prosiguió—, el conferenciante trata de hablar de lo que no sabe, de aquello que ha estudiado y preparado, sin internarse ni introducirse en el auditorio. Yo no vengo, pues, a dar una conferencia, vengo a charlar con vosotros.»

En aquella casa de estudiantes, Federico iba a tratar de «algo que no se aprende en los libros: de Poesía». Para ello había elegido su obra más popular y representativa el *Romancero gitano,* «retablo de Andalucía, pero antipintoresca, antifolklórica y antiflamenca. Lo llamo gitano —decía— no porque sea gitano de verdad, sino porque canto a Andalucía, y el gitano es en ella la cosa más pura y más auténtica. Los gitanos no son aquellas gentes que van por los pueblos, harapientos y sucios; ésos son húngaros. Los verdaderos gitanos son gentes que nunca han robado nada y que no se visten de harapos. En mi libro, por tanto, no hay panderetas ni americanas que llegan hasta la cintura, ni nada por el estilo, como se puede suponer equivocadamente. En mi libro hay un solo personaje que llena la obra de cabo a rabo. Este personaje es la "pena", que no tiene nada que ver con la tristeza, con el dolor, ni con la desesperación. La pena es una especie de sombra interior, profunda. Es más bien algo celeste que terrestre. Desde el año 1919, encontré en el romance la forma que más se amoldaba a mi sentir. El romance tiene dos modalidades: la lírica y la

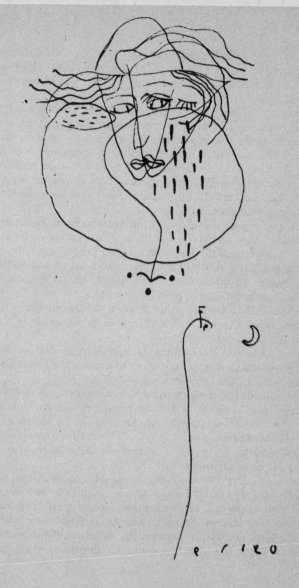

1936

narrativa. Yo me propuse fundirlas en una sola». Pasó luego a hacer el panegírico de Góngora y Zorrilla, y añadió: «El misterio poético es también un misterio para el poeta, que lo transmite, pero que lo ignora.»

A continuación leyó un poema escrito mucho antes que el *Romancero,* pero. en el que ya se encontraban los caracteres esenciales de éste, como son el mezclar los astros con los insectos, y el cielo con una minúscula cosa concreta. Después recita el *Romance de la luna, luna* y *Preciosa y el aire.* Antes de recitar el *Romance sonámbulo* señala que, además de ser uno de los más misteriosos, ha sido una de las composiciones que ha tenido más variadas interpretaciones.

«Sea la que se quiera —dice—, la interpretación tiene un gran fondo andaluz. Hay un pasaje que dice: "Mil panderos de cristal herían la madrugada." Pues bien, si me preguntaran de qué lugar he sacado estos mil panderos de cristal, yo os respondería que los he visto: en los árboles, en el follaje, en los ángeles, en el cielo… no sabría explicarlo, pero los he visto.»

No lee *La casada infiel* porque se trata de una anécdota demasiado «explicada». Lorca insiste en que el *Romance de la pena negra,* que lee, es algo distinto:

«La pena de Soledad Montoya es aquella pena que no hará llorar ni provocará la desesperación: es una pena abstracta. Es la más representativa pena andaluza.»

Luego, el poeta habla del romance *Prendimiento de Antoñito el Camborio en el camino de Sevilla,* que es el que corresponde mejor al título del libro, puesto que Antoñito el Camborio es el prototipo del verdadero gitano. Antes de leer *El emplazado* explica cómo tomó forma en él la imagen de *El amargo,* que es, por decirlo así, el protagonista.

El acto terminó con la intervención de Margarita Xirgu, que recitó *Llanto por Ignacio Sánchez Mejías.* Siguiendo la costumbre de la Residencia, los conferenciantes cenaron en la «casa», reuniéndose los estudiantes de las tres casas: la Residencia de Estudiantes, la Residencia Internacional de Señoritas Estudiantes y la Residencia de Enfermeras, así como los directores y los profesores.

El lunes 14 de octubre de 1935, Margarita Xirgu y su compañía terminaban su temporada en el teatro Barcelona, con *Yerma*. La función de la noche se dedicó en homenaje y beneficio de la Xirgu. Federico García Lorca se sumó al acto dando lectura a varias poesías del *Romancero gitano,* «en un tono sencillo, natural, tal como las había escrito», puntualizó el poeta. Margarita recitó la elegía lorquiana al torero sevillano. Los prolongados aplausos del público incitaron a Federico a corresponder con unas palabras.

Estaba previsto que, una vez terminadas las representaciones en el teatro Barcelona, Margarita embarcaría con sus huestes rumbo a Italia. La Xirgu había aceptado la invitación de la Junta pro Centenario de Lope para dar varias representaciones en Roma, Milán, Turín, Florencia y Bolonia, donde debía inaugurar el nuevo Teatro Municipal. La campaña de la Xirgu tenía carácter oficial; el propio Mussolini se había interesado personalmente por el proyecto. Otro invitado —que lo fue en reiteradas ocasiones sin que acabara de decidirse jamás—, era García Lorca, que acompañaría a la Xirgu para presentar sus obras y pronunciar varias conferencias. Los actos comenzarían a primeros de noviembre con una conferencia, en el Capitolio romano, de Ramón Menéndez Pidal, director de la Academia Española. Después, Margarita, en el teatro Argentino de Roma, dirigida por Rivas Cherif, presentaría *Medea,* de Séneca. En el programa figuraban obras como *Fuenteovejuna, Yerma* y *Como tú me quieres,* de Pirandello. De su puesta en escena cuidarían directamente Pirandello, el famoso crítico de arte Ugo Ojetti, el crítico teatral Renato Simoni y el catedrático Luigi de Ancona.

Pero la Italia de Mussolini acababa de invadir Abisinia y el cariz que tomaba la contienda desató la indignación de la opinión pública mundial, por lo que la actriz y el poeta decidieron aplazar el viaje.

El 6 de noviembre, un grupo de intelectuales españoles firmaba en Madrid un manifiesto que reprodujo la prensa nacional, encabezado con estas palabras: «*Nadie tiene derecho a destruir vidas, bienes e instituciones, por el gusto de ejercer una política imperialista arbitraria y dominadora.*» Y terminaba invitando «*a*

351

nuestros compatriotas para prestar apoyo a Etiopía y a cualquier pueblo que pueda, en el presente o en el porvenir, ver desconocidos sus derechos a la vida y a la libertad».[6] Lo firmaban Teófilo Hernando, Antonio Machado, Fernando de los Ríos, Ángel Ossorio y Gallardo, Roberto Castrovido, Álvaro de Albornoz, Rafael de Buen, Luis Jiménez de Asúa y Federico García Lorca.

Mientras tanto Margarita y Federico emprendían una gira, cuya primera etapa terminaría en Valencia, con representaciones en Manresa, Sabadell, Tarrasa, Mataró, San Cugat del Vallés, Reus, Tarragona, Castellón y Valencia.

L'acció de Tarrasa de 10 de octubre de 1935 publicaba un editorial titulado: «Els tres Frederics vinguts de Castella; Salut poeta García Lorca.» Estos tres Federicos eran: Federico García Sanchiz, Federico Santander y el autor granadino, a quien el periodista llamaba «Frederic el Bo» (Federico el Bueno) y el «cavaller més amic i comprensiu dels catalans». Se trataba de un artículo de salutación a García Lorca que este día iba a inaugurar en Tarrasa las tertulias literarias en Amics de les Arts. Con el mismo motivo tres días antes otro diario de la localidad, *El Día,* le había dado la bienvenida al poeta andaluz.

El día 11 *L'acció* bajo el título de «García Lorca ahir no vingué a Terrassa», disculpaba al poeta y paliaba su actitud, comentando que se trataba de uno de los hombres más distraídos que existían, y que jamás tenía noción del tiempo ni de la hora. El articulista reconocía que anunciar una disertación y dejar al público plantado era una descortesía imperdonable para los terrasenses, pero que tratándose de «García Lorca el fa encara més simpàtic com el prototipus de l'home visionari abstret per totes les sutileses de l'ànima i inmaterialiste».[7] Al leer esto, pensamos en el caudal de encanto personal que debía poseer Lorca, para lograr una defensa semejante. Y el periodista de *L'acció* para ilustrar sus palabras comenta cómo días pasados la sección de «Ecos literarios» de *La Humanitat,* de Barcelona, refiriéndose a las distracciones y

6. *Renovación,* Barcelona, 28-12-1935, p. 14.
7. «García Lorca lo hace aún más simpático, presentándolo como el prototipo del hombre visionario, abstraído por todas las sutilezas del alma e inmaterialista.»

Homenaje ofrecido
por el Lyceum Club
a Margarita Xirgu
en octubre de 1935.
(Junto a la actriz
podemos ver a
García Lorca.)

En la terraza del
parador de Gredos
podemos ver
a Margarita Xirgu,
Federico, Miguel
Ortín, Rivas Cherif
y José Arnall.

olvidos del poeta andaluz, daba a conocer una serie de anécdotas ocurridas estos días en Barcelona, que el simpático periodista terrasense transcribe para sus lectores:

«Corrobora lo que decimos el recital a cargo de Concepción Badía de Agustín, que se organizó en la casa Marshall, en honor del autor de *Yerma*. Acudieron a él artistas, literatos, muchas damas y caballeros, críticos, periodistas. Se puede decir que no faltaba nadie... salvo García Lorca.

»—¿Dónde está García Lorca? ¿Qué ha sido de él?

»Estos interrogantes saltaban de boca en boca, en días pasados. El poeta había recibido diversas invitaciones apremiantes. Catorce periodistas se proponían entrevistarlo. Margarita Xirgu no sabía dónde se encontraba.

»Al final, Rivas Cherif —que ya se impacientaba— lo descubrió. García Lorca no había sido raptado ni secuestrado. Se había marchado, tranquilamente, a Tarragona.»

«El sábado pasado García Lorca estaba dispuesto a sacrificarse; había aceptado muchas invitaciones dando palabra formal de acudir a todas.

»Pero entonces se enteró que Salvador Dalí se encontraba en Barcelona. Y como hacía años que no se veían fue en su busca, salieron juntos... y los demás aún lo están esperando.» [8]

El 17 de octubre Federico vuelve a Tarrasa. Llega con la compañía de Margarita Xirgu, que va dar una representación de *Yerma* en el teatro Alegría. Los terrasenses pueden elegir localidades desde cuatro a dos pesetas la butaca. Las dos mil entradas del teatro se agotan pronto. Este día García Lorca visitó la sociedad Amics de les Arts. En la sala de exposiciones se exhibían pinturas naïf de Soler Diffent. Al poeta le agradó la inefable ingenuidad de aquellos cuadros. Juan Morral recuerda el entusiasmo con que Federico le decía a la Xirgu: «Mira, mira si esto no es pintura, es un bordado de la luna.»

Al final de la representación, Lorca habló desde el proscenio a todos los amigos que días antes se habían quedado esperándole.

Días más tarde el escenario de *Yerma* es el Ateneu Igualadí

8. *La Humanitat,* Barcelona, 1-10-1935, p. 5.

de la Classe Obrera, de Igualada. El acto está inspirado por el periodista Joan Tomás, hombre de gran dinamismo y muy amante del teatro, quien pidió a Federico y a Margarita para el Ateneo de aquella ciudad, de donde él era hijo, una representación de la tragedia y un recital a su autor. La escenificación tuvo lugar en el teatro de la sociedad. Francisco Roca Gabarró y Antonio Gassó Prat, quien conserva el programa de mano, espectadores de aquella noche, nos han hablado del acontecimiento que supuso para la localidad esta función, con asistencia de García Lorca. Recuerdan el delirio estético que causó en la sala la plasticidad del cuadro de las Lavanderas. Federico a telón corrido daba la entrada a los coros:

> En el arroyo frío
> lavo tu cinta,
> como un jazmín caliente
> tienes la risa.

Al final, el dramaturgo andaluz tuvo que hablar a aquel enfervorizado auditorio y muchos de los ateneístas, en su mayoría obreros, nos refiere Francisco Roca, acabada la representación, pidieron a Lorca que les firmara ejemplares de el *Romancero gitano* que habían llevado a propósito.

Joan Tomás y el poeta Joan Llacuna organizaron el recital de Lorca, para una vez terminada la representación. Tendría lugar en el Bar-Restaurante de la Rambla, donde había un piano. Pero no pudo celebrarse por tener que salir inmediatamente para otra ciudad, donde actuaban al día siguiente.

La prensa local no compartió el entusiasmo del público. La crítica del *Diari Igualadí* se mostró escandalizada ante el «pesimismo anticristiano» que respiraba la obra, a la que llamaba «inmoral» y «pornográfica». Y la revista mensual *El devot del Sant Crist d'Igualada,* «Portantveus de la cofradia de la Minerva i del Crist», prefirió ignorarla, pero arremetía contra la publicación barcelonesa *La Rambla,* que impugnó la crítica de *Yerma* del *Diari Igualadí,* y aseguraba que «sota l'etiqueta d'esport i catalanisme propagaba idees sectaries i comunistes».

En las representaciones de *Yerma* en pequeñas ciudades y pueblos, en los programas de mano podían leerse notas como ésta: «La dirección artística de la compañía de Margarita Xirgu, se complace en advertir al público que pudiese acudir al espectáculo influido por la publicidad que se ha hecho en torno a turbadoras discusiones suscitadas con motivo del estreno de *Yerma* en Madrid y Barcelona, que no se trata de una de tantas comedias de las que se anuncian como inaptas para señoritas. *Yerma* es todo lo contrario: un drama en el que su crudeza poética apoya precisamente la moral, rigurosa hasta la violencia, de su sinceridad.» Pertenece este aviso al programa de la función de la obra lorquiana, dado en el Teatre Clavé Palace, de Mataró, el 20 de noviembre de 1935.

La noche del estreno de *Yerma* en la ciudad del Turia, García Lorca no asistió a la función. Federico se trasladó al aeropuerto, acompañado por Mauricio Torra-Balari, a esperar a alguien. Luego fueron a la estación, pero la persona esperada no llegó. Cenaron en el Palace Fesol y después pasearon por el casco viejo de la ciudad, a la sombra de la catedral y del Miguelete. Torra-Balari logró convencer al poeta de que debía ir al teatro a recoger los últimos aplausos al lado de Margarita. Cuando entraron en la sala los actores saludaban al público una y otra vez. La gente permanecía en pie, aplaudiendo sin cesar, esperando quizá que apareciera el autor. A la salida, los espectadores reconocen a Federico y estalla una estrepitosa ovación. El dramaturgo trata de escabullirse en dirección a su hotel, cercano al teatro, pero un grupo de espontáneos lo toma en hombros y lo lleva hasta el Palace Fesol en volandas. «Esta imagen es la que más recuerdo de él —nos dice Torra-Balari—. Así lo veo siempre, mecido por el fervor popular, entre feliz e intimidado, a pesar de haberlo visto después, en 1936, cuando me hizo el retrato.»

De nuevo en Barcelona, el 19 de octubre el Lyceum Club ofreció a la Xirgu un homenaje en el café de las Ramblas y el 23, en el teatro Olympia, se celebró una función popular en su honor, con la representación de *Fuenteovejuna*. La actriz pidió que el beneficio se consagrara a los presos políticos. Formaban la presidencia de honor el Círculo Artístico, el Ateneo Barcelonés y la Asociación de Teatro Selecto. El comité de honor estaba integrado por Apelles Mestres, Pablo Casals, José Clará, Enrique Morera, Salvador Alarma, Pedro Bosch Gimpera, Francisco Matheu y José María Sert.

Por esas mismas fechas, la compañía de la Xirgu ensayaba *Doña Rosita la soltera o el lenguaje de las flores.* Al día siguiente de acabar en el teatro Barcelona, el 15 de octubre, García Lorca leyó la obra en el teatro Studium, de la calle de Bailén. Este local era el antiguo estudio del pintor Luis Masriera y se encontraba entre Diputación y Consejo de Ciento. El artista quiso dotar a Barcelona de un teatro de ensayo moderno, íntimo, confortable, de perfectas condiciones acústicas y visuales. Su ilusión se vio realizada en febrero de 1933.[9]

La tarde de la lectura de *Doña Rosita,* García Lorca se presentó vistiendo un mono azul de mecánico, que era el uniforme de *La Barraca.* Margarita Xirgu ya conocía aquel poema dramático que el poeta dedicó a las flores. Federico se lo había leído en el verano, durante la estancia de la actriz en el Parador de Gredos. De esta lectura ha quedado una foto, inédita. En la terraza del parador, frente a los picos nevados de la Sierra de Gredos, podemos ver, en torno a un velador, a Margarita, con un gesto muy plácido, a Federico, ensimismado en la lectura de un libro, a Miguel Ortín, Rivas Cherif y José Arnall.

Al terminar la lectura del primer acto, García Lorca captó en seguida la desilusión de Margarita:

—Mira, Federico —le dijo—, esto no es para mí. Tu Rosita es una niña... ¿Cómo voy a hacer yo eso?

—No te preocupes. Sigue escuchando; y si no te gusta, ya la estrenará Loreto.[10]

Para que el lector capte el sentido de la alusión del dramaturgo, recordaremos que Loreto Prado era una célebre actriz cómica, que se había especializado en papeles de niña y de niño, y

9. La maqueta del teatro Studium fue planeada por Luis Masriera y su hijo Joan, arquitecto. El proyecto fue presentado y premiado en la Exposición de Artes Decorativas de París, en 1925, y un año después expuesto en Nueva York, en la International Theater Exposition.

10. Se refiere a la actriz Loreto Prado.

en la época, aunque sexagenaria, seguía encarnando el mismo tipo de personajes cuya especialización databa de su juventud.

En efecto, cuando terminó la lectura, Margarita estaba entusiasmada, y de mutuo acuerdo fijaron la fecha del estreno.

Al día siguiente García Lorca sorprendió a la actriz con la lectura de parte de una obra en la que estaba trabajando:

«Sorpresa, sobre todo —diría la Xirgu—, por el tono, tan distinto al de la comedia que me había leído el día anterior: una obra de carácter social, al menos lo que me leyó de ella.»

La acción del primer acto se desarrollaba en el Teatro Español, de Madrid, durante una representación de *El sueño de una noche de verano,* de Shakespeare, y en él tomaban parte actores y público.

La representación —se lee en las declaraciones que la Xirgu le hizo al periodista Valentín de Pedro—, de pronto se interrumpía, pero sin que cayera el telón. Sorpresa en el público, murmullos. ¿Qué ocurría? ¿Por qué se retiraban los actores de la escena? De entre bastidores, se adelantaba entonces hasta las candilejas el poeta, un poeta que podía ser el director artístico de la compañía, y comunicaba al público que había estallado una revolución. Los espectadores, en un movimiento instintivo, se levantaban, como para echar a correr; pero el poeta les advertía que era conveniente que nadie se moviera: resultaba muy peligroso salir a la calle. Dentro del teatro podían estar tranquilos: las puertas habían sido fuertemente cerradas. Los espectadores optaban por no moverse de su sitio, aunque permanecieran en sus asientos como sobre ascuas; y desde ese instante se convertían en actores. Una señora, en el patio de butacas, comenzaba a gritar:

—¡Mis hijos! ¡Mis hijos! ¿Qué va ser de mis hijos, solos en casa, si no podemos salir…?

El poeta, siempre desde el escenario, se dirigía a ella, diciéndole:

—Cálmese, señora. Sus hijos estarán en su casa bien abrigados y no del todo solos, porque sin duda, tendrá usted

García Lorca lee su obra «Doña Rosita» en el teatro Studyum de Barcelona.

El teatro Studyum donde Lorca leyó su obra «Doña Rosita» a la compañía de Margarita Xirgu y a sus amigos, el 15 de octubre de 1935.

una criada que se ocupará de ellos. Piense en los hijos de los demás, en los que no tienen casa... ¿No ha leído usted la noticia que han publicado en estos días los periódicos...?

El poeta, al decir esto, sacaba del bolsillo un recorte de diario y leía una noticia que, efectivamente, publicaron todos los periódicos en su momento y que conmovió a la opinión. Fue un hecho que se produjo, por singular coincidencia, en la mañana del 24 de diciembre, cruda noche de invierno en la que se canta este villancico:

> *Jesucristo vino al mundo*
> *en las pajas de un pesebre,*
> *mientras que por los caminos*
> *iba cayendo la nieve.*

Si no nieve, aquella noche cayó sobre Madrid una terrible helada. Y al amanecer apareció, bajo los soportales de la Plaza Mayor, adonde había ido a refugiarse, una mujer con un niño en brazos: los dos estaban muertos, el niño con la boquita apretada contra el pecho exhausto.

Cuando el poeta empezaba a hablar, saliendo de entre bastidores, por donde había desaparecido, se iba acercando a él, hasta quedar a su lado, Titania, la reina de las hadas en la obra de Shakespeare que se estaba representando. Era como si viniese del reino de la fantasía. Todo aquello resultaba nuevo para ella y, profundamente conmovida por lo que acababa de escuchar, empezaba a interesarse por lo que pasaba en el mundo.

La noticia leída por el poeta y conocida por el público renovaba en él la impresión que le produjo a su hora, y cada uno reaccionaba a su manera. Para algunos era allí donde había que buscar la causa de lo que estaba ocurriendo en la calle. Con este motivo surgía una polémica entre los espectadores, que pronto se dividían en dos bandos. La discusión subía de tono. Se desencadenaba la violencia y un espectador mataba a otro. En ese momento, el pueblo, amotinado en la calle, forzaba las puertas del teatro, irrumpiendo en la sala. El poeta iba a saltar del escenario para unirse a la multitud, y Titania le pedía que la dejara acompañarlo: quería ir con él, abandonando de este modo el mundo de la fantasía, al cual pertenecía, para adquirir un nuevo sentido simbólico.

Terminaba así el primer acto. Titania era el personaje que, según García Lorca, había de interpretar Margarita.

El segundo acto, que tenía apenas abocetado y del que sólo le leyó algunas escenas, se desarrollaba en el depósito de cadáveres, adonde iba Titania y el poeta. Del tercero no tenía nada escrito, pero le explicó que pasaría en el cielo: un cielo con ángeles andaluces, que vestirían con faralaes...

En aquel primer acto —dice Margarita— se reflejaba el ambiente de los días que se estaban viviendo cuando me lo leyó, y había en él como un presentimiento de lo que ocurriría después.[11]

Nada se sabe de esta obra, que no tiene nada que ver con el drama en cinco actos titulado *El Público,* aunque aquí también haya una revolución, pero teatral. García Lorca aludió en repetidas entrevistas a este este drama. En abril de 1936, en el transcurso de una *Conversación literaria,* para *La Voz,* de Madrid, le decía a Felipe Morales:

—Ahora estoy trabajando en una nueva comedia. Ya no será como las anteriores. Ahora es una obra en la que no puedo escribir nada, ni una línea, porque se han desatado y andan por los aires la verdad y la mentira, el hambre y la poesía. Se me han escapado de las páginas. La verdad de la comedia es un problema religioso y económico-social. El Mundo está detenido ante el hambre que arruina a los pueblos. Mientras haya desequilibrio económico, el Mundo no piensa. Yo lo tengo visto. Van dos hombres por la orilla de un río. Uno es rico, otro es pobre. Uno lleva la barriga llena, y el otro pone sucio el aire con sus bostezos. Y el rico dice: «¡Oh, qué barca más linda se ve por el agua! Mire, mire usted el lirio que florece en la orilla.» Y el pobre reza: «Ten-

11. *¡Aquí está!,* Buenos Aires, 26-5-1949.

go hambre, no veo nada. Tengo hambre, mucha hambre.» Natural. El día que el hambre desaparezca, va a producirse en el Mundo la explosión espiritual más grande que jamás conoció la Humanidad. Nunca jamás se podrán figurar los hombres la alegría que estallará el día de la Gran Revolución. ¿Verdad que te estoy hablando en socialista puro?[12]

Cuando la actriz y el poeta regresan de Valencia, las tropas fascistas italianas han ocupado Abisinia entera. Los desafueros cometidos por los invasores sobre los indefensos abisinios eran un pequeño anticipo de lo que iba a suceder, años más tarde, por tierras de Europa, al amparo de los mismos estandartes. La protesta de la actriz catalana y el poeta andaluz, anulando definitivamente su visita a Italia, daba la talla de su respectivo talante moral.

En Roma, la plaza de España amaneció un día borrada del mapa; un grupo de fascistas la había rebautizado con el nombre del mariscal Emilio di Bono, uno de los más pintorescos personajes de la no menos pintoresca marcha de los Fascios sobre Roma.

12.   Publicado por Marie Laffranque, en el *Bulletin Hispanique,* t. LX, 1958.

Reestreno de «Bodas de sangre» en Barcelona

Cuenta Margarita Xirgu, en sus memorias, que poco tiempo después de estrenar *Mariana Pineda* en Madrid, una tarde entró García Lorca en su camarín, muy animado, con aquella expresión vehemente suya y le dijo: "Ya tengo asunto para una obra." Y, mientras hablaba, se sacaba de uno de los bolsillos un recorte de periódico y me lo leía.» [1] Se trataba de un suceso pasional, ocurrido en un pueblo, expuesto con esa escueta sequedad con que anuncia la prensa seria esta clase de noticias. Aquello lo transformaría el poeta en el argumento de *Bodas de sangre*. La Xirgu se alegró mucho, pues era una época en que estaba muy obsesionado por el temor de no tener madera de autor.

¿Cómo no estrenó la Xirgu esta obra? La actriz lo explica así:

1. «En mi vida cada día es distinto. Trabajo bastante. Tengo ahora muchas cosas entre manos. En escribir tardo mucho. Me paso tres y cuatro años pensando una obra de teatro y luego la escribo en quince días. No soy yo el autor que puede salvar a una compañía por muy grandes éxitos que tenga. Cinco años tardé en hacer *Bodas de sangre*; tres invertí en *Yerma*... De la realidad son fruto las dos obras. Reales son sus figuras; rigurosamente auténtico el tema de cada una de ellas... Primero, notas, observaciones tomadas de la vida misma, del periódico a veces... Luego, un pensar en torno al asunto. Un pensar largo, constante, enjundioso. Y por último, el traslado definitivo; de la mente a la escena... No puedo indicar preferencias entre mis obras estrenadas. Estoy enamorado de las que no tengo escritas todavía.» O. C., p. 1777.

Federico estaba entonces muy ligado al grupo de Ignacio Sánchez Mejías. Fue la época en que hizo las canciones para la Argentinita. Lo convencieron de que aquella obra debía estrenarla otra actriz, a la que se la leyó, sin lograr que la aceptase para su estreno. Con la franqueza que le era habitual, Federico me lo dijo. Yo le pedí entonces que me la leyera, pero no quiso. Le recordé que también le había leído a otras actrices *Mariana Pineda,* y esa no fue razón para que yo dejara de estrenársela. «No es lo mismo», me decía él, «no es lo mismo... Ahora he cometido contigo una deslealtad...». Y como para no hablar más del asunto, dejó de ir por algún tiempo a mi cuarto del teatro. Luego entregó *Bodas de sangre* a Eduardo Marquina, que entonces dirigía la temporada de Pepita Díaz en el teatro Infanta Beatriz, y allí se estrenó.[2]

La naturalidad con que Margarita acogía a Federico no atenuaba el complejo de culpabilidad que el poeta sentía ante la actriz, lo que refleja la incuestionable humanidad del hombre y el alto grado de responsabilidad del dramaturgo. Este sentimiento se mitigó cuando pudo ofrecerle una obra pensada y escrita para ella: *Yerma.*

Para el 22 de noviembre se anuncia el nuevo debut en Barcelona de la compañía de Margarita Xirgu, en el Principal Palace. Este teatro está en la parte baja de la Rambla, la del Centro, frente a la estatua de Federico Soler, «Serafí Pitarra», el fundador del teatro catalán. Es un lugar muy animado por su proximidad al Barrio Chino. La obra en cartel es *Bodas de sangre.* Federico está entusiasmado con la nueva puesta en escena de su tragedia. El día antes del «estreno», declara al periodista de *L'Instant*:

—Se trata de un verdadero estreno. Ahora verán la obra por primera vez. Ahora se representará íntegra. Imaginaos que ya han colocado en los carteles el nombre real con el que había bautizado la obra: «Tragedia.» Las compañías bautizan las obras como dramas. No se atreven a poner «tragedias». Yo, afortunadamente,

2. *¡Aquí está!,* Buenos Aires, 23-5-1949.

Decorados de José Caballero para «Bodas de sangre» de García Lorca.

he topado con una actriz inteligente como Margarita Xirgu, que bautiza las obras con el nombre que deben bautizarse. Los decorados son nuevos. Son de un chico jovencísimo: Caballero. Un muchacho de diecinueve años, un gran artista que ha ilustrado mi último poema: *Llanto por la muerte de Ignacio Sánchez Mejías*. Los figurines son también suyos. Son algo naturalmente extraordinario. Ya los veréis. Ha sabido interpretar fielmente el dramatismo de mis personajes.[3]

Margarita hacía el papel de madre.[4] Ésta fue una de las grandes heroínas que enriquecerían su repertorio y una de sus más sublimes interpretaciones. La Xirgu daba a la figura ese aire hierático, amargo, cargado de reminiscencias trágicas que conforman la pena inmensa de esta madre mortificada «tan pobre, que no tiene un hijo siquiera que poderse llevar a los labios». Algunos espectadores nos han contado el estremecimiento que se apoderaba del público cuando, vencida por la fatalidad y el dolor, con voz quebrada, la madre liberaba el grito contenido:

> *Vecinas: con un cuchillo,*
> *con un cuchillito,*
> *en un día señalado, entre las dos y las tres,*
> *se mataron los dos hombres del amor.*
> *Con un cuchillito,*
> *con un cuchillito*
> *que apenas cabe en la mano,*
> *pero que penetra fino*
> *por las carnes asombradas*

3. *L'Instant*, Barcelona, 21-11-1935, p. 6.
4. El Novio, Enrique Álvarez Diosdado; La Vecina, Emilia Milán; La Suegra, Eloísa Vigo; La mujer de Leonardo, Isabel Pradas; Leonardo, Pedro López Lagar; La Niña, Antonia Calderón; El padre de la Novia, Alberto Contreras; La Novia, Amelia de la Torre; La Criada, Amalia Sánchez Ariño; Muchachas, Eloísa Vigo, Emilia Milán, Isabel Gisbert, Juana Lamoneda, Eloísa Cañizares y Teresa Pradas; Mozos, José Cañizares, Emilio Ariño, Alberto Contreras (hijo), José Jordá, Gustavo Bertot, Miguel Ramírez y Luis Calderón; Genios del Bosque, José Cañizares, Alberto Contreras (hijo) y Gustavo Bertot; La Luna, José Jordá; La Muerta, Eloísa Cañizares.

García Lorca con Encarnación López («la Argentinita») y Rafael Alberti.

García Lorca con un grupo de amigos, entre ellos López Lagar, Isabel Pradas, Margarita Xirgu, Ignacio Sánchez Mejías y Enrique A. Diosdado.

y que se para en el sitio
donde tiembla enmarañada
la oscura raíz del grito.

Federico dijo de la Xirgu: «... está mejor que nunca. No hubiera podido soñar con una intérprete más feliz que ella.» [5]

Como García Lorca preveía, la puesta en escena constituyó un acontecimiento. La música para la obra la había escogido el poeta. «La Nana de Sevilla» y las entradas de boda eran originales de Federico, el cual acompañaba al piano la Nana, y los coros, concertados por José Jordá, daban a *Bodas de sangre* su dimensión trágica.

El éxito fue resonante.[6] El prodigioso Federico ponía la claridad de su genio en todo lo que tocaba, con esa pasión suya por las cosas, por la vida, por las gentes. Era capaz de sacar luz del hecho más anodino y lograr, en cada versión de una misma obra, matices y perfiles nuevos. «Su personalidad es imposible de describir, era un relámpago físico, una energía en continua rapidez, una

5. *L'Instant*, Barcelona, 21-11-1935, p. 6.
6. «No es estreno *Bodas de sangre* en Barcelona. Más la calidad de esta presentación que a la obra ha dado la colaboración de García Lorca y Rivas Cherif, con la de la interpretación que de *la madre* hace Margarita Xirgu, honores de estreno se merece.» MARÍA LUZ MORALES, *La Vanguardia*, 24-11-1935, p. 11.

«García Lorca, más que un autor de teatro nato nos parece siempre un poeta que hace teatro, y que tiene, naturalmente, otros instrumentos de expresión que el de la escena. Lo subrayamos para señalar su fidelidad a sí mismo, su fidelidad a los temas que le ofrece la tierra. Él ha dicho que *Bodas de sangre* es una tragedia andaluza. Es, seguramente, la tragedia andaluza. Cuando uno de sus personajes, enloquecido ante la inminencia de la catástrofe, se pregunta quién es el culpable, se responde a sí mismo: La tierra, la tierra y la mujer: "La culpa —dice— es de la tierra y de este olor que te sale de entre los sueños..." Por su sinceridad, por su emoción, por su inspiración poética, por su afán de buscar la entraña y las verdades esenciales de las cosas, por huir de los falsos oropeles y de la banalidad, García Lorca representa hoy, en nuestro teatro, el intérprete más autorizado del alma andaluza.» DOMÈNEC GUANSÉ, *La Publicitat*, 24-11-1935, p. 10.

alegría, un resplandor, una ternura completamente sobrehumana. Su persona era mágica y morena, y traía la felicidad», es la imagen lorquiana que nos ha dejado Pablo Neruda.

Las Ramblas barcelonesas ejercieron sobre Federico una atracción fascinante. Para él, «era la calle más bonita del mundo». Un paseo íntimo, desbordante de vida, de color, de acentos, de músicas; algo insólito: una calle que terminaba en el mar. El poeta granadino, al cambiar de casa, queremos decir de teatro, mudó también su tertulia cafeteril. Se le podía encontrar en la Rambla, en las cercanías del Principal Palace: en el Lyon d'Or, en el café Catalán, en el Eden Concert o en El Suizo... Y, cuando terminaba la última función, en Juanito El Dorado, establecimiento pintoresco, con un patio rodeado de galería, donde se oía buen cante y baile flamenco. Otro lugar frecuentado por García Lorca era la taberna de los Borrull. Estos dos *colmaos* rivalizaban para presentar a los mejores intérpretes del cante jondo. En la alta madrugada, los propietarios solían cerrar sus puertas y quedarse con «los cabales». Era la hora de convocar al duende, de exhumar las reliquias del cante puro. Federico, fino catador de repertorios «jondos», se abrazaba a la guitarra y acompañaba a los cantaores. Decía el poeta andaluz que la guitarra, en el cante jondo, tenía que limitarse «a marcar el ritmo» y «seguir al cantaor», como un fondo para la voz, supeditada siempre al cantaor. Explicaba García Lorca la raíz del cante andaluz: «...rarísimo ejemplar de canto primitivo, el más viejo de toda Europa, donde la ruina histórica, el fragmento lírico comido por la arena, aparecen vivos como en la primera mañana de su vida.»

Después, Federico hablaba de su profundo respeto por el «cantaor», que cuando canta celebra un solemne rito, saca las viejas esencias dormidas y las lanza al viento envueltas en su voz. «Tiene un profundo sentido religioso del canto —decía—. Se canta en los momentos más dramáticos, y nunca jamás para divertirse, como en las grandes·faenas de los toros, sino para volar, para evadirse, para sufrir, para traer a lo cotidiano una atmósfera estética suprema. La raza se vale de estas gentes para dejar escapar su dolor y su historia verídica. Cantan alucinados por un punto brillante que tiembla en el horizonte. Son gentes extrañas y sencillas al mismo tiempo.» [7] Y recordaba con devoción a Romerillo, al espiritual loco Mateo, a Antonia la de San Roque, a Dolores la Parrala, a Anita la de Ronda y a Juan Breva, «con cuerpo de gigante y voz de niño, que cantaron como nadie las soleares en los olivos de Málaga o bajo las noches marinas del Puerto». Y a los maestros de la «seguiriya»: Curro Pablos, Paquirri, El Curro, Manuel Torres, Pastora Pavón y al portentoso Silverio Franconetti, creador de estilos y último pontífice del «cante jondo» que «...cantó como nadie el cante de los cantes, y cuyo grito hacía partirse en estremecidas grietas el azogue moribundo de los espejos». [8]

Muchas veces, esas veladas en torno al poeta granadino se terminaban con una demostración de su saber «jondo». Entonces se alzaba su corta voz, una voz quebrada, muy vieja, de siglos, con una sonoridad como fundida en cobres antiguos, y entonaba, con la majestad de su gracia, canciones dormidas en el sueño del tiempo, intercalando sus variantes, sus mutaciones impuestas por las voces de nuevas generaciones. Le gustaba cantar estas reliquias porque consideraba que era «... el único que puede ilustrar, aunque lo haga mal, mis comentarios sobre los orígenes de la música andaluza». [9]

Otras tabernas cantantes de la noche barcelonesa eran las del Arco del Teatro: La Criolla, Los Sacristanes, La Sevillana. El aspecto de las mujeres de este último establecimiento, burdel siniestro, horrorizó una noche al poeta, al contemplar aquel tráfago humano, encanallado por el vicio, y al salir de allí los amigos le oyeron decir: «¡Qué España, Dios, qué España!» [10]

7.   O. C., pp. 60-61.
8.   E. MOLINA FAJARDO, *Manuel de Falla y el cante jondo,* Universidad de Granada, 1962, pp. 206-207.
9.   O. C., p. 1731.
10.   IGNACIO AGUSTÍ, op cit., p. 84.

En torno a «Doña Rosita la soltera»

El año teatral de 1934-35 fue para Margarita Xirgu uno de los más brillantes de su carrera artística y, en el terreno personal, conoció un período nebuloso a causa de la situación política derivada del *Bienio Negro*. La actitud de la actriz y de García Lorca trascendió inevitablemente al ámbito artístico, y el estreno de *Yerma* en Madrid tuvo lugar bajo la amenaza de un complot contra la obra lorquiana, inspirado por sus declaraciones: él propugnando la justicia social por encima de todo y ella reafirmando su amistad con Azaña. En esta temporada se conmemoró el centenario de Lope de Vega, y la Xirgu participó en el homenaje poniendo en escena tres obras del Fénix. Estrenó asimismo *La novia de nieve,* de Benavente, y *Otra vez el diablo,* de Alejandro Casona.

A fines de la primavera la salud de la actriz era precaria y, por consejo médico, tuvo que tomarse un descanso. Margarita se retiró al Parador de Gredos. Corría el mes de junio y García Lorca tenía casi terminada una obra para la Xirgu. «Estoy escribiendo una comedia —declaró el poeta— en la que pongo toda mi ilusión: *Doña Rosita la soltera o el lenguaje de las flores,* diana para familias dividida en cuatro jardines, con escenas de cante y baile. Será una pieza de dulces ironías, de piadosos trazos de caricatura; una comedia burguesa de tonos suaves y, en ella, diluidas, las gracias y las delicadezas de tiempos pasados y de distintas épocas. Va a sorprender mucho, creo yo, la evocación de estos tiempos, en que los ruiseñores cantaban de verdad y los jardines y las flores tenían un culto de novela. Aquella maravillosa época de la juventud de nuestros padres. Tiempo de polisón; después, las faldas de campánulas y el "cutrovi", 1890-1900, 1910.»[1]

Federico prometió a la Xirgu que se reuniría en breve con ella para leerle su nueva obra. Al marcharse, junto con unas rosas, García Lorca obsequió a Margarita con este poema:

A MARGARITA

> *Margarita: Cada rosa*
> *tiene un rumorcillo de agua,*
> *y un dolor de estrella viva*
> *bajo· sus hojas heladas.*
>
> *Llegan como niñas chicas*
> *a tu mano delicada*
> *bajo el ardiente jardín*
> *moreno de tus pestañas.*
>
> *Quisiera haberlas cogido*
> *en un jardín de Granada,*
> *y haberme herido los dedos*
> *con espinas de sus ramas.*
>
> *¡Ojalá que pronto puedas*
> *correr por altas montañas,*
> *libre de tu camerino*
> *como una corza en llamas!*

(Inédita)

En los primeros días de agosto Federico, en la terraza del Parador, daba a conocer a la Xirgu la obra. Hacía once años que García Lorca pensaba en Doña Rosita. «... *Doña Rosita la soltera o el lenguaje de las flores* la concebí en el año mil novecientos veinticuatro. Mi amigo Moreno Villa me dijo un día: "Te voy a

1. O. C., p. 1763.

contar la historia bonita de la vida de una flor: *La rosa mutábile,* sacada de un libro de rosas del siglo dieciocho." Venga. "Había una vez una rosa..." Y, cuando acabó el cuento maravilloso de la rosa, yo tenía hecha mi comedia. Se me apareció terminada, única, imposible de reformar. Y, sin embargo, no la he escrito hasta mil novecientos treinta y cinco. Han sido los años los que han bordado las escenas y han puesto versos a la historia de la flor.» [2]

Cuando se abre en la mañana,
roja como sangre está.
El rocío no la toca
porque se teme quemar.
Abierta en el mediodía
es dura como el coral.
El sol se asoma a los vidrios
para verla relumbrar.
Cuando en las ramas empiezan
los pájaros a cantar
y se desmaya la tarde
en las violetas del mar,
se pone blanca, con blanco
de una medilla de sal.
Y cuando toca la noche
blanco cuerno de metal
y las estrellas avanzan
mientras los aires se van
en la raya de lo oscuro,
se comienza a deshojar.

El autor vaticinó que esta comedia de la cursilería española y provinciana haría reír a las nuevas generaciones, pero que en su fondo latía un gran dramatismo social, «... porque reflejaba lo que era la clase media».[3] La preocupación de García Lorca por tantas existencias estériles, que se consumen esperando al hombre,

2. O. C., p. 1811.
3. Ibíd., p. 1768.

el gran problema de las innumerables «rositas» españolas, se tradujo en este tratamiento escénico: «Encarnación de vida tranquila, en apariencia, y consumida interiormente, de una muchacha de Granada, que poco a poco se vuelve esa cosa emocionante y grotesca llamada una solterona. Cada acto de la obra transcurre en una época diferente. El primero hacia los años almidonados de 1885; peinados complicados, lazos y sedas sobre la piel, sombrillas de color. Doña Rosita a los veinte años, aureolada de toda esperanza de la tierra (su novio se va a América del Sur, a Tucumán).[4] El segundo acto vuelve a encontrarla en 1900: talle de avispa, falda acampanada, exposición de París, modernismo, primeros automóviles. Doña Rosita llega a la plenitud de sus encantos (tiene treinta años y continúa esperando al novio). Tercer acto en 1911: falda transparente, aeroplanos, un paso más, y es la gran guerra. (Doña Rosita es una solterona que sigue parada en el amor de los veinte años y haciendo creer que espera al novio, que se casó con otra...) Metamorfosis del mundo. ¡Cuántas mujeres se verán reflejadas en doña Rosita como en un espejo! Yo he querido hacer una comedia de perfecta pureza de líneas, del principio al fin. Mejor que una comedia, es un drama de la vida española, de la angustia de gozar que las mujeres deben forzosamente reprimir en lo más profundo de sus entrañas ardientes de fiebre.»

El autor deseaba hacer una comedia plácida, amable, y le salió un poema en el que la melancolía de la heroína le parecía más conmovedora y de un dramatismo más desgarrador que el de *Bodas de sangre* y de *Yerma*. Como Antón Chejov, con *Las tres hermanas,* el poeta granadino tuvo que rendirse a la evidencia: su obra no era apacible, y hasta los rasgos de humor acentuaban aún más la melancolía ambiental. Se trataba de un auténtico drama, porque él mismo creó a su heroína con una piedad infinita. El dramaturgo daba fe de unos hechos tan nocivos como inhumanos, propiciando con ello la toma de conciencia de quienes lo sufrían.

4. En el archivo de la familia García Lorca hemos encontrado una carta de un primo de doña Vicenta Lorca, madre de Federico, que residía en Tucumán. ¿Acaso este granadino se dejó alguna *Doña Rosita* en Granada esperándole, en el cual se inspirara el dramaturgo andaluz?

Margarita Xirgu, García Lorca y Rivas Cherif el día del estreno de «Doña Rosita la soltera» en el Principal Palace de Barcelona, el 12 de diciembre de 1935.

Margarita Xirgu y García Lorca polarizaron en Barcelona una nutrida tertulia, que se reunía en el cuarto de la actriz. Entre los más asiduos contertulios se encontraban Grau Sala, Ignacio Agustí, Santos Torroella, Tomás Garcés, Luis Capdevila, Joan Alavedra, Joan Teixidor,[5] Rafael de León, Carlos Sindreu, Mauricio Torra-Balari, José María Prim, José Miguel Serrano, Pere Pruna, Carlos Sentís...

«Cada día estábamos allí como clavos», nos ha confiado Grau Sala, y Agustí dice en sus memorias:

> Fueron unos meses en que nuestro contacto poco más o menos que cotidiano con Margarita y Federico nos hizo ligar una amistad que sólo el desgarrón de la guerra consiguió truncar de golpe. Todas las noches íbamos al camerino de Margarita Xirgu. Por él pasaban muchas personas, pero Grau Sala y yo éramos los asiduos de aquel lugar. En aquel tiempo eran tantas las veces en que oímos desde los bastidores los diálogos de *Bodas de sangre,* que aún hoy me parece que podría recitar de corrido dicha obra. Margarita Xirgu, que conversaba con nosotros en el camerino, era interrumpida por la voz del traspunte: «Doña Margarita a escena.» Ella se incorporaba, salía de la habitación acabando una frase, la oíamos luego, con aquella profunda voz, pastosa y grave, en una escena de la obra. Parecía que el silencio se pudiera cortar, la emoción contenida llegaba hasta nosotros. Desde el escenario al camerino todos auscultábamos su mutis tremendo. Luego, las voces del escenario volvían a sonar. Margarita ya estaba de nuevo entre nosotros y continuaba la conversación, como si nada la hubiera interrumpido... Del escena-

5. *Pero yo también quiero recordar*
cuán vivo y dulce era todo aquello,
una sombra azul en los ojos,
cuando reías o cantabas
y aún ramblas, noches, veinte años, doña Rosita,
sólo un verso perdido te encumbraba
hasta la loma sagrada.
Del poema *Memoria de Federico García Lorca,* de Joan Teixidor. *Una veu et crida,* Edicions 62, Barcelona, 1969.

rio al camerino, del camerino al escenario, no había más que
una inasequible transición, un leve jadeo: a veces llegaba
con los ojos anegados de lágrimas, de la fuerza de la escena.
Pero a los segundos su parla era reposada, su talante otra
vez normal. Saludaba a todos con efusión...[6]

Grau Sala nos ha contado:

En aquella tertulia fue donde nació la idea de que yo
hiciera el cartel de *Doña Rosita*. No recuerdo si lo sugirió la
Xirgu, Federico o Rivas Cherif, ni quién me lo encargó. Son
esas cosas que surgen en una reunión y luego nadie recuerda quién lo apuntó, quién le dio forma y quién lo lanzó.
Pero allí estaba el encargo, en pie, ante mí, y yo muy contento. Como solía asistir a los ensayos —ya te dije que andaba siempre metido en el Principal Palace—, el *affiche*
me salió espontáneamente. Esa noche, después de terminar
la última función y haber dado nuestro paseo nocturno, con
la tradicional parada en la Horchatería Valenciana de la
Rambla, en la misma esquina de la calle San Pablo, un establecimiento del más puro *modern style,* o en el café Glacier
de la Plaza Real, también con puerta a las Ramblas, o en
cualquier otro café-cantante, me fui a casa de Ana María y
Gustavo Gili, entonces recién casados, me senté ante una
mesa, que todavía conservan, y no salí de allí hasta haber
terminado el cartel. Ana María y Gustavo formaban una
de las parejas más sorprendentes de toda Barcelona. Federico, que algunas veces me acompañaba a su casa, se extasia-
ba ante la belleza de Ana María y la colmaba de requiebros
andaluces, y ella, ruborizada, se reía. Esta mujer, que continúa siendo muy bella, nos ha hablado de la fascinante mirada del poeta, y nos dice que, junto a la de Picasso, no ha
encontrado jamás unos ojos capaces de expresar y transmitir
una corriente de sentimientos tan impetuosos y apasionados,
por la vida, sus gentes, el arte... Los Gili fueron los prime-

6.   Ignacio Agustí, op. cit., p. 87.

ros en lanzar en España al mercado, antes de nuestra guerra, la modalidad de los *Christmas*. Yo colaboraba con ellos. Nos estábamos hasta las tantas de la madrugada y en aquella época prenavideña hice también un *Christma* para la compañía de la Xirgu, inspirado en *Doña Rosita,* que lucía su característico polisón y su sombrilla, cuyo dibujo acompañaba una poesía candorosa:

> *Una mañana en el campo*
> *cantaban los ruiseñores*
> *y en su cántico decían:*
> *Rosita de las mejores.*

> *Una mañana en el campo*
> *cantaban las codornices*
> *y en su cántico decían:*
> *Tengan pascuas muy felices.*

> *Si quieren pasarlo bien*
> *las fiestas de Navidad*
> *acudan todos a verme*
> *al Teatro Principal.*

Ana María Torra-Balari de Gili conserva esa felicitación que les envió la Xirgu. A la familia Barba-Gili dedicó Federico una de las firmas más bonitas y ornamentadas que se conservan del poeta, inédita hasta ahora, y Ana María y Gustavo Gili poseen cuatro poemas autógrafos que les regaló García Lorca.[7]

También el programa de mano fue cuidado al máximo. La portada era de Grau Sala. Al encuentro del lector salían unas palabras autógrafas de Margarita: «Ninguna emoción más grata para mí que estrenar una comedia de García Lorca, en el Principal Palace, levantado en el solar del antiguo Principal, donde di mis primeros pasos de actriz. Ninguna emoción tan halagüeña

7. *Arlequín, Canción del mariquita, La sirena y el carabinero* (fragmento), *Sueños: La noche disfrazada con una piel de mulo* (fragmento).

Margarita: Cada rosa
tiene un rumorcillo de agua
y un dolor de estrella viva
bajo sus hojas heladas

Llegan como niñas chicas
a tu mano delicada
bajo el ardiente jardín
moreno de tus pestañas.

Quisiera haberlas cogido
en un jardín de Granada,
y haberme herido los dedos
con espinas de sus ramas.

¡Ojalá que pronto puedas
correr por altas montañas
libre de tu camerino,
como una corza de llamas!

Federico García Lorca.

Poema dedicado por García Lorca a Margarita Xirgu.

como interpretar por primera vez en mi Barcelona esta *Doña Rosita* de Federico García Lorca.»

Allí quedó recogida la poesía de Federico *A Margarita*

> *Si me voy, te quiero más,*
> *Si me quedo igual te quiero.*
> *Tu corazón es mi casa*
> *Y mi corazón tu huerto.*
> *Yo tengo cuatro palomas,*
> *Cuatro palomitas tengo.*
> *Mi corazón es tu casa*
> *¡Y tu corazón mi huerto!*

«Preparar un estreno con Federico —confesó la Xirgu a Valentín de Pedro— era algo extraordinario: un placer artístico incomparable, un verdadero regalo…, me atrevería a decir que un regalo de Dios… Veía la escena maravillosamente, pero de un modo personal, que encantaba, y ahí residía seguramente esa fuerza de seducción que llegaba hasta el público.»

El recuerdo de los días que precedieron al estreno de la comedia lorquiana de las flores, al margen del tiempo, permanecería vivo en la memoria de la actriz. «Tuve la impresión de que Federico se incorporaba a mi vida. Era como si, desde aquel día en que le conocí en el Ritz de Madrid, se hubiera ido acercando a mí, en un camino que tuvo algún zigzagueo, pero que acabó por acortarse completamente. Ya no había camino entre él y yo en el terreno del arte… Marchábamos juntos.» [8]

García Lorca cuidó con esmero los detalles de la puesta en escena de *Doña Rosita:* desde la música hasta el mobiliario. La música, escrita para la obra por el poeta, mecía las ensoñaciones de *Doña Rosita* a ritmo de vals, para recrear mejor la atmósfera irreal, de falsa ilusión, en que se movía su melancólica heroína. El mobiliario lo escogió en la tienda de Conrado Verdaguer, amigo barcelonés recién llegado a la tertulia. Verdaguer comerciaba con antigüedades en la calle de la Paja, donde abundaban este

---

8. *¡Aquí está!,* Buenos Aires.

tipo de tiendas, y brindó desinteresadamente los muebles y los objetos decorativos de estilo romántico. Federico se divirtió mucho eligiendo cosas y Verdaguer recuerda que uno de los objetos que más le cautivaron fue unos fanales ovalados de cristal, en cuyo interior había unos jarros de porcelana con magníficos ramos de flores artificiales. Los decorados y figurines femeninos eran de Fontanals y los masculinos de Manolo Muntañola.

En Barcelona latía una gran curiosidad por conocer la última obra del poeta andaluz. El ambiente de aquellos días lo describe así el periodista Trillas Blázquez, de *Crónica*:

> No recuerdo una expectación semejante. Ni siquiera cuando don Ángel Guimerá estrenó su *Jesús que torna* se percibía un interés tan agudo por conocer una obra teatral. En Barcelona —donde se sabe ya hace tiempo que junto al nombre de García Lorca no debe colocarse una interrogación, sino una admiración de caja alta con regletas—, las personas que en realidad tenían alguna cosa que decir no hablaban más que del estreno de *Doña Rosita la soltera o el lenguaje de las flores* y de la crisis ministerial. El poeta maravilloso del *Romancero gitano* haría un codo a codo con los señores Chapaprieta, Maura y Portela Valladares, encargados sucesivamente de formar Gobierno; casi los vencía en popularidad. Mejor dicho, en resonancias. El nombre de García Lorca era pronunciado por tantas bocas como el de los tres políticos juntos. Al autor de *Yerma* se le quiere y se le admira en Cataluña.

En un principio se fijó el martes 10 de diciembre, como fecha del estreno, pero tuvo que aplazarse un par de días, ya que el autor, que debía supervisar los últimos ensayos, no regresó de Madrid hasta el 10; días antes había marchado allí para asistir a la puesta en escena de *El caballero de Olmedo,* por *La Barraca.* Para asistir a la *première,* la prensa madrileña envió a sus más acreditados corresponsales: Augusto Martínez Olmedilla, Cruz Salido, Antonio Espina, Antonio Obregón, Marín Alcalde, Isaac Pacheco, Eduardo Haro, Díez Canedo, Fernández Almagro, Luis

Gabaldón. De Madrid llegaron también los hermanos del dramaturgo: Isabel y Francisco.

El jueves 12 de diciembre, día del estreno, *La Humanitat* publica la última confesión del autor antes que se levante el telón:

> Con *Doña Rosita la soltera o el lenguaje de las flores* he querido realizar un poema de mi infancia en Granada, en el cual salen criaturas y ambientes que yo he conocido y sentido.
>
> Éste es el drama profundo de la solterona andaluza y española en general. España es el país de las solteronas decentes, de las mujeres puras, sacrificadas por el ambiente social que las rodea.
>
> Para descansar de *Yerma* y de *Bodas de sangre,* que son dos tragedias, yo quería realizar una comedia sencilla y amable; no lo he conseguido, porque me ha salido un poema que me parece que tiene más lágrimas que mis dos anteriores producciones.
>
> Por lo que veo, me ha tocado en suerte la parte seria del teatro, debido a mi temperamento de poeta por encima de todo.

Esa noche la luz blanca y roja de la fachada del Principal Palace trenzaba luminosamente, una vez más, los nombres de Margarita Xirgu y de Federico García Lorca. Junto a las puertas, en el vestíbulo reinaba inusitada animación. El periodista de *Crónica* reseñó: «En las localidades altas, a la izquierda, donde se instalaba la claque, que jaleaba a Margarita Carvajal, se agitaban esa noche todos los "calés" del distrito quinto. En las calles, donde están El Cangrejo Flamenco, El Manicomio, Cádiz y La Taurina, imperaba un silencio sepulcral. Los *flamencos* se habían ido al teatro.

» —Zi, zeñó; se han ío toos a ver la función de don Federico. Si se lo cuentan a uno, no se lo cree.» [9]

En el teatro aparecen los dos primeros sombreros hongos de la

9. *Crónica,* Madrid, 25-12-1935.

noche: el poeta Josep Maria de Sagarra y el pintor Miguel Utrillo. Poco después llega Gregorio Marañón.

A Margarita le sienta bien el traje rosa del novecientos: mangas de «jamón» y adornos de cintas, que le ha confeccionado la casa Marvel. Federico sale, entra, saluda, sonríe, estrecha manos. Encuentra a *Doña Rosita*-Xirgu [10] muy guapa y le dice: «¡Si vieras la de "putrefactos" que han venido de Madrid!» Ya queda poco tiempo para que acabe el suplicio característico de los estrenos. Suena la tercera llamada y las cortinas, replegándose lentamente, dejan ver el interior de una sala con salida a un invernadero. Figuras bien calcadas de la Granada de 1885. Joan Alavedra, que se encontraba junto a Federico, le oye decir:

—¡Qué mal gusto tan magnífico! [11]

Segundo acto: una fina estampa ochocentista. Entre bromas y veras, el poeta ha trazado una certera caricatura de la burguesía granadina, provinciana «del quiero y no puedo», que resistía,

---

10. Doña Rosita: Margarita Xirgu.
El ama: Amalia Sánchez Ariño.
La tía: Eloísa Vigo.
Manola 1.ª: Isabel Gisbert.
Manola 2.ª: Isabel Pradas.
Manola 3.ª: Eloísa Cañizares.
Soltera 1.ª: Juana Lamoneda.
Soltera 2.ª: Teresa Pradas.
Soltera 3.ª: Amelia de la Torre.
La madre de las dos solteras: Emilia Milán.
Ayola 1.ª: Eloísa Cañizares.
Ayola 2.ª: Antonia Calderón.
El tío: Alejandro Maximino.
El sobrino: Pedro López Lagar.
El catedrático de Economía Política: Alberto Contreras.
Don Martín: José Cañizares.
El muchacho: José Jordá.
Dos obreros: Daniel Planas y Rivas Cherif.

Los señores Daniel Planas y C. Rivas Cherif, en honor y deferencia al autor, F. García Lorca, y protagonista, Margarita Xirgu, tan sólo en el día de hoy —del estreno—, interpretarán los dos obreros de la obra. (*Nota del programa de mano.*)

11. *La mort de la rosa. Última Hora,* Barcelona, 13-12-1935, p. 6.

estoica y estúpidamente, el persistente alanceamiento de sus propios prejuicios. Los aplausos obligan al autor y a la intérprete a saludar una, dos, tres y hasta diez veces.

Tercer acto: la desolación. Los personajes han sucumbido bajo el peso de la sombría realidad. La crítica recordaba *La Intrusa* de Maeterlinck. Doña Rosita ya es una mujer seca, irremediablemente vacía de esperanzas, que ha consumido su vida en un sueño:

> *Y cuando llega la noche*
> *se comienza a deshojar...*

El fervor con que los espectadores siguen la representación se rubrica con frenéticas ovaciones que obligan a Federico a salir al proscenio una y otra vez. Al final, el autor, Margarita y Amalia Sánchez Ariño tienen que dirigir la palabra al público, un público emocionado que aplaudía incansablemente. Noche triunfal, de las últimas que vivirán juntos el poeta y la actriz.

> ¿Han visto ustedes aquella damita del monumento del parque, que está tan cerca del puente de San Carlos? —decía, en su crónica de *Última Hora,* Joan Alavedra—. Pues imaginaros que cierra su sombrilla con su mano enguantada, que recoge su polisón, que desciende del pedestal con pie ligero y que se planta, vivaz y joven, con su vestido de color fresa, en medio del escenario del Principal. Es así como se nos presenta la Xirgu, en *Doña Rosita,* de García Lorca. Porque doña Rosita es una rosa. Es la rosa mudable, la que es roja por la mañana, blanca cuando cae el día y la que, por la noche, cuando la luna se mira en los jardines, se deshoja...[12]

Y el crítico de *El Diluvio,* escribía: «... pocas veces estuvo la crítica tan de acuerdo en celebrar una obra...» Así lo creemos nosotros también tras de haber visto la prensa barcelonesa de la época: *El Matí, El Noticiero Universal, La Vanguardia, El Día*

12. *La mort de la rosa. Última Hora,* Barcelona, 13-12-1935, p. 6.

Poema de Federico
a Margarita.

Dedicatoria de Federico
a Margarita en un ejemplar
del «Primer Romancero Gitano».

Gráfico, La Humanitat, La Noche, La Publicitat, Solidaridad Obrera, Diario de Barcelona, La Rambla de Catalunya, El Popular, Las Noticias...[13] La nota discordante la daría Ignacio Agustí, crítico de *L'Instant*:

13. «Hoy me corresponde hablar de otra obra que, afortunadamente, tiene la musicalidad, el ritmo que yo creo necesario en toda obra de teatro. Ya en producciones anteriores —*La zapatera prodigiosa, Bodas de sangre, Yerma*—, García Lorca había demostrado poseer, más agudizado que cualquier otro autor español, este sentido profundamente, entrañablemente musical. Esto significa —y quienes conozcan la mecánica de la música o se complacen en escucharla me entenderán— que *Doña Rosita la soltera o el lenguaje de las flores* es una sonata en tres tiempos: "andantino cantabile", "scherzo", "adagio".

»La obra está tratada, en sus tres actos, como los tres tiempos de una sonata y cada tiempo, que en la obra es una época, está perfectamente delimitada: 1885: "andantino cantabile"; 1900: "scherzo"; 1910: "adagio".

»Así, la cursilería, en manos del poeta, se transforma en algo inefable que nos apaga la sonrisa de los labios y nos coloca un velo de lágrimas en los ojos.» (*La Humanitat*, 13-12-35.)

«Esta vez García Lorca ha huido de las escabrosidades de obras anteriores y nos ha dado una comedia dramática de momentos sicológicos tan finos, tan íntimos, que nos demuestran su sensibilidad poética y su intenso temperamento de dramaturgo.» (*El Matí*, 14-12-1935.)

«Federico García Lorca acaba de hacer a los barceloneses su regalo de Navidad: una lindísima miniatura romántica, donde triunfa como colorista por la brillantez de las pinturas gomadas que ha empleado en su obra; como dibujante, por la seguridad de trazos y perfiles; como artista, por la sensibilidad exquisita con que está resuelto el tema pictórico, por lo delicado de la evocación y por la suave emoción de que están impregnadas las imágenes.» (*La Noche*, 13-12-1935.)

«Una obra de factura diferente a sus anteriores nos ha ofrecido García Lorca con *Doña Rosita la soltera,* comedia en tres actos, en prosa y verso, estrenada en el Principal Palace por la compañía de Margarita Xirgu.

»La coloración, el movimiento, el ritmo poético, las figuras de esta nueva obra de Federico García Lorca, salvo el personaje *El ama,* que tiene sus precedentes señalados en *Yerma* y en *Bodas de sangre,* en nada se parecen a los de las obras dramáticas anteriores de este poeta.» (*El Noticiero Universal*, 13-12-1935.)

«Lo más admirable es el sabor de autenticidad que ha sabido dar el poeta al ambiente y a la vida en la que se desenvuelven las hermosas figuras creadas por él. Éstas no son muñecos preciosos que os regalan el oído con sonoras estrofas; son vidas evocadas con todo el fervor de un romántico, que las ha comprendido y que las ha sentido a través de váyase a

Doña Rosita la soltera, despojada del fuego del estreno, despojada de todo lo que no le es sustancial, es decir, de todos los ingredientes del montaje y de plástica posteriores, reducida al libreto que Lorca escribió, nos parece una simple broma literaria y, cuando no es broma, una simple joya lírica estimable por lo que no tiene de teatral.

Aunque los comentarios que precedieron su estreno no nos hubiesen informado del intento de Lorca, este intento se adivina en el tercer acto de *Doña Rosita.* Lorca ha querido tratar un drama con pinceles de lírico. Nos duele tener que decir que no lo ha conseguido. Y así es, sin embargo. La belleza exterior de los personajes, evidenciada en versos y actitudes, los aleja indefinidamente de su destino. Un culto equivocado a su lado pintoresco distrajo al autor, que no llegó a configurarlos tal y como había previsto. Y lo distrajo en el justo momento en que ya había calado demasiado en él el drama para que pudiera rebajarlo a la categoría de caricatura. Así ha venido a resultar que Lorca, en lugar de resolver el dilema, en lugar de decidirse a adoptar una posi-

---

saber qué herencias o qué íntimos recuerdos.» (*La Veu de Catalunya,* Barcelona, 14-12-1935.)

«La fuerza del diálogo, siempre agudo y profundo, es quizá, en definitiva, el mágico hechizo que transforma aquella estampa en algo inolvidable de una sociedad y de la vida de otra época. El poeta nos lo describe como si él hubiese sido un testigo directo, aunque sonría con ironía, y se vanaglorie de su no ser un sentimental, el autor es víctima de un enternecimiento profundo involuntario.

»Sin dejar de presentarnos un personaje firme, rectilíneo, por su concepto, el de doña Rosita, la protagonista de la obra, García Lorca nos ofrece en esta nueva obra una nueva modalidad de su arte de gran poeta y dramaturgo originalísimo. *Doña Rosita la soltera o el lenguaje de las flores* es la más fina filigrana que nos ha sido servida en el teatro castellano, un sutil arabesco tejido sobre un ambiente ochocentista y en el cañamazo de la más fina heroína. Farsa y comedia, sutileza y musicalidad, se enlazan maravillosamente en esta obra. Bastaría el acto segundo de *Doña Rosita la soltera,* admirable justificación de lo cursi a través de la poesía y de la sátira para elevarla a la categoría de antológica en su género tan nuevo y tan castizamente español al mismo tiempo...» SÁNCHEZ-BOXÁ. (*El Día Gráfico,* Barcelona, 13-12-1935.)

ción, intenta rectificarse continuamente en las dos posiciones y de esta indecisión nace una obra desorientadora, que lucha desde el principio al fin para definirse o que deja al espectador atónito, como si ante él pasase una especie de hermoso monstruo anfibio, algo parecido a un ciervo de cuernos floridos, donde se mezclase inadecuadamente el elemento lírico y el dramático...

Recientemente, en sus memorias, Ignacio Agustí ha dejado escrito:

Cuando publiqué esta crítica de la obra pensé que el resto de mis colegas, con los que había comentado en los entreactos, abundarían en mis mismos propósitos. A ninguno de ellos le había satisfecho la comedia, y la repulsa era unánime. Podíamos diferir en la forma de manifestar nuestra disconformidad, pero yo estaba seguro de no ser ni mucho menos el único en manifestarla. Mi sorpresa fue grande cuando al día siguiente no leí más que ditirambos y frases hechas en elogio de la comedia. Yo temía que mi posición, puestas así las cosas, fuera considerada como una especie de *parti pris* o declaración de guerra. No era así; era mi juicio leal y sincero. Pero me abstuve de poner el pie en el camerino de la Xirgu a partir de aquel momento, mucho más al saber que ella se había dolido de la incomprensión por mí manifestada.

Durante unas noches yo anduve un poco despistado. Iba a los estrenos y luego paseaba por las Ramblas o me sentaba en un café con algún compañero, pero era como si me faltara algo. Emilio Grau Sala me conminaba a que le acompañara hasta allí: «No pasa nada, hombre, no pasa nada. Sólo faltaría que no pudieras decir lo que piensas.» Pero yo me abstenía.

Una noche caminaba yo por las Ramblas hacia arriba, ya hacia mi casa, cuando oí una voz fuerte que me llamaba: «¡Ignacio, Ignacio!» La voz llegaba desde la plataforma de un 21 —un tranvía «Gracia-Ramblas»— que descendía

Escena de «Doña Rosita la soltera», estrenada en Barcelona el 12 de diciembre de 1935.

García Lorca leyendo un soneto en el homenaje a Isaac Albéniz, el 14 de diciembre de 1935.

hacia el puerto. Distingo en él a Federico García Lorca, que saltaba del estribo en marcha, se me acercaba con los brazos abiertos: «¡Por Dios, Ignacio! ¿Cómo no has venido? Ven, vamos a ver a Margarita.»

El reencuentro había sido tan efusivo e inesperado, que no quedó otra opción que acceder. Contra lo que yo esperaba, me dijo Lorca que yo tenía razón, que procuraría retocar algunos matices de su obra. Que Margarita estaba contenta porque el teatro se llenaba y que eso, en definitiva, era un factor importante. «A mí no me salen bien más que las tragedias», me dijo. «Cosa rara, porque aparte de esto yo creo que soy sobre todo un poeta lírico.» Margarita estuvo muy amable y el incidente pronto quedó olvidado.[14]

Aunque cualquier persona era muy libre de expresar su opinión y de disentir, en este caso concreto cuesta creer que un solo crítico discrepase de *todos* sus colegas, sin una razón personal. Y la mejor prueba de que el discrepante no andaba muy de acuerdo consigo mismo es el apartamiento suyo de la tertulia, que cesó gracias a la ilimitada generosidad del poeta granadino. Porque ¿dónde estaba ese *incidente* de que habla el novelista barcelonés? No lo hubo nunca y sí tan sólo una inhibición que tomó aires de confesión de culpabilidad. No tenemos noticias de que García Lorca aportara a su obra la menor modificación... Tampoco creemos que el poeta granadino saltara del *estribo en marcha,* cuando Federico tomaba precauciones hasta para cruzar una calle. No debemos olvidar que Agustí era, ante todo, un novelista. Por entonces, los últimos días del año 1935, Ignacio preparaba el estreno de su obra *Bienaventurats els lladres,* protagonizada por Mercè Nicolau, en el teatro Novetats. Una tarde, en el café de La Luna, Federico le ofreció al escritor su ayuda para «supervizar» la puesta en escena, y Palau Fabre, testigo de la escena, nos ha contado que Agustí rechazó la ayuda con gesto desdeñoso y un aire de suficiencia apenas disimulado.

Al día siguiente del estreno de *Doña Rosita,* la Xirgu ofreció

14. IGNACIO AGUSTÍ, op. cit., p. 87.

un banquete a los críticos catalanes y castellanos, en el restaurante Miramar, donde hoy están instalados los estudios de Televisión Española. Al lado de Margarita y García Lorca se sentaron Alberto Marín Alcalde, de *Ahora*; Prudenci Bertrana, de *La Veu de Catalunya*; Cruz Salido, de *Política*; Luis Capdevila, de *La Humanitat*; Luis Góngora, de *La Noche*; Antonio Espina, de *El Sol*; González Olmedilla, de *El Heraldo de Madrid*; Antonio de Obregón, de *El Diario de Madrid*; Emilio Tintorer, de *Las Noticias*; Avelino Artís —todavía no era Sempronio—, de *Última Hora*; Eduardo Haro, de *La Libertad*; Ignacio Agustí, de *L'Instant*; Serra Crespo, de *El Diluvio*; Sánchez Boxá, de *El Día Gráfico*; María Luz Morales, de *La Vanguardia*; Carlos Soldevila, Josep Maria de Sagarra, las señoritas Isabel García Lorca y Alamany, Jaime Pahissa, Rivas Cherif, Francisco García Lorca, Miguel Ortín, Isaac Pacheco, Rafael Moragas, Josep Arnall, Joan Alavedra, Ernesto Guasp, Planas Solsona, Federico Elizalde, Luis Alamany... Aunque el restaurante estaba muy destemplado —no faltó quien comió con el abrigo puesto—, el ambiente era de ferviente cordialidad, y a los postres hubo torneo oratorio por parte de Pahissa, Sagarra, Olmedilla, Espina y Rivas Cherif,[15] quienes elogia-

15. «Pocas veces me he sentido más halagado como cuando se estrenó *Doña Rosita la soltera o el lenguaje de las flores,* el éxito de la nueva producción de mi amigo —¡y con qué satisfacción pronuncio esta palabra tan sencilla, tan hermosa y tan malgastada por su descuidado uso!— colma todas mis esperanzas. Margarita Xirgu, García Lorca y yo deseábamos que las primicias de ésta, para nosotros preciosa comedia, fueran para el público de Barcelona. Puesto que las circunstancias nos alejan voluntariamente de Madrid, podíamos haber retrasado su estreno en España hasta que regresásemos de América. Y que fuese en aquellas tierras, en las que se quedó para siempre el supuesto enamorado de doña Rosita, donde fuese representada por ver primera su trágico-cómica historia. Pero hemos querido, repito, corresponder a la entusiasta atención con que nos despidió Barcelona. ¿De qué mejor manera podíamos demostrarle nuestra gratitud?

»Nos han asistido con su presencia nuestros amigos, los que consideramos como los mejores críticos de Madrid. Yo he sido también crítico y sé hasta qué punto puede ser colaboradora la función crítica. En la comunicación con el público, con este público que queremos conquistar, la labor del crítico es primordial y se integra de forma esencial en la representación teatral.

»He procurado, con mayor ahínco que nunca —puesto que he conse-

ron la labor y el arte de la actriz y el teatro de García Lorca, y hubo un recuerdo afectuoso para los presos de la Generalitat encarcelados en el penal de El Puerto de Santa María.

Para rendir homenaje a Isaac Albéniz, un grupo de admiradores del músico catalán se reunieron ante su tumba en el cementerio Nuevo de Montjuïc, con motivo de la colocación de un monumento obra del escultor Florencio Cuairan. De un bloque pétreo emergía un rostro de mujer sobre una cabeza de león. En uno de los planos laterales de la estatua quedó grabada la inscripción: «El sábado 14 de diciembre de 1935 visitaron tu sepulcro, amigo Isaac Albéniz, los que te aman y velarán tu gloria hasta que estén contigo.» Y en el plano frontal, bajo el rostro femenino, quedaron grabados estos nombres: Margarita Xirgu, Teresa Cabarrús de Marshall, Federico García Lorca, Cipriano Rivas Cherif, Jaime Pahissa, Frank Marshall, Rafael Moragas, Luis Góngora, José Arnall, Miguel Ortín, Francisco de A. Planas Doria, Círculo Artístico, Antonio Torroella, Roberto Vasconcel.

Rivas Cherif leyó la *Oda a Albéniz*, de Juan Ramón Jiménez, y García Lorca un soneto escrito para el músico:

EPITAFIO A ISAAC ALBÉNIZ

Esta piedra que vemos levantada
sobre hierbas de muerte y barro oscuro,
guarda lira de sombra, sol maduro,
urna de canto sola y derramada.

---

guido trabajar en perfecta armonía con Margarita Xirgu y García Lorca— que la idea del autor trascienda al escenario con la plenitud creadora que la inspiró. El autor no me ha puesto la menor dificultad y el público ha celebrado con satisfacción la emoción poética —en su tremenda y dramática comicidad—, a los intérpretes de *Doña Rosita,* que me han acompañado al lado de esta mujer extraordinaria, magnífica artista y, por encima de todo, amiga de verdad y de la belleza —en toda la noble, la hermosa, la simple extensión de la palabra— que se llama Margarita Xirgu.» RIVAS CHERIF. (*La Humanitat,* Barcelona, 14-12-1935.)

Desde la sal de Cádiz a Granada,
que erige en agua su perpetuo muro,
en caballo andaluz de acento duro,
tu nombre gime por la luz dorada.

¡Oh, dulce muerte de pequeña mano!
¡Oh, músico y bondad entretejida!
¡Oh, pupila de azor, corazón sano!

Duerme cielo sin fin, nieve tendida.
Sueña invierno de lumbre, gris verano.
¡Duerme en el olvido de tu vieja vida! [16]

Federico, al terminar su lectura, dejó la hoja entre las flores que cubrían el sepulcro.

Recuerda Margarita Xirgu, en sus Memorias, que, camino de la ciudad, el poeta le recordó el día que le dio a conocer *Doña Rosita la soltera,* y después de escuchar el primer acto le dijo que aquel papel no era para ella:

—¿Era o no?

—De sobra sabías tú que lo era...

—Como que lo hice para ti. Y ahora, ¿qué papel quieres que te haga?

—Un papel de mala.

—Te lo haré.[17]

García Lorca pensaba ya en Bernarda Alba.

Aquella mañana, al abrir *La Vanguardia,* Federico se encontró con la crítica de María Luz Morales. En su extenso artículo, la fina periodista gallega decía que, con esta obra, Lorca aseguraba «su camino de autor».

De manera rotunda —subrayaba—, se aparta el poeta García Lorca en esta obra del rumbo seguido en su anterior labor escénica. Ni la trágica crudeza de *Bodas de sangre* ni

16. Este soneto lo publicó, aquel mismo día, el vespertino *La Noche,* Barcelona, 14-12-1935. El autógrafo lo conserva la pianista Alicia Larrocha.

17. *¡Aquí está!,* Buenos Aires.

la hondura humana y entrañable de *Yerma* hay que ir a ver en *Doña Rosita,* toda matiz, toda delicadeza, toda suavidad de esos rosas y azules tan característicos de la época que pinta... En cambio, con esta obra afirma, de modo seguro, su vocación y su camino de autor teatral. Pues en *Bodas de sangre,* pues en *Yerma* triunfaba, sobre todo, el poeta, y —acaso— en las páginas del libro nos hubieran causado estos poemas idéntica impresión. No así *Doña Rosita,* que tiene su exacto y único marco en el teatro, sobre las tablas, y en su sentido horizontal —ya que no vertical— ensancha ilimitadamente las posibilidades de este poeta-autor. Obra de fina calidad literaria, su esencia —reitero— es teatral, pudiendo ponerse junto a las mejores producciones del teatro europeo actual.

Alrededor de las cinco de la tarde, García Lorca, con un *Romancero gitano* bajo el brazo, llamaba a la puerta del piso de María Luz Morales:

Sonó el timbre de manera distinta, alborozada —ha contado María Luz Morales—. Tengo mi cuarto de trabajo frente a la puerta de la escalera. Me hallaba trabajando; un impulso súbito, irresistible, me hizo salir a abrir yo misma. Mi no esperado visitante (ningún aviso previo, ninguna llamada telefónica) era Federico García Lorca, a quien yo veía de cerca, allí, en el hueco de mi puerta.

(¿Sería verdad que, como dijo Salinas, «se le sentía venir antes de que llegase»; le anunciaban implacables correos, avisos...?) Traía en la mano un ejemplar del *Romancero gitano* dedicado a mí, en la boca una ancha sonrisa amiga. En la dedicatoria se leía «¡Muchas gracias!» La primera palabra de sus labios fue:

—¡Gracias! —y después—: Vengo de parte de *Doña Rosita.* Es sólo un momento.[18]

18. María Luz Morales, *Alguien a quien conocí,* Editorial Juventud, Barcelona, 1973, p. 179.

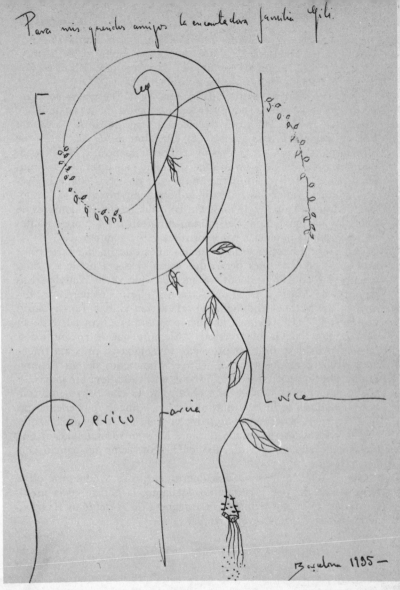

«A la familia Barba-Gili dedicó Federico una de las firmas más bonitas y ornamentadas que se conservan del poeta.»

El «momento» —nos ha referido María Luz Morales— duró cuatro horas. Hablaron de todo: de poesía, de teatro, de literatura, de actores, de amigos comunes... La veterana escritora recuerda que el poeta le confió sus proyectos teatrales:

—Quiero dar al teatro español una Santa Teresa, a un tiempo mística y humana. Desde siempre esa figura me atrae de modo irresistible... Pero antes quiero hacer la tragedia de *Los soldados que no quieren ir a la guerra.* Sí: esta obra de la paz antes que otra ninguna... O, en el mismo sentido, esta otra... Había estallado una guerra. Será un drama, o mejor, una tragedia, de «mujeres solas». Mujeres, mujeres, mujeres... de todas edades: jóvenes, maduras, ancianas... Madres, hermanas, hijas, novias, esposas... Mujeres vestidas de luto. Un coro de madres de hombres de todas las nacionalidades del mundo dirigirán a los representantes de las grandes potencias sus apóstrofes y sus gemidos...

La escritora ha esperado muchos años que un día apareciera esta obra, pero después pensó que quizá el poeta hubiera estado inventando aquel argumento a medida que se lo contaba. Las palabras de María Luz Morales traen a nuestro recuerdo la afirmación de Manuel Altolaguirre: «Federico García Lorca murió desconocido... Era todavía un lucero ignorado. Gran parte de su obra estaba todavía por escribir... Siempre que se encontraba a un amigo le descubría un proyecto, inventaba su próxima tragedia.» Refiere el poeta malagueño el argumento de un extraño drama que Federico le contó... y que no llegó a escribir jamás, y añade: «... nunca escribió esta obra, pero la cito para demostrar que su fantasía le llevaba más allá de lo humano, por encima de su conciencia, a los mitos más incomprensibles.» Es posible que esos proyectos que guardaba durante años en su imaginación hubieran aflorado un día al cabo de lustros, como le ocurrió con *Doña Rosita.*

Recientemente hemos descubierto el proyecto de otra obra desconocida del poeta granadino. Hallamos la noticia en la prensa catalana, que nos remitió a la aragonesa. *El Heraldo de Aragón,* de Zaragoza,[19] nos la reveló:

19. *El Heraldo de Aragón,* Zaragoza, 21-1-1936.

Llegó a nuestra ciudad en la madrugada del domingo el celebrado comediógrafo y poeta García Lorca. El automóvil paró a la misma puerta del Principal. Poco después, al terminar la función, Federico García Lorca conversaba con Carmen Díaz y le leía algunos episodios de la obra que escribe para la ilustre actriz andaluza.

Se trata de un poema evocador de los cafés cantantes de Sevilla. No tiene título aún. Pero, por lo que se conoce y por lo que anticipó el poeta y dramaturgo, promete ser algo grande. Desfilarán por la escena los tipos más famosos del café El Burrero, de Sevilla, y el ambiente de aquella época en que hubo cantaoras y bailaoras de gran belleza, que por una apuesta murieron casi bailando sobre suelos mojados de vino manzanilla.

Carmen Díaz está contentísima. Federico García Lorca también ha marchado satisfechísimo de su intérprete; además, es empresaria rumbosa cuando hace falta.

La nueva comedia de García Lorca la estrenará Carmen Díaz durante su actuación en el Cómico de Madrid.

Por una entrevista que Santiago Pardo Canalis le hace a Carmen Díaz para *El Noticiero,* de Zaragoza, sabemos que el título de la obra sería *El poema del café cantante,* en prosa y verso.

En un principio, tanto la prensa barcelonesa como la zaragozana creían que se trataba de *Los títeres de Cachiporra.* Pero día a día las secciones teatrales «Entre bastidores» de *El Heraldo de Aragón* y «Sí, senyor», de *La Rambla de Catalunya,* fueron despejando la incógnita. Fue precisamente el periódico catalán el que con fecha 25 de enero de 1936 aclaró que de no tratarse de *Los títeres de Cachiporra,* era una obra de ambiente flamenco, sobre el café El Burrero, de Sevilla, comedia que Federico había leído recientemente en Barcelona a un grupo de amigos y para la que Federico Elizalde había compuesto la música. Y, en efecto, este músico acompañó al poeta a Zaragoza cuando García Lorca fue a leérsela a Carmen Díaz. El argumento de *El poema del café cantante* estaba inspirado en un episodio de la vida de la genial bailaora la Mejorana, madre de Pastora Imperio. Carmen Díaz contaba con el bailaor sevillano Rafael Ortega, como pareja de baile, para los pasajes coreográficos.

En esta época Josep Maria de Sagarra iniciaba su itinerario nocturno en el hotel Colón, en cuya terraza tomaba el aperitivo. Pasaba después al restaurante y, tras la cena, se metía en un teatro o en un cine. A la salida tomaba el «resopón» en el Au Pingouin. Solían acompañarlo Màrius Gifreda, José María Planas, Just Cabot... El *maître* y propietario abría las puertas de su establecimiento cuando solían cerrar las del ramo. Estaba emplazado en la calle de Escudellers, esquina al pasaje de Madoz. De la angostura de la calle, que precipitaba la noche y demoraba el alba, salía al paso del noctámbulo un gran anuncio luminoso, en donde un pingüino fumaba apaciblemente una pipa, en medio de un glaciar paisaje de icebergs, y unas letras rojas anunciaban Au Pingouin. En la alta madrugada barcelonesa era un lugar acogedor, animado por un agradable fondo musical que ponía en el ambiente una nota íntima y permitía a los clientes conversar, al tiempo que degustaban los variados platos de la cocina francesa, especialidad de la casa. Era punto de reunión de las personalidades internacionales que visitaban la ciudad y, sobre todo, lugar donde recalaban periodistas, artistas, músicos, actores, una vez terminados los espectáculos y al cierre de las ediciones de los periódicos.

Una noche, al acabar la última función de *Doña Rosita la soltera,* Josep Maria de Sagarra llevó a García Lorca al Pingouin. La conversación derivó por los derroteros de la tan discutida «voz de la sangre». Y, a propósito, alguien contó a Federico un suceso relacionado con el tema, ocurrido en el seno de una conocida familia barcelonesa: Una muchacha había vivido en la creencia de que su madre había muerto al nacer ella. Un día fue invitada a comer en el domicilio de unos amigos. La dama de la casa le presentó a una señora que en su juventud había sido cantante de ópera, vivía habitualmente en el extranjero y acababa de llegar a España. La señora demostró inusitado interés y afecto por la joven. Al regresar a su casa, el padre le comunicó sin reservas que aquella señora era su madre.

García Lorca se sintió vivamente interesado por aquella historia, y quiso conocer a la joven, para oírle directamente sus más íntimas impresiones. Federico tenía en proyecto escribir una tragedia inspirada en los conflictos humanos que a veces plantea la incierta situación de los hijos ilegítimos, y las funestas crisis, traumas y complejos que originan especialmente en la infancia y adolescencia. La muchacha fue presentada al poeta y mantuvieron una larga conversación sobre la impresión experimentada en presencia de su madre y la sensación y sentimiento al conocer la identidad familiar. La joven confió a Federico que no había presentido nada especial ni antes ni después de saber el parentesco que la unía con aquella mujer. Y que sin la confesión de su padre, jamás hubiera adivinado quién era. «Esta experiencia humana —cuenta Nicolás Barquet— la relataba el poeta con tono sibilino y con gran satisfacción, aceptándola como un mensaje que el destino le brindaba a modo de ejemplo realístico sobre el cual basar la tesis que pensaba desarrollar en su futuro drama *La sangre no tiene voz.*» [20]

El jueves 19 de diciembre de 1935, a las diez de la noche, García Lorca dio una conferencia musical, en el auditorio del Casal del Metge (Vía Layetana). El acto estaba organizado por la Associació de Música de Càmara, en su sección de «Audicions Íntimes». El programa de mano, en forma de tríptico, primorosamente confeccionado, lo ilustraba un retrato al óleo de José Miguel Serrano hizo una mañana a Federico, en sus habitaciones del hotel Majestic, donde a la sazón se hospedaba el poeta. Federico posó en albornoz y cuando contempló la pintura se encontró «muy feo», al decir de Serrano. Se reproducía el autógrafo de la *Casida de la rosa,* uno de los poemas del *Diwan del Tamarit,* que el poeta daría a conocer aquella noche, y una vista de la Alhambra.

La conferencia la tituló García Lorca: *Cómo canta una ciudad de noviembre a noviembre.* La ciudad era Granada, «eterna en el tiempo», y el poeta «el más pequeño de sus hijos», sentado a un piano Steinway «sin voz de cantante», pero con voz de poeta, se disponía a hacer «oír» a su ciudad «hecha para la música porque

    20.   «Lorca a Barcelona», *Ópera. Le journal de la vie parisienne,* París, 9-1-1952.

- Arlequín -
_____

Teta roja del sol.
Teta azul de la luna.

Torso mitad coral,
Mitad plata y penumbra.

1923

La noche disfrazada co
llega dando sempujones
El calle de la gracia quedó
y el mar pide vergüen

¿Oh musas bailarinas, de
En bellas trinidades sol
Acojed mis ofrendas dan
nueve cantos distintos, y

Diciembre

— Canción del mariquita —

El mariquita se peina
con su peinador de seda.

Los vecinos se sonríen
en sus ventanas postreras.

El mariquita organiza
los bucles de su cabeza.

Por los patios gritan loros,
surtidores y planetas.

El mariquita se adorna
con un jazmín sinvergüenza.

La tarde se pone extraña,
de peines y enredaderas.

El escándalo temblaba,
rayado como una cebra.

Los mariquitas del Sur,
cantan en las azoteas.

1926.

piel de mulo ?
barcas latinas.
de sombra,
virtudes doradas.

os pies rosados,
ugoso cesped,
aire de altura,
sola palabra.

es una ciudad encerrada, apta para el ritmo y el eco, médula de la música».

Granada —continuó— no es como Málaga, Sevilla, Cádiz, que se prolongan más allá de sí mismas, porque su alma huye por los puertos que miran a los caminos que, por el mar, van hacia Oriente y Occidente. Granada se queda encerrada en ella misma, y así es que sus canciones no cantan a otras tierras y otros cielos y a otros jardines y a otras fuentes y a otras mujeres; no, sus canciones sólo cantan a ella misma, al embrujo de sus jardines perfumados, a la risa de plata de sus fuentes, que no derrochan el agua en fantasías espectaculares, como en Versalles, pero sí apagan todos los días la sed del caminante que a ellas se acerca. El año tiene cuatro estaciones, y Granada tiene una canción para cada una de ellas. ¡Y qué bien cantan las mocitas granadinas esa canción que, de noviembre a noviembre, va dejando oír su susurro, ora melancólico, ora apasionado, ora triste, ora alegre, año tras año, eternamente variado y eternamente igual! [21]

Una ciudad que tiene dos ríos, ochenta y cuatro mil acequias, cincuenta fuentes, mil y un surtidores y cien mil habitantes y en la que «un granadino, ciego de nacimiento y ausente muchos años, sabría la estación del año por lo que se siente cantar en las calles».[22]

Federico interpretó las canciones que van por los aires de Granada de noviembre a noviembre: *Los cuatro muleros,* melodía insistente, ritmo ágil, canción de las criadas que llegan a Granada de los pueblos cercanos con el corazón perfumado «de paja quemada»; el romance pascual de *Los peregrinitos,* que «es la alegría de la calle y la broma andaluza y la finura entera de un pueblo cultísimo»; el villancico *Por la calle abajito,* honda voz elegíaca;

21. *La Vanguardia,* Barcelona, 21-12-1935, y *El Noticiero Universal,* Barcelona, 21-12-1935.
22. *La Noche,* Barcelona, 21-12-1935, p. 2.

La niña se está meciendo, deliciosa de gracia infantil; la inefable melodía *De los álamos vengo, madre; Café de Chinitas,* canción de forma pura, como el aire del último día de marzo; la ternísima melodía del *Romance del duque de Alba;* después, recitado para situar nuestra atención en «el primor berberisco» de la vega granadina, el *Romance de san Miguel;* y, por fin, *el otoño* —otra vez—, la voz de la verdadera melancolía, en una exquisita y maravillosa canción: «Por aquella ventana que cae al río, échame tu pañuelo que vengo herío»; y con las primeras lluvias, que llenan de hierbas las eras, nuevamente la voz de la sirvientas, ternísimamente, en *Los cuatro muleros.*[23]

Para terminar la conferencia-concierto, García Lorca leyó unos poemas, «casidas» y «gacelas», escritos en honor de los exquisitos poetas árabes de la civilización granadina, autores del más bello libro de poesías que existe en el mundo —las paredes, los arcos, los jardines y las fuentes de la Alhambra de Granada— pertenecientes a su obra inédita *Diwan del Tamarit.*

Uno de los espectadores del recital era Luis Góngora. Por este periodista, amigo de García Lorca desde los años de la Residencia de Estudiantes de Madrid, sabemos que Federico, después de la conferencia, siguió hablando con él de la esencia de su Granada:

«—Voy a mandar al alcalde de Granada mi conferencia y las reseñas que de ella hagáis para que vea cómo siento yo a mi tierra y le diré: Soy más alcalde de Granada que usted.

»Y acto seguido soltaba una carcajada que quitaba a este desplante toda posibilidad de acritud.

»—¿Y en Granada —le decimos— aprecian como merece la calidad de tu obra de poeta lírico y de poeta dramático?

»—Granada es una ciudad encerrada, maravillosa, pero encerrada. Y debe ser así. Ángel Ganivet, el más ilustre granadino del siglo XIX, decía: "Cuando voy a Granada, me saluda el aire." Pero eso no importa. Granada es Granada, y así está bien.[24]

»Así de incondicional era el amor de Federico por su ciudad.»

Terminado el acto, García Lorca y un grupo de amigos se

23. *La Noche,* Barcelona, 24-12-1935.
24. Ídem.

fueron al camarín de Margarita Xirgu, en el Principal Palace. La actriz sentía no haber podido asistir al recital y Federico dijo:

—No te apures, Margarita. En terminando tú la función de esta noche, palabra que yo te recito íntegra la conferencia que acabo de dar, y contigo invito a toda la compañía, así como a cuantos quieran volverme a oír.[25]

Entre los que asistían a este diálogo estaba Xavier Regás. Su padre era dueño del restaurante de la Estación de Francia, donde había una gran sala graciosamente dividida por cristaleras de colores en relieve, pintados por los mejores artistas catalanes del momento —Calsina, Humbert, Togores, Mompou, Serrano—, y unos biombos decorados por Grau Sala. Xavier Regás ofreció a Federico aquella espaciosa sala, donde había un piano, para que repitiera su conferencia-musical.

Al filo de la medianoche acuden a la cita «Doña Rosita», las manolas, las solteronas, las ayolas y demás huestes histriónicas. Al grupo inicial se habían sumado amigos, conocidos y admiradores, algo más de medio centenar de personas entre los que se encontraban Joan Teixidor, Carlos Sindreu, Ignacio Agustí, Joan Alavedra, Grau Sala, Mario Verdaguer, Rafael Moragas, Josep Maria de Sagarra, Vilalta, Joaquim Ventalló, Luis Góngora, Carlos Soldevila, Carlos Mir Amorós, Joan Puig i Ferrater, Jaime Pahissa, Justo Cabot, José María Prim, Luis Elías, Mauricio Torra-Balari, Màrius Gifreda, Joan Tomás, Duran i Reynals, Tomás Garcés, José María Planas, Joaquín Montaner...

Los Regás ofrecieron un «resopón» a los asistentes. Tras el ágape, que discurrió en una atmósfera jovial, Federico, al piano, transportó al improvisado auditorio a aquella ensoñada Granada de su retenida niñez, que le dio su luz y que le abrió «la vena de su secreto lírico». Después fue el gran pianista barcelonés Alexandre Vilalta el que se sentó al piano e interpretó a Albéniz y a Falla. La alegría se hizo sonora cuando Josep Maria de Sagarra empezó a desgranar sus poesías jocosas, en las que trazaba ingeniosas imágenes que a Federico le hacían estallar esa risa suya tan recordada

25. MARIO VERDAGUER, *Medio siglo de vida íntima barcelonesa,* Barcelona, 1957.

404

por sus amigos. Y, en aquel caldeado ambiente, el poeta catalán decidió dar a conocer la *Balada de Fra Rupert*. Acompañado de Rivas Cherif, fue a su casa de la Bonanova, por el original. En la sala del restaurante de la Estación, unos biombos chinescos ponían una nota alegre e íntima, y tras uno de ellos se ocultó la Xirgu, para darle tono a la célebre balada anticlerical. Tras la fugaz lectura, Margarita se encaramó en una silla, a modo de púlpito, y la declamó con un brío y tal trémolo que parecía estar recitando *Medea*:

> *Rupert, el de les dames predilecte,*
> *fra menor d'aparell extraordinari,*
> *sense gota ni mica de respecte*
> *als vots del venerable escapulari,*
> *puja a la trona amb el ninot erecte*
> *i com aquell que va a resar el rosari,*
> *mostrant, impúdic, el que té entre cames,*
> *excita la lascívia de les dames;*
> *i amb veu entre bariton y tenor,*
> *canta Rupert, l'impúdic fra menor...*

Xavier Regás nos ha referido la delirante algazara que levantaban aquellas estrofas. En algunas, la actriz tenía que contener su voz y esperar a que los espectadores acallaran las risas, los gritos, las exclamaciones. Cuando terminó de recitarla, Federico cogió a la actriz en brazos y le dijo:

—¡Qué grande eres, Margarita! Con una actriz como tú y un poeta como Sagarra, la lengua catalana no morirá nunca.[26]

Regás nos ha contado la perfecta interpretación de Rivas Cherif, a quien llamaban Cipri, de una de las improvisaciones en verso que solía hacer Eduardo Marquina, en los banquetes, que llamaba «a propósito», y la gracia de las parodias de García Lorca y de Sagarra. Rafael Moragas reseñó así, para su periódico, el final de la velada:

> Se desbordó el buen humor y García Lorca, Sagarra y Rivas Cherif improvisaron parodias de discursos que des-

26.   Conversación con Xavier Regás.

ternillaron de risa a las cincuenta y tantas personas que nos habíamos reunido y que nos despedimos cuando aprontábase el amanecer.[27]

Desde el estreno de *Doña Rosita* Margarita Xirgu recibía diariamente un ramo de flores sin tarjeta ni remitente. Se trataba de un obsequio de las floristas de las Ramblas. La Xirgu y García Lorca, ante aquel gesto tan exquisito, quisieron dedicar una función extraordinaria a estas mujeres de «risa franca y manos mojadas donde tiembla de cuando en cuando el diminuto rubí causado por la espina». El homenaje se fijó para el domingo 22 de diciembre. García Lorca dedicaría el acto, y tras la representación Margarita recitaría el *Canto a las Ramblas de las Flores,* de Sagarra.

El día antes, el sábado 21, la lotería nacional llena de alegría a los barceloneses. La ciudad ha sido agraciada con más de 16 millones de pesetas. El azar ha llevado la felicidad a muchos hogares modestos y Federico vive aquella euforia callejera, celebrando la suerte de las familias favorecidas.

Horas antes de dar comienzo la función dedicada a las floristas —nos ha contado don Miguel Ortín—, Federico pidió a Margarita unas cuartillas y en el camarín de la actriz, en el papel timbrado de su compañía, sentado delante del espejo del tocador de la Xirgu, escribió el poeta su homenaje a las floristas y a las Ramblas, en el que, como en una finísima acuarela, recogió el color, la luz, la gracia, la vida, todo el ambiente de esa calle de Barcelona, que como dice García Lorca, «es la más alegre del mundo»:

Señoras y señores:
Esta noche mi hija más pequeña y más querida, Rosita la soltera, la señorita Rosita, doña Rosita, sobre el mármol y entre cipreses doña Rosa, ha querido trabajar para las simpáticas floristas de la Rambla y soy yo quien tiene el honor de dedicar la fiesta a estas mujeres de risa franca y manos mojadas donde tiembla de cuando en cuando el diminuto rubí causado por la espina.

27. *El Día Gráfico,* Barcelona, 21-12-1935.

Banquete a los críticos teatrales, al día siguiente del estreno
de «Doña Rosita». Entre los asistentes se encontraban Jaime Pahissa,
Avelino Artís, Carlos Soldevila, María Luz Morales,
Josep Maria de Sagarra, Rivas Cherif, Margarita Xirgu y Lorca.

García Lorca en el homenaje que hicieron en su honor
en el hotel Majestic. Diciembre de 1935.

La rosa mudable, encerrada en la melancolía del carmen granadino, ha querido agitarse en su rama al borde del estanque para que la vean las flores de la calle más alegre del mundo. La calle donde viven juntas a la vez las cuatro estaciones del año, la única calle de la tierra que yo desearía no se acabara nunca, rica en sonidos, abundante de brisas, hermosa de encuentros, antigua de sangre, la Rambla de Barcelona.

Como una balanza la Rambla tiene su fiel y su equilibrio en el mercado de las flores donde la ciudad acude para cantar (bautizos y bodas sobre ramos frescos de esperanza y donde acude agitando lágrimas y cintas en las coronas para los muertos). Estos puestos de alegría entre sus árboles ciudadanos son como el regalo del ramblista y su recreo, y aunque de noche aparezcan solos, casi como catafalcos de hierro, tienen un aire señor y delicado que parece decir al noctámbulo: «levántate mañana para vernos, nosotros somos del día». Nadie que visita Barcelona puede olvidar esta calle, que las flores convierten en insospechado invernadero, ni dejarse de sorprender por la locura moratiana de estos pájaros, que si bien se vengan a veces del transeúnte de modo un poquito incorrecto, dan en cambio a la Rambla un aire acribillado de plata y hacen caer sobre sus amigos una lluvia de adormecedora, de invisibles lentejuelas, que colman nuestro corazón.

Se dice, y es verdad, que ningún barcelonés puede dormir tranquilo si no ha paseado por la Rambla por lo menos una vez, y a mí me ocurre otro tanto en estos días que vivo en vuestra hermosísima ciudad. Toda la esencia de la gran Barcelona, la perenne, la insobornable, la grande, está en esta calle, que tiene un ala gótica donde se oyen claras fuentes sonoras y laúdes del quince y otra ala abigarrada, cruel, increíble, donde se oyen los acordeones de todos los marineros del mundo y hay un vuelo nocturno de labios pintados y carcajadas de amanecer.

Yo también tengo que pasar todos los días por esta calle

para aprender en ella cómo puede persistir el espíritu propio de una ciudad.

Amigas floristas, con el cariño que os saludo bajo los árboles como transeúnte desconocido, os saludo en esta noche aquí como poeta, y os ofrezco, con franco ademán andaluz, esta rosa de pena y palabras: es la granadina Rosita la soltera.

Salud.[28]

Al final, las homenajeadas subieron al escenario y se fotografiaron con la actriz, García Lorca y Sagarra, como recuerdo de la simpática velada.

García Lorca, a fines de 1935, vive inmerso en el fervor popular de esta Barcelona de algo más de un millón de habitantes. Se ha prodigado en todos los ambientes y ante los más variados públicos y la gran fuerza expresiva de su voz lírica ha sellado simpatías y admiración. El poeta ha vivido sus jornadas barcelonesas con inusitada intensidad. Requieren su asistencia en actos públicos y privados, es agasajado y se siente querido y a gusto entre esas amigas y amigos que lo rodean a todas horas. Cuando Luis Góngora le pregunta si está contento de la acogida de sus obras por el público barcelonés, le contesta rápido:

—Contento es poco. Como que quisiera estrenar aquí todo cuanto haga para el teatro.

Y, para confirmar sus palabras, escribe en una cuartilla:

«Desde el año 1927, en que la gran Margarita Xirgu estrenó mi *Mariana Pineda,* hasta el 1935, en que la misma actriz ha dado a conocer *Doña Rosita la soltera o el lenguaje de las flores,* el público de Barcelona ha dado con su atención y su afecto un aliento definitivo a mi labor de poeta dramático.» FEDERICO GARCÍA LORCA.[29]

Una mañana llega a Radio Barcelona con la Xirgu y sus huestes, y presenta a la compañía, que ante los micrófonos de la emisora barcelonesa ofrece el primer acto de la obra lorquiana de

28. Autógrafo del archivo particular de don Miguel Ortín.
29. Este autógrafo lo reprodujo *La Noche,* 24-12-1935. Publicado por Marie Laffranque, en el *Bulletin Hispanique,* t. LX, Burdeos, 1958.

las flores. No le cansa leer una obra para dos o tres amigos y repetirla al otro día. En el restaurante Las Siete Puertas lee a Sagarra, a Ventalló y a Alavedra *Poeta en Nueva York* y firma en el álbum de la casa, hoy desaparecido.[30] Sempronio, entonces Avelino Artís, recuerda una lectura de *El Diwan del Tamarit* que les ofreció a un grupo muy reducido, en la sala de los «Balancins» del Ateneo, en la calle de Canuda. El doctor Nubiola ha rememorado un cóctel que el modisto Marvel dio en honor del poeta. Se trataba de una receta nueva que había traído de París y que el famoso modista catalán acabó haciendo con leche cuando se terminaron los licores. Manolo Muntañola lo invita a la inauguración de un bar muy elegante, el Oysters bar, y de una marisquería decorada por él con redes y motivos marinos, en el Paseo de Gracia, esquina a la Gran Vía, donde está hoy el cine Comedia. Con la familia Muntañola va a Sitges, y otro día vuelve a la «blanca Subur» invitado por Daniel Planas, junto a los componentes de la compañía de la Xirgu. Comen en el restaurante La piscina María Teresa. De aquel día es la dedicatoria de un *Romancero gitano* a José Canyis, que conserva su mujer, Pepa, y que lo enseña con orgullo a los clientes de su *boutique Número Tres*. Algunas vela-

30. El restaurante Las Siete Puertas, situado en los pórticos de Xifré, era un lugar muy frecuentado por García Lorca en sus estancias en Barcelona. El establecimiento tenía esa solera que acrisolan los años. En 1935, cuando leyó allí *Un poeta en Nueva York*, faltaba un lustro para que se cumpliera un siglo de su existencia. En 1840 había abierto sus puertas José Cuyás, dueño también del café Neptuno, después llamado Constancia, ubicado en la Plaza Palacio. La vecindad de la Lonja, de la plaza de Toros, de la Estación del ferrocarril de Francia y el puerto, lo convirtieron en la sede de la más heterogénea clientela, entre la que no faltaban intelectuales, poetas, pintores, actores, toreros y otras gentes de tronío. Su cocina era y continúa siendo el marchamo de los «gourmets» nacionales y extranjeros. El día 13 de setiembre de 1871, durante la visita a Barcelona de aquel rey de España extranjero, Amadeo I, de tan breve reinado, quiso saborear, como un cliente más, los célebres platos de Las Siete Puertas, y por una de ellas entró, vestido de paisano y sin escolta. Pero como su efigie soberana estaba en los duros de plata que corrían por el país, fue inmediatamente reconocido. Lo atendió el mismo dueño, que a la hora de pagar no quería cobrarle. Pero José Cuyás, ante la tenacidad del monarca, acabó presentando la minuta a su real cliente y, a poco, recibía Cuyás el nombramiento de «Repostero de Cámara de S. M.»

Programa de la conferencia
musical que Lorca dio
el 19 de diciembre de 1935
en el auditórium del
Casal del Metge.

ASSOCIACIO DE MVSICA ᴅᴀ CAMERA,
SECCIO
AVDICIONS INTIMES
Curs VI: 1935 - 36   SESSIÓ SEGONA

FEDERICO
GARCIA LORCA

•

Dijous, 19 desembre de
a les deu del vespre.
Exclusivament per als inscrits a AUDI
CASAL DEL ME

P R O G R A M A

I

*COMO CANTA UNA CIUDAD
DE NOVIEMBRE A NOVIEMBRE*
Evocacions, comentaris i cançons de Granada,
per l'iŀlustre poeta
FEDERICO GARCIA LORCA
La part musical serà executada pel propi
F. GARCIA LORCA

Cançons que interpretarà:

Los cuatro muleros.	*Café de chinitas.*
Peregrinitos.	*Las tres hojas.*
Por la calle abajito.	*Romance del Duque de Alba.*
Bamba de la niña y el mecedor.	*Canción de otoño.*

Cançons populars de Granada, harmonitzades per
F. Garcia Lorca.

II

Com a deferència a AUDICIONS INTIMES, l'eminent autor de
"Bodas de Sangre" completarà aquesta sessió oferint les
primícies de la seva última obra poètica, inèdita encara,
DIWAN DEL TAMARIT
Poemes de Granada

PIANO STEINWAY, cedit per la casa IZABAL

*El retrat de Garcia Lorca, que encapçala aquest programa
és del pintor* JOSEP SERRANO.

El programa iba ilustrado
con la reproducción
del retrato que José Miguel
Serrano hizo a García Lorca.

das toca el piano en la casa de Carlos Mir Amorós, otras acude a tertulias y a estrenos teatrales. Y una noche, al filo de la madrugada, el poeta, acompañado de la Xirgu, Grau Sala, Miguel Ortín, Agustí y Rivas Cherif va a visitar la capilla ardiente del payaso francés Antonet, que sus amigos han instalado en la Estación de Francia. Este célebre artista circense dejó consignado en su testamento el deseo de ser enterrado en Barcelona. Federico no quiso traspasar el umbral de la puerta: «No quiero ver el cadáver —dijo—. Nunca lo he visto así en vida. Para mí era un payaso. Por tanto, no era así, era otro. Su muerte para mí es mentira.» [31]

A mediados de diciembre la prensa barcelonesa publica una convocatoria en la que un grupo de intelectuales invitan a los amigos del teatro y de las letras a rendir homenaje a García Lorca.[32]

---

31. Ignacio Agustí, op. cit., p. 86.
32. «Los catalanes —decía— podemos ser acusados de muchos defectos, pero es difícil que nadie nos tache de exclusivistas en materia de arte y de poesía.

»Aun en los períodos que aparentemente podían proporcionarnos pretexto para cultivar una cierta xenofobia —tal como hacen los demás pueblos del mundo— tenemos a honor elevar por encima de agravios y añoranzas, nuestra fe cordial en los valores del espíritu, vengan de donde vengan y se llamen como se llamen.

»Pocas veces nos habrá sido tan grata y tan sencilla de practicar esta virtud como ante las obras del gran poeta andaluz Federico García Lorca, quien, en pocas semanas, gracias a la magnífica y genial Margarita Xirgu, nos ha ofrecido la tragedia obsesionante de la esterilidad, la «saga» andaluza de amor y de la sangre, y el poema punzante de la espera sin esperanza, en un ambiente provinciano, que destila cursilería.

»Seríamos ingratos si no nos sintiéramos conmovidos por esta triple ofrenda. Seríamos inhábiles si no aprovecháramos la ocasión de reafirmarnos en nuestra buena tradición de comprensión generosa y de sensibilidad no desmentida.

»Los firmantes invitan a todos los amigos del teatro y de las letras a rendir homenaje al autor de *Yerma*, de *Bodas de sangre* y de *Doña Rosita la soltera*, en la cena que tendrá lugar el próximo viernes, día 20, a las ocho y media de la noche, en el Majestic Hotel de Inglaterra.

»Barcelona, 16 de diciembre de 1935.

»Carlos Soldevila, Josep Maria de Sagarra, Joan Puig i Ferrater, Jaime Pahissa, María Luz Morales, Justo Cabot, Juan Alavedra, Joaquim Ventalló, José María Masip.

El banquete, fijado para el día 20, se celebra el lunes 23, en el hotel Majestic, del paseo de Gracia, donde unos años más tarde se hospedaría otro gran poeta, Antonio Machado, ya moral y físicamente herido de muerte.

La noche del homenaje a Lorca, en el Majestic se reunieron más de cien comensales, entre los que se encontraban destacadas personalidades del mundo literario y artístico catalán. Mauricio Torra-Balari conserva el menú de esta cena, con un autógrafo del poeta: «Para mi querido Mauricio. Federico.» [33] Joaquim Ventalló leyó las numerosas adhesiones recibidas.[34] Rivas Cherif recitó un divertidísimo poema de Salvador Vilaregut, en el cual se proyectaba con gracejo su admiración al homenajeado. Carlos Soldevila ofreció el banquete. Con verbo fácil «en el que se mezclaron preocupaciones raciales y disquisiciones arqueológicas y antropológicas», siempre en una atmósfera de fino humorismo, habló del paralelismo que existe entre el ambiente de Andalucía y el de Cataluña.

García Lorca, con donaire y elocuencia, tras de agradecer las palabras de Soldevila, expresó su gratitud a Barcelona e hizo un cálido elogio de las Ramblas, «la calle más bella del Mediterráneo», en las que veía, tanto en las de Barcelona, como en las de

»Tickets en *La Humanitat, Última Hora, La Publicitat, Mirador, La Rambla,* y en el Principal Palace. Precio del ticket: 17'50 pesetas.»

33. «Sopar d'homenatge a Frederic García Lorca per l'avinentesa d'haver otorgat a Barcelona les primícies de la comèdia *Doña Rosita la soltera o el lenguaje de las flores.* Llista: Crema St. Germain, Filets de llenguado hospetera, Medallons de Vedella Mascota, Capons del Prat rostits, Enciam del temps, Bomba Majestic, Dolços, fruites, moka; Vins: Castell Remei blanc, Majestic negre, Codorniu, licors. Barcelona, 23 desembre 1935.»

34. Una de las adhesiones fue la de Lluís Muntanyà, que reproducimos:

«Querido Federico: Mi adhesión cordial al merecido homenaje de hoy y la expresión sincera de mi amistad de siempre.

»Tengo a honor el haber sido el primero en conocer y valorar públicamente en Cataluña tu obra poética. Por ello me complace doblemente tu actual triunfo y glorificación. Un fuerte abrazo, Lluís Muntanyà, 23-12-1935.»

(Archivo particular de la familia García Lorca.)

Figueras, conocida en compañía de Salvador Dalí, algo que le recordaba la mar «tropical» de Málaga. Después se refirió a las vicisitudes de autor teatral y su gratitud a la Xirgu por la facilidad que le brindó para entablar relación con el público por medio de la escena. Enalteció la labor de la actriz y dijo que era la intérprete idónea para encarnar las heroínas de sus obras. Finalmente, tuvo un recuerdo entrañable para las «criadas», esas criadas de su infancia «Dolores de Colorina», «Anilla la Juanera» que le enseñaron oralmente los romances, las leyendas, las canciones populares que despertaron su alma de poeta; «¿qué sería de los niños ricos —dijo— si no fuera por las sirvientas, que les ponen en contacto con la verdad y la emoción del pueblo?».[35]

Al terminar, nos ha contado Xavier de Salas, Federico le dio las cuartillas que había leído. Era habitual en Lorca regalar sus dibujos, prosas, poemas manuscritos a sus amigos. En alguna ocasión esta costumbre le jugó malas pasadas, ya que a veces no se cuidaba de conservar siquiera una copia. Esto le ocurrió con un poema que regaló a Miguel Benítez Inglott. Tenemos noticias de ello por una carta en la que el poeta se lo reclama, con urgencia:

> Queridísimo Miguel: Estoy poniendo a máquina mi libro de Nueva York para darlo a las prensas el próximo mes de octubre; te ruego encarecidamente me mandes a vuelta de correo el poema «Crucifixión» puesto que tú eres el único que lo tienes y yo me quedé sin copia. Desde luego irá en el libro dedicado a ti.
>
> Por primera vez en mi vida dicto una carta que está escrita por mi secretario.
>
> Miguel, ten la bondad de ser bueno y mandarme ese poema, porque es de los mejores que llevará el libro. Estoy trabajando mucho, ya terminé *Rosita la soltera*. Nos veremos pronto en Barcelona. Abrazos y... (ilegible), FEDERICO. Contesta de verdad a Alcalá, 102.

A los pocos días vuelve a escribirle lleno de impaciencia:

35. *La Noche,* Barcelona, 24-12-1935.

Las floristas de las Ramblas fotografiadas
con Margarita Xirgu, Lorca y Sagarra.

Margarita Xirgu, García Lorca y Sagarra
en el escenario del Principal Palace de Barcelona.

Querido Miguel: Hace unos días te escribí una carta rogándote me enviaras mi poema «Crucifixión», que guardas tú. Como no he recibido contestación, te lo vuelvo a recordar, suplicándote no dejes de hacerlo, pues es de los poemas más interesantes del libro y no quiero que se pierda. Recibe un abrazo muy fuerte de FEDERICO. — ¿Tienes tú también un poema que se llama «Pequeño poema infinito»?

Mientras tanto Benítez, sin tener clara idea del lugar en donde lo había guardado, buscaba inútilmente el original lorquiano. Pasaron años hasta que un día, hojeando su *Romancero . gitano,* apareció el poema entre sus páginas. Esta composición, fechada en Nueva York en octubre de 1929, permaneció inédita hasta setiembre de 1950, en que se publicó en la revista *Planas de Poesía,* de Las Palmas. Después se incorporó a las O. C. de su autor, con el título «La luna no pudo detenerse al fin».[36]

36. «Me queda por hacer la historia del manuscrito de *Crucifixión,* que *Planas de Poesía* tiene el honor y la gloria de publicar por primera vez. Federico me dio, con ocasión de su estancia en Barcelona durante el invierno de 1935, el original de esta composición escrito a lápiz (1). Según mi costumbre, lo metí en uno de mis libros, y cuando él volvió a pedírmelo, como lo atestiguan las cartas igualmente publicadas aquí, no me fue posible dar con él. Lo buscaba ansiosamente cuando estalló la guerra. Yo marché a Madrid hacia los primeros días de agosto, dejando en Barcelona todos mis libros, y hasta mayo de 1939 no los recobré. Y un buen día, hojeando el *Romancero gitano,* di con el manuscrito, que era ya una reliquia.

»Más tarde, en las Canarias, se extravió de nuevo de una manera tan extraña que sospeché, Dios me lo perdone, que me lo habían robado, y he aquí que otro día, entre las páginas del mismo *Romancero,* tuve la suerte de volver a encontrar el precioso escrito que, sabiendo que mis días estaban contados, entregué a otro gran poeta que comparte mi veneración por la memoria de Federico y mi admiración por sus obras: Agustín Millares Sall; así como confié a su hermano José María el original de *Oficina y denuncia,* y a Rafael Roca el *Homenaje a Maupassant* en prosa, mecanografiado, pero con largas e importantes correcciones de mano de Lorca.

»En cuanto a las correcciones del soneto sobre la muerte de Pepe Ciria, he aquí cómo ocurrieron las cosas: una tarde en Barcelona, hacia 1935, Federico tomó en mi casa la *Antología* de Gerardo Diego. Hojeándola, se detuvo en la página en que figuraba el soneto en cuestión y me pidió un

Una de las últimas fotos de Federico García Lorca, tomada en Madrid el 29 de junio de 1936, durante una fiesta en honor del torero Pepe Amorós (en primer plano).

En una entrevista de Trillas Blázquez a Margarita Xirgu aparecida en *Crónica,* el 25 de diciembre de 1935, podemos leer:

—¿Va usted con la misma compañía que trabaja ahora en el Principal?

—Sí, con Rivas Cherif al frente. También viene Federico.

Y el propio García Lorca, la noche de la cena en el Majestic, habla de su viaje a Méjico. Luis Góngora le pregunta para su periódico *La Noche:*

—Y ahora, ¿qué planes tienes?

—Seguramente me iré a Méjico con Margarita Xirgu y después volveré en cuanto pueda, pues tengo que acabar varias obras en las que tengo una gran fe y hacer que se estrene *Los muñecos de Cachiporra,* para los que ha compuesto Federico Elizalde una música que es una maravilla.

Por estas fechas Federico no había desistido de acompañar a la Xirgu en su gira hispanoamericana. Pero, llegado el momento de partir, Lorca decide que se reunirá con Margarita en Méjico. La Xirgu da por finalizada su campaña en el Principal el 6 de enero de 1936. En las últimas representaciones la compañía ha obsequiado al público, a modo de fin de fiesta, con la escena del casamiento de *Bodas de sangre* y el cuadro de las *Lavanderas,* de *Yerma,* al acabar la función de *Doña Rosita.* La actriz prolonga tres días sus actuaciones para dar a conocer la nueva obra lorquiana en Mataró, Sabadell y Badalona.

Pero ¿y Federico? ¿Cuando partió para siempre de sus amadas tierras catalanas? No ha quedado ninguna pista de la fecha

lápiz. Hizo dos correcciones y dijo: "Así está mejor."» JEAN-LOUIS SCHONBERG, *Federico García Lorca. El hombre - La obra,* México, 1959, p. 242.

(1) Si García Lorca le dio a Benítez el manuscrito de *Crucifixión* en el invierno de 1935, las cartas de Lorca reclamándoselo debían de ser de junio-julio de 1936, y no de agosto de 1935, en que las fecha Benítez. Sabido es que Lorca no fechaba sus cartas. *(Nota de la autora.)*

en que el poeta dejó atrás sus horas bulliciosas y amicales de Barcelona. No lo recuerdan sus íntimos. No quedó recogida la noticia en ninguna escondida columna de aquellos periódicos para los que él era siempre actualidad. ¿Quizá lo quiso él así? Pudo sentir dolor de despedida y hundió la partida en niebla de nostalgias. ¿Intuyó que no regresaría junto a las floristas de las Ramblas, ni a las tertulias apasionadas del Principal Palace? A veces —casi siempre— es duro despedirse cuando una fibra sensible del corazón presiente que no existe regreso. Federico marchó de Cataluña. Eso es todo, sin fecha ni momento.

A continuación se recogen los testimonios escritos especialmente para esta obra por diversas personalidades catalanas que conocieron personalmente a Federico García Lorca y que aún hoy guardan un recuerdo imborrable del gran poeta andaluz.

Conocí a Federico García Lorca en el «Ateneíllo de Hospitalet». Allí acudíamos todos los domingos una serie de intelectuales-poetas, escritores: artistas en torno al pintor Rafael Barradas. Yo tenía amistad con todos ellos, pero mi admiración se dirigía hacia Lorca. Tanto admiraba yo su manera de poetizar, que en mi libro *Rincón de mi ventura,* tengo un poema («Romance de la niña que ama el sueño») que, a la manera del poeta de Granada, dedico en recuerdo de su paso por el «Ateneíllo».

J. Alsamora
Barcelona, septiembre de 1973

Tarde inolvidable la de García Lorca en casa, deleitándonos con su voz y al piano con los primores del cancionero granadino, el gallego y el argelino, en los que le hallaba consonancias. Vino a Sitges traído por mi cuñado Lluís Muntanyà, Sebastià Gasch, Salvador Dalí, Víctor Sabater y el caricaturista Font. Estuvimos oyéndole durante un buen par de horas el grupo poco menos que completo de «L'amic de les Arts». Pero nuestro placer se hizo emoción cuando Federico, metido en canciones catalanas, entonó el «Desembre congelat», cantar de ángeles decía.

Inolvidable tarde, recuerdo grato, imperecedero... con luto en el alma.

Carbonell

421

SEMBLANZA DE FEDERICO GARCÍA LORCA
para Antonina Rodrigo

No conocí a Federico en su ambiente intelectual de conferenciante, en sus brillantes tertulias, ni en sus viajes por España dirigiendo *La Barraca*...

Le conocí de forma íntima y sencilla porque era amigo de mi hermano y estuvo en casa algunas temporadas.

Mi hermano se pasaba el día pintando en su estudio y Federico, cuando no le miraba pintar, no buscaba más compañía que la mía.

Amigo incondicional, espontánea simpatía, conversación interesante sin proponérselo, a su lado todo parecía vibrar en un mundo mágico.

La cultura de Federico no era de archivo sino muy viva y con gran inteligencia la aireaba de modo oportuno, convincente y lleno de sugerencias. Se hallaba tan lejos de toda pedantería que muchas veces conversaciones serias terminaban en broma por su sentido del humor y su forma de explicar las cosas.

Como es sabido le gustaba tocar el piano y la guitarra y cantaba acompañándose de alguno de estos instrumentos, pero Federico no cantaba en el propio sentido de esta palabra. Si bien entonaba perfectamente su voz afónica no se lo permitía y esta manera de cantar, sin cantar, era de un atractivo incomparable, igual que el de su sonrisa que daba a su rostro, que no era bello, una gran belleza.

Le gustaba decir tonterías, inventar palabras, poner motes y gastar bromas. Bromas de una increíble y sorprendente ingenuidad. Su risa era abierta, franca, contagiosa y su alegría muy infantil.

Sin embargo, Federico pasaba por momentos de profunda tristeza. En estos momentos su rostro de sonrisa luminosa y de mirada atenta, como si intentara averiguar el verdadero sentido de las palabras y de las cosas, se desvanecía, y aparecía un rostro duro y preocupado y unos ojos sin expresión porque miraban hacia dentro.

Alguien que no le conociera bien, podría suponer que tenía dos personalidades. No era así. No se trataba de dos personalidades, sino de dos facetas de la misma personalidad. No era cara y cruz, sino luz y sombra.

Al evocarle, su recuerdo se me aparece vivo irradiando con gran fuerza simpatía y ternura.

Recitaba sin la menor afectación, pero insinuante como si contara algo mágico y debía serlo porque los que le escuchaban quedaban hechizados aun sin entender el sentido de sus versos.

Su voz era afónica, pero muy matizada y todos cuantos tuvimos la suerte de oírle podemos escucharla todavía.

Su voz es algo muy especial, muy bella y totalmente inolvidable. Tan inolvidable como la genial y extraordinaria personalidad que bajo el nombre de «Federico» vivió entre nosotros con la mayor sencillez.

Ana María Dalí

Federico descubrió, a través del espejo de la bahía de Cadaqués, una España distinta que le sorprendió de modo absoluto y le sirvió para entender el mundo universo de la poesía de su tiempo.

Guillermo Díaz-Plaja

UN RECUERDO DE GARCÍA LORCA

Es sabido —Guillermo de Torre lo escribió en su prólogo a la primera edición Losada— el escaso afán que García Lorca sentía por ver publicadas sus obras. Y cómo prefería su difusión oral a otra cualquiera. Así, a pesar de mi insistencia por conseguir uno de sus poemas para «Quaderns de Poesia», la entrega se iba demorando, y sólo al encontrarnos por azar él y yo un día en la Plaza de Cataluña pude llevarle al Café de la Luna (¡qué bonito nombre, qué lugar mejor, sobre todo entonces, antes de los astronautas, para la conversación de dos poetas !) y allí arrancarle, dictada de viva voz y transcrita por mí en un pedazo de papel, sobre la fría mesa de mármol, su estupenda «Gacela de la terrible presencia», que apareció en seguida en el número 3 de nuestra revista.

He comparado su texto con el que figura, ya definitivo, en el *Diwan del Tamarit* y únicamente una palabra aparece corregida al pasar de la revista al libro. Sólo un leve retoque en aquella versión oral inolvidable.

Tomás Garcés

Conocí a Federico, primero como poeta, cuando lo descubrí por primera vez, con el *Romancero gitano,* que con varios amigos recitábamos y aprendimos de memoria.

Lo conocí personalmente en 1932 en Barcelona, cuando vino para dar una conferencia en el Hotel Ritz, para la sociedad «Compañía Club». Su charla fue «Un poeta en Nueva York» y recitó varios poemas sobre el particular.

Éramos varios amigos, entre ellos Ignacio Agustí, y fuimos a cenar con él en El Canario de la Garriga; fue una noche memorable para nosotros.

Su gentileza, su bondad y su «esprit» nos cautivaron.

Después volví a verle cuando vino con la compañía de Margarita Xirgu, para estrenar su obra *Doña Rosita la soltera o el lenguaje de las flores* de la que me encargaron el cartel. Nos vimos mucho.

La última vez que lo vi fue en Madrid, en mi exposición en el Museo de Arte Moderno en marzo de 1936, o sea cuatro meses antes de su trágica desaparición.

Grau Sala
París, 1973

Era por el año 1927. El pintor Rafael Barradas me presentó a Federico García Lorca en el café Oro del Rhin. Tan pronto como crucé cuatro palabras con el poeta, fui víctima del «flechazo». De un modo fulminante, repentino, me sentí atraído hacia aquel apasionado muchacho como por un imán. Federico tenía una simpatía arrolladora y un don de gentes único. Poseía el puro aroma de lo que brota espontáneo y firme. Y, asomada siempre a su rostro, aquella franca risa, luminosa y cordial, entre ingenua y picaresca. Rezumaba «sur» por todos sus poros: tez morena, ojos brillantes y vivísimos, pelo negro y abundante, y un clavel encarnado en la solapa del terno gris. Gesto afectuoso, vehemente y enérgico, con intermitencias lánguidas. Carácter fogoso, joven, impulsivo —ampuloso y conciso a la par—, de una imaginación vivísima, velocísima. Cada frase, una idea; cada palabra, un verso. Su conversación dejaba bien afirmada una individualidad violenta, salvaje y, al propio tiempo, alegre y fresca como el primer soplo de un viento que se inicia...

Así conocí al poeta granadino, en un café barcelonés, al atardecer de un día caluroso de verano. Lorca me regaló y dedicó allí mismo *Canciones,* un libro de versos publicado como primer suplemento de la revista malagueña «Litoral», que albergaba su producción poética desde el año 1921 al 1924. Lo leí de un tirón aquella misma noche. Apenas leídos los primeros versos, mi admiración se multiplicó por mil, y mi simpatía hacia García Lorca se metamorfoseó rápidamente en fraternal amistad...

SEBASTIÀ GASCH
8 de enero de 1974

Quisiera evocar un recuerdo de García Lorca, pero es un recuerdo inseguro, borroso. Es muy distinto de aquella huella precisa que dejó en mi memoria la lectura del poeta en una taberna de la plaza Sepúlveda, en Barcelona. Entonces, ante un grupo de amigos catalanes, analizó una metáfora que surge en el *Romance de la Guardia Civil,* nos explicó el sentido exacto que quiso dar a la expresión «miedos de fina arena», y recuerdo muy bien sus palabras.

En cambio, del otro recuerdo sólo me queda el vago perfil, el tema, pero un detalle esencial se ha borrado de mi memoria. García Lorca nos habló de un poeta que paseaba por las calles de Nueva York un día en que nevaba copiosamente. Los densos copos se deslizaban despacio entre los altos edificios como entre los muros grises y abruptos de un desfiladero. Y de pronto, el poeta que paseaba bajo la nieve levantó los ojos y, abriendo los brazos, exclamó: «¡Los ángeles! ¡Los ángeles!».

García Lorca nos dijo, claro es, de qué poeta se trataba. Pero he olvidado su nombre. Parece, en cambio, que aún estoy viendo a Federico con su gran ademán, la mirada fija en lo alto, mientras evocaba el éxtasis de otro poeta bajo la nieve.

MARIÀ MANENT

...Sí, por esa puerta, que ahora estoy mirando, en éste tu Canario de La Garriga, aún te veo entrar por ella, con tu aire campero, con tus ojos azules, con tu media sonrisa en tus labios, con tu americana de pana color de miel y con todo tu ser; con un deje tremendamente meláncolico, pero eso sí; todo ello respirando señorío, humildad y modestia.

Sin pronunciar palabra, con sólo tu presencia llenabas el vacío del ambiente y te decía; ¡buenos días Federico! y tú me contestabas pasándome el brazo por el cuello, ¡hola Andrés!, al tiempo que preguntabas; si estaban Catalina Bárcena y Gregorio Martínez Sierra o Salvador Vilaregut.

Tu tono de voz, era de voz queda, tenía siempre el don de la confidencia, incluso cuando perorabas, todo en ello tenía poesía, algunas veces, en un cuartito comedor, que teníamos en el fondo de la casa, tú que sabías de mis inquietudes espirituales, me permitías, solos los dos, que tú tañendo tu querida guitarra, me pusieras en gracia; de escuchar tus maravillosos poemas, que eran para mí, un bálsamo para mi corazón y mi alma. Cuando recitabas tus poemas; te transformabas, porque tus ojos, adquirían una profundidad tremenda, como si vivieras lo que estabas contando, en un auténtico éxtasis; porque después de ello, te quedabas como sin pulso, mudo; mientras seguías tañendo tu guitarra, como si cabalgaras sobre las nubes.

Después de repasar nuevamente tus poemas, cada vez descubro en ellos, nuevas facetas. Tú bien sabes querido Federico, que en cierta ocasión y que ahora con tristeza quiero recordar; que tú eras para mí, el Goya de la poesía, porque si él hubiera nacido poeta, se hubiera llamado Federico García Lorca, porque los dos, cada uno en su estilo de expresión, dominabais toda la gama y matices, del péndulo que va de la aurora al crepúsculo del colorido; incluso sumergiéndose con ello en las noches estrelladas, con un grafiquismo perfecto de las cosas y de los personajes. Hoy he querido bajar de la cúspide de mis años maduros, como humilde homenaje a ti y he querido situarme frente a la puerta de tu Canario, que ya es historia, y decirte con el corazón en la mano ¡Buenos días Federico!, aunque no me pongas en mi cuello, el leve peso de tu mano, con la cual escribiste tus maravillosos poemas.

ANDRÉS MESTRES

Su presencia era «un gozo para siempre».

Deslumbrante luz de atractivo personal en su momento; estela luminosa —todavía y siempre— en el recuerdo. Quizá hoy, algo agobiada su figura por los tópicos que sobre ella cayeron, lo que predomina, lo que perdura —de su presencia, en su recuerdo— sea ese algo indefinible, inasible que, en Andalucía, llaman «el duende». El misterio inenarrable de su júbilo contagioso, de su irresistible simpatía, la mirada muy brillante, con su trasfondo de melancolía, el gozo casi infantil de su risa. «(Sí: mucho de infantil tenía Federico, en su persona.) De él se dijo que era el niño, el juglar, el cisne, el agua.» Y es verdad que todo eso («¿el duende?») había en él. Algo que el gran poeta Pablo Neruda expresó así: «Era un relámpago vivo, una ternura totalmente sobrehumana. Su persona era mágica y morena y traía la felicidad.»

Esa felicidad en que el recuerdo de su presencia es «gozo para siempre».

María Luz Morales

Difícil fijar en unas pocas palabras el recuerdo de Federico, los rasgos dominantes de su carácter. Era en todo tan extraordinario, emanaba tal fascinación de su persona, que a veces parecía un ser irreal. En tensión constante imaginativa, transfiguraba todas las cosas, revelando los más insospechados aspectos de la realidad. Increíblemente lúcida, su inteligencia actuaba sobre las manifestaciones de la vida, adherida a una fe profunda en el hombre, en el arte, en la religión.

Todo adquiría en él una alegría contagiosa, derivada de esa fe insobornable, verdadero centro de gravedad del que irradiaba la fuerza espiritual que traspasa su obra y hacía de él un ser prodigio de humanidad creadora.

Sainz de la Maza

Federico García Lorca halló entre los catalanes, especialmente en la juventud catalana, un medio propicio a la eclosión de su arrebatadora personalidad.

Establecer contacto físico con él, equivalía a establecer nexos de amistad que el tiempo afianzaba inexorablemente.

Tuve la oportunidad de tratarle a fondo. En la Peña del Colón fui compañero suyo seguro y constante. De sus ausencias guardo cartas, dibujos y fotos con su autógrafo.

Cuando fundé con Joan Prats, Josep Lluís Sert y Salvador Dalí, el grupo «ADLAN», de singular historia, Federico se entregó con entusiasmo a la tarea de difundir el Arte Nuevo en Cataluña. Y lo logró plenamente.

Luchó con nosotros con el amor dinámico que ponía en todas sus cosas, y su éxito, fue total.

Recuerdo una lectura de versos que ofreció en la propia casa de la secretaria del Grupo «ADLAN», Adelita Lobo, una noche de primavera. En un ambiente casi íntimo, prodigó el agua clara de su inspiración poética durante casi tres horas. Fue algo emocionante. Le escuchamos embelesados. Federico se encontraba entre nosotros como el pez en el agua. Admirado y comprendido.

Como prueba de su afecto invasor y admirable y para poner más de relieve su generosa conducta para con sus amigos los catalanes, quiero terminar estas cuartillas relatando un hecho que le retrata de pies a cabeza.

Una noche de grato recuerdo, Federico dio en el «Casal del Metge» de Barcelona un recital lírico. Una conferencia con ilustraciones musicales del propio autor.

Su temática se relacionaba con la canción andaluza a través del tiempo. Él mismo se acompañaba al piano.

De todos conocida era la amistad que le unió a Margarita Xirgu, la genial actriz.

Pues bien; al no poder asistir la artista a su conferencia por su forzosa actuación en el teatro —no recuerdo ahora cuál—, accedió a una repetición exacta de la misma que se efectuó después de una cena fría ofrecida por Regás, el padre de Xavier, en el gran salón de la Estación de Francia.

Este rasgo de Federico me conmovió e incrementó el sincero afecto que ya sentía hacia el poeta granadino a quien tanto he querido y admirado por sus méritos, pero también por la fina comprensión que tuvo siempre para nuestra manera de entender la vida y sobre todo la particular forma de prodigar la alegría clara y luminosa de hallarse a placer inmerso en nuestro clima, en esta Cataluña que él proclamaba su segunda patria.

Federico fue —llegó a ser— «nuestro». Totalmente identificado con nuestros ideales. «Nuestro» en cuerpo y alma.

Es un hecho indiscutible... Permanente a través de las diferentes etapas de su vida...

Federico fue para mí, siempre, algo mío. Algo que se

incrusta en el recuerdo y se materializa en perfume imborrable, en luz que expone claridades consoladoras en las tinieblas de la soledad... En auténtica poesía...

CARLOS SINDREU
Barcelona, junio de 1974

En 1929, mis amigos Rivas Cherif y Gaspar Moro me descubrieron a García Lorca. Me hablaban de él constantemente, me fueron regalando sus libros y me fui entrando en el mundo del poeta. Hasta que un día me lo presentaron en Madrid. Desde el primer momento surgió entre nosotros esa amistad afectuosa, incondicional que inspiraba Federico. Nuestra relación la consolidan las veladas en casa los Morla, amigos comunes, y sus estancias en Barcelona. A Federico había que seguirle, nos ataba al carrusel de su vida alegre, luminosa. A diario lo recogíamos en el camarín de la Xirgu, gran amiga nuestra, y no dejamos de asistir a todas las manifestaciones artísticas que tanto prodigó, sobre todo en su estancia de 1935. De todo ello he guardado una nebulosa de idas y venidas, conferencias, recitales, reuniones en casa de amigos... Pero el Federico vivo, palpitante, que ha quedado en mí, más que el de 1936, la última vez que lo vi y que me hace un retrato, es el del estreno de ·Yerma, en Valencia. Federico no quiere asistir al teatro, cenamos en el clásico Palace Fesol y después paseamos durante el tiempo que dura la obra. Al final lo convenzo y entramos en el momento en que termina la obra. La gente enardecida, aplaude, sin decidirse a marcharse, quizá esperen que aparezca el autor en el escenario. La Xirgu y los actores agradecen una y otra vez que el telón se levante. A la salida descubren a Federico, que trata de esquivarse y rehuir el espontáneo homenaje que el público le dedica en plena calle. Los dos echamos a andar hacia el cercano Hotel Palace, de la calle de la Paz, y en ese momento unos espontáneos lo cogen en hombros y lo entran en el hotel. Federico se aleja de mí como en volandas. Esta imagen es la que conservo. Así lo veo siempre, mecido por el fervor popular entre feliz e intimidado, como él solía reaccionar ante sus triunfos, con la alegría del hombre y el pudor de la carga de infancia que el genial poeta no llegó a abandonar jamás.

Mauricio Torra-Balari

Las circunstancias y el motivo por los que llegué a conocer personalmente a Federico García Lorca en otoño del año 1930 fueron a raíz del estreno en Barcelona de su obra *Doña Rosita la soltera* en el teatro Principal, actualmente convertido en cine, en la Plaza del Teatro, corazón de las Ramblas barcelonesas.

Me es imposible precisar si fue nuestro común amigo el pintor Emilio Grau Sala o el poeta Rafael de León quienes me pusieron en contacto con él. Hacía muy poco tiempo de la instalación de mi tienda de antigüedades y decoración en la calle de la Paja. A Federico García Lorca le encantaba recorrer el barrio y los aledaños de la catedral y sus anticuarios. Recuerdo que fue una semana antes del estreno de *Doña Rosita* cuando nos pusimos de acuerdo para amueblar y ambientar el decorado y la escena, con mobiliario y objetos de la época romántica, época que se suponía ser la del tiempo de la juventud de los padres de «Doña Rosita».

En la tienda había lo que se llama «l'embarras du choix» pues yo sentía especial predilección por todo lo concerniente a este estilo y época, y estaba repleto de sofás y consolas de caoba, jarros, etc. Federico García Lorca se divirtió mucho eligiendo las cosas que más le gustaban y recuerdo se sintió hechizado por unos fanales ovalados de cristal, conteniendo en su interior unos jarros de porcelana, con sus magníficos ramos de flores artificiales. Después de todas las funciones, el milagro se produjo, y los fanales volvieron a la tienda sanos y salvos, después de la última representación. La única compensación que pedí fue que se citara mi casa en el

431

programa y carteles, por la cesión de dichos muebles y objetos.

Todo ello ayudó a crear una evocadora atmósfera a la dulce y trágica poesía de la obra, estando yo muy satisfecho por haber contribuido con mi granito de arena. Margarita Xirgu emocionaba al público y muchas furtivas lágrimas acompañaban siempre las últimas escenas.

Después del estreno y durante su permanencia en Barcelona, Federico García Lorca que se sentía en la ciudad como pez en el agua, nos fuimos viendo, encontrándonos a menudo en el café Glaciar bajo los arcos de la Plaza Real, o paseando por las Ramblas que él adoraba, y también a veces en el famoso y desaparecido Barrio Chino, en cuyos locales La Criolla y El Sacristán, por cuyo ambiente inenarrable sentía el poeta una gran curiosidad, contemplando fascinado el ir y venir de tanto tipo insólito e inverosímil pero siempre de una gran humanidad y realismo. ¡Qué maravillas de dibujo y de color no habrían salido de allí de disponer nosotros entonces de un Toulouse Lautrec local!

Después de tantos años transcurridos y a mi modo de ver y recordar, lo que ha quedado más impreso en mi memoria es la grande y sugestiva atracción que emanaba del escritor, su enorme simpatía, llena de sinceridad, y su bondad para todos los seres vivos y las cosas circunstanciales de la vida.

Conrado Verdaguer

La autora agradece la inapreciable ayuda y colaboración con cartas, conversaciones, entrevistas, datos, libros, fotos, prensa, dibujos, cuadros al personal de las Hemerotecas Municipales de Barcelona y Madrid, Biblioteca del Museo del Teatro de Barcelona, Manuel Abril, Ignacio Agustí, José María Ainaud, Joan Alavedra, Ricart Albert Oller, Juan Alsamora, Jordi Arquer, Pablo Luis Ávila, Nicolás Barquet, Antonio Bonet Castellana, Luis Buzón, José Caballero, Luis Capdevila, Antonio Clapés Alsina, Josep Carbonell, Oriol Carbonell, Josefina Cedillo del Hierro de Pérez Bobillo, Joan B. Cendrós, Agustí Centelles, Jacoba Comas de Gutiérrez Gili, Josefina Cusí, Ana María Dalí, Antonio Fernández, Guillermo Díaz-Plaja, J. V. Foix, Tomás Garcés, Manolo Garvayo, Isabel y Francisco García Lorca, J. M. Garrut Tomás, Sebastià Gasch, Antonio Gassó Prat, Emilio Grau Sala, Gustavo Gili, Giovanni Cantieri, Joaquín Gomis, Ernesto Halffter, Sixto Illescas, Marie Laffranque, Roque Llurba, Julio Manegat, Marià Manent, Joan Marvel i Seall, Andrés Mestres, Jaume Miravitlles, Carlos Mir Amorós, Eduardo Molina Fajardo, Nieves Morera, Josep Mullor Creixell, Manolo Muntañola, Joaquín Nubiola, Emilio Orozco Díaz, Miguel Ortín, Josep Palau Fabre, Eduardo Pons Prades, Pere Pruna, Xavier Regás, Ana Riera, Josep Rigol i Fornaguera, Laura de los Ríos Ginés de García Lorca, Francisco Roca Sabano, Francisco Roca Mestre, Antonio Roig Lopes, Josep Romeu Figueras, Francisco Sabater, Regino Sainz de la Maza, Xavier de Salas, Ricard Salvat, Sebastián Sánchez Juan, Salvador Sansuán Irún, Emilio de Santiago, Sempronio, José Miguel Serrano, Carlos Sindreu, Pedro Soteras, Antonio Tarradell, Joan Teixidor, Ana María Torra-Balari de Gili, Mauricio Torra-Balari, Josep Trueta, Salvador Vallés, Joaquim Ventalló, Conrado Verdaguer, José María Junyent.

Índice onomástico

Las cifras en cursiva remiten a las ilustraciones